NonFiction
論創ノンフィクション 010

定点観測 新型コロナウイルスと私たちの社会

忘却させない。風化させない。

2020年後半

MORI Tatsuya
森達也 編著

第二弾の刊行によせて

新型コロナウイルスによって未曾有の変化を余儀なくされる日本社会を、多くの識者の視点から定点観測する。その企画の相談を論創社の谷川茂からされた二〇二〇年四月、定点観測という発想は興味深い、などと同意しながら、僕は新型コロナウイルスについて（意識のどこかで）軽視していたと思う。

ウイルスの脅威を深刻に捉えていなかった（インフルエンザとそれほど変わらないじゃん）だけではなく、ここまで事態が長く続くとも思っていなかった。もちろん、一年以内に事態は収束するなどと明確に予想していたわけではない。あくまでの意識のどこか。でも間違いなく舐めていた。楽観視していた。何とかなるだろうと思っていた。今になってみるとそれがわかる。

これを正常性バイアスの発現と見なすことはもちろん可能だが、ちょっと違う見方をしてみたい。

子ども時代に予期せぬ災いが起きたとき、深く突き詰めることをしなかった。もちろん子どもはそもそも深く思慮しない存在だけど、最後には大人たちが何とかしてくれるとどこかで楽観視していたような気もする。なぜなら大人は経験も豊かだし知性もある。力だって強いし思慮だって深いはずだ。だからきっと何とかしてくれる。

小学生の頃は中学生が、中学生の頃は高校生が、高校生の頃は大学生が、大学生のころは社会人が大人だと思っていたけれど、やがて気づく。いくら齢《とし》を重ねても内面はほとんど変わらない。場数は踏んだから少しは狡《ずる》くはなったかもしれないけれど、逆に言えばそれだけだ。いまだに思慮は浅いし、刹那的で自分の抑制ができない。人は自分が成熟すると信じながら齢を重ねる。でもそれは幻想なのだ。ただしもしかしたら、社会全体が何かのきっかけで成長する瞬間があるのかもしれない。

アーサー・C・クラークは『地球幼年期の終わり』（渡邊利道ほか訳、創元SF文庫）で、宇宙から飛来した高度知的生命体を触媒にすることで、幼年期のままだった人類が次の段階に進化する物語を提示した。

人類の歴史は感染症との闘いの歴史でもある。一〇〇年に一度とのフレーズが示すように、かつてはスペイン風邪（インフルエンザ）があった。でもこの一〇〇年の変化は、それ以前の時代とは変化の速度がまったく違う。ならばコロナ以降の世界は、これまでとはまったく違う景色を見せてくれるのかもしれない。

少しは変わりたい。いやきっと変わる。少しだけ世界は成熟する。これもまた楽観視ではあるけれど、そう思いながら新しい年を迎える。年末に送られてきたそれぞれの原稿を読みながら。

二〇二一年一月五日

森　達也

目次

【編集部より】

・本書の各論考は、巻頭の斎藤環氏のものを除いて、あいうえお順（執筆者名）で掲載した。

・基本的に、二〇二〇年六月一日から一一月三〇日を定点観測の対象とした。

〔日本社会〕

第二波の襲来とワクチンへの期待

斎藤 環

斎藤 環（サイトウ・タマキ）

一九六一年、岩手県生まれ。精神科医。筑波大学医学研究科博士課程修了。爽風会佐々木病院等を経て、筑波大学医学医療系社会精神保健学教授。専門は思春期・青年期の精神病理学、「ひきこもり」の治療・支援ならびに啓発活動。著書に『社会的ひきこもり』（PHP新書）、『世界が土曜の夜の夢なら』（角川文庫）、『オープンダイアローグとは何か』（医学書院）、『「社会的うつ病」の治し方』（新潮選書）、『中高年ひきこもり』（幻冬舎新書）ほか多数。

感染状況の推移

二〇二〇年一一月三〇日現在、新型コロナウイルス感染症（COVID-19 以下、新型コロナ）の「第三波」の到来が誰の目にもあきらかになりつつある。全国の新規陽性者数は過去最多を更新し続けており、一一月二三日の厚生労働省（以下、厚労省）の発表では、国内での新型コロナの感染者は一三万二三五八例、死亡者は一九八一名であった。入院治療等を要する者は一八〇一九名、退院または療養解除となった者は一一万二二六九名であった。[1]

第二波は七月初めから東京を主な起点として拡大し、全国の新規の感染者数は八月七日に一六〇五人、一週間平均では一三〇〇人を超え、ピークを迎えていた。その後、感染者数は一時的に減少したものの、再び増加に転じ、一一月一四日には一七三六人、一週間平均で約一四〇〇人となっている。この時点で第三波は、すでに第二波のピークを上回っている（図1）。

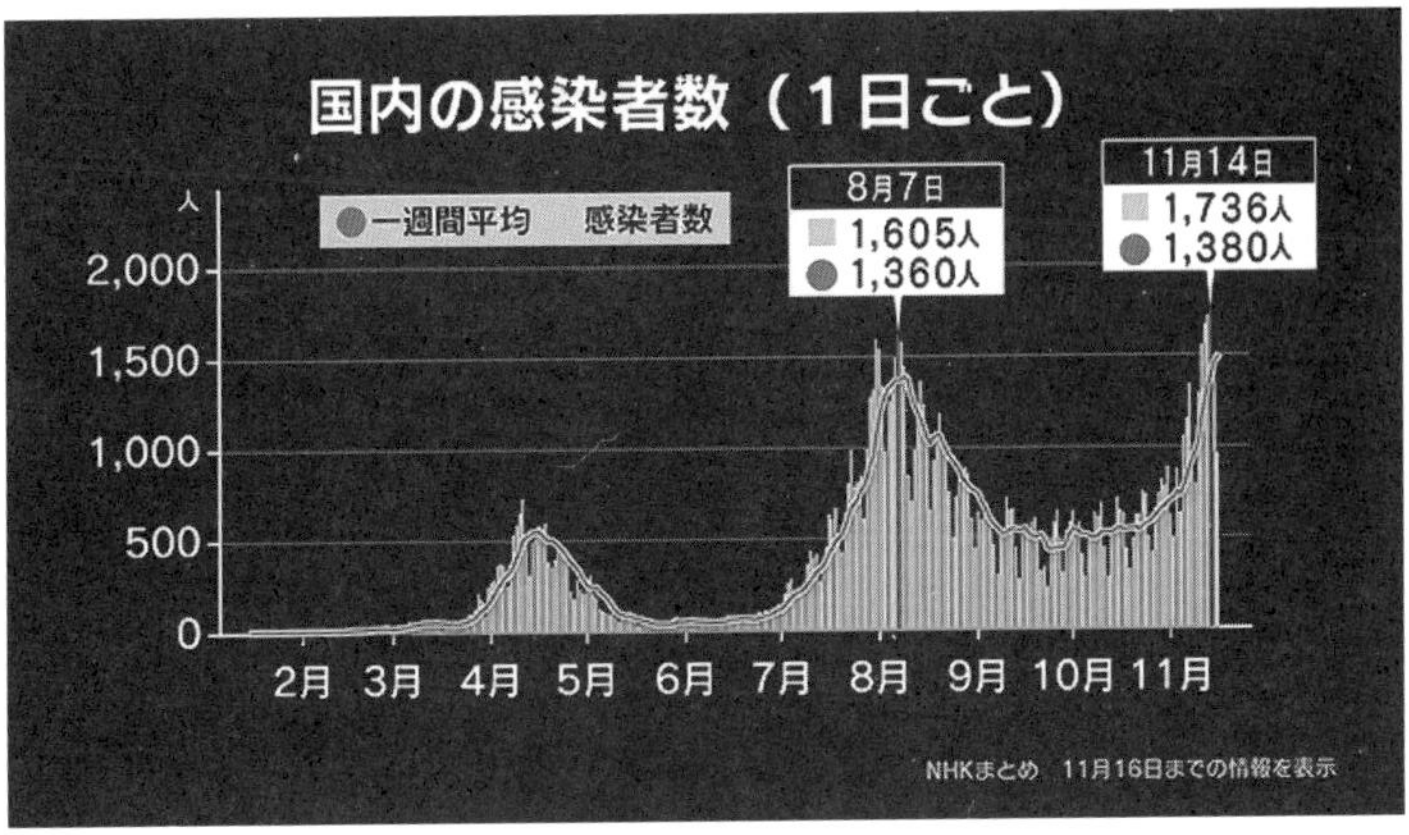

図1　新型コロナ 国内感染者数の推移[2]（2020年11月16日付）

日本医師会の中川俊男会長は一一月二五日の定例記者会見で「医療提供体制が崩壊の危機に直面している」との認識を示し、対策の徹底を訴えている。[3]

全世界の感染拡大傾向はさらに顕著であり、一一月二六日の米ジョンズ・ホプキンス大の集計で、世界全体の新型コロナ感染者は六〇〇〇万人を突破、死亡者は一四一万人となった。感染者数では米国が最多で、一二六四万人と全世界の二〇％が集中していた。米国では一一月一〇日の時点で感染者数が一〇〇〇万人を突破しており、その後も一日あたり一六〜一七万人の感染者が新たに確認されている。感染者数では米国に次いでインド八七七万三〇〇〇人、ブラジル五八一万一〇〇〇人が上位三カ国で、全世界の感染者の五〇％近くがこの三カ国に集中していることになる。このほか、フランス、英国、ドイツ、イタリア、スペインなど欧州でも感染拡大が著しい。[4]

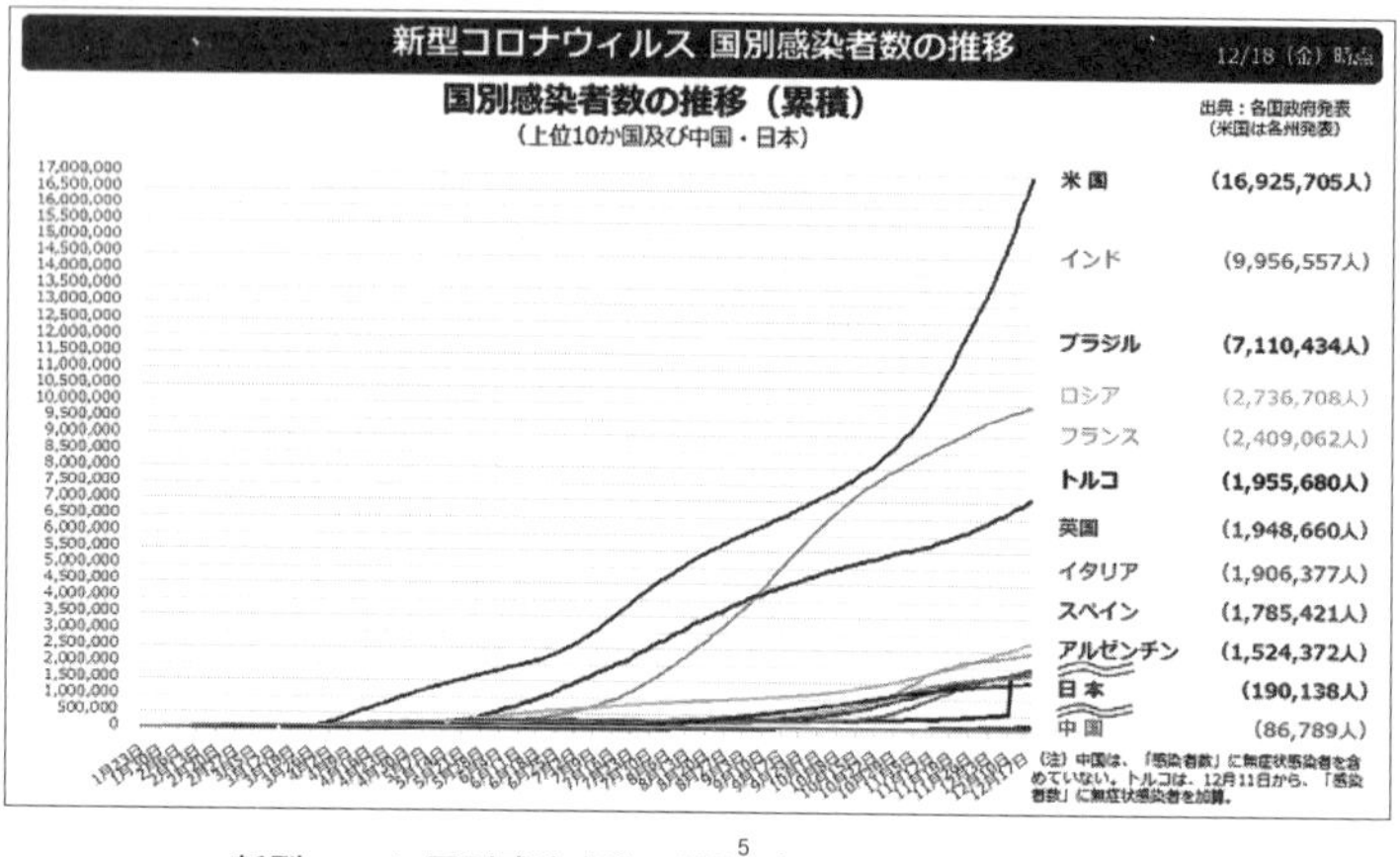

新型コロナ 国別感染者数の推移[5]（2020 年 12 月 18 日付）

感染対策

日本政府は五月二五日に緊急事態宣言を解除し、七月二二日から「Ｇｏ Ｔｏトラベルキャンペーン」を開始している。このキャンペーンで全国の観光産業は活性化したかに見えたが、第三波が到来して以降も継続したことには少なからぬ批判もあった。キャンペーンそのものと感染者数の増加が直接に関係していたかについては不明であるが、このキャンペーン以降、感染予防のために社会活動を自粛しようというムードが一気に弛緩してしまった可能性は否定できない。筆者は「経済を回す」活動を一概に否定するものではないが、このキャンペーンが感染拡大にもたらした影響と経済効果については今後きちんと検証されるべきであると考えている。

政府の感染対策としては、接触通知アプリ「COCOA」の配布がある。新型コロナに感染した人と濃厚接触した疑いがある場合に通知を受けられるスマートフォン向けのアプリで、六月一九日から利用が可能となった。

厚労省は一一月一七日、「COCOA」のダウンロード数が二〇〇一万件に達したと発表した。しかし、これは全人口の約一六％に過ぎず、陽性登録件数も一七三〇件と非常に少ないため、効果に疑問が呈されている。[6]

八月二八日には、政府は新型コロナの対応について、医療提供体制の確保、検査体制の拡充、ワクチンは二〇二一年前半までに全国民に提供できる数を確保すること、などの方針を決めている。

厚労省の一一月一五日時点での集計によると、PCR検査の最大能力は一日約八万四四〇〇件である。最多は民間会社の約五万三二〇〇件で、約七〇社が検査を担っているという。以下、医療機関約一万一六〇〇件、地方衛生研究所など一万七〇〇〇件が続くとのことだった。[7]

『定点観測 新型コロナウイルスと私たちの社会 二〇二〇年前半』(以下、『二〇二〇年前半』)でも述べたように、筆者は全例検査はリスクのほうが高すぎるため反対する立場をとるが、感染の疑いが濃厚な患者まで必要な検査が受けられない状況に対しては批判的であり、その意味で検査の拡充は喫緊の課題であると考えている。検査の件数が増加している点は改善点とも言えるが、必ずしも品質が担保されず、陽性であっても保健所へ届け出義務のない民間会社(政府は届け出を促しているが)の検査が最多であるという状況には危惧も覚えている。第三波が到来しつつある現在、ひきつづき公的機関や医療機関での検査体制の拡充は必要であろう。

後述するように新型コロナは指定感染症二類に指定されているが、入院に関する扱いは、ほかの二類感染症とは異なっている。専門病床を重症者のために確保する必要性から、無症状者と軽症者は必ずしも入院を要請されず、指定の宿泊施設や自宅での療養を勧告されることになる。宿泊費は無料となるが、宿泊施設に余裕がない場合は、高齢者等と同居している者や医療従事者等と同居している者が優先されることになる。いずれの場合でも保健所が定期的に電話やLINEなどで患者と毎日連絡を取り、健康状態をチェックすることになっている。

治療については、レムデシビルとステロイドが保険適用となるなど、重症度に合わせて使用する薬剤の整理が進められた。一〇月二五日時点で新型コロナの診療ガイドラインでは以下のように説明されている。まず、酸素投与を必要としない軽症患者に対しては、アビガン（ファビピラビル）の使用が「弱い推奨」となっており、酸素投与と入院治療が必要な中等症以上の患者に対しては、レムデシビルが「弱い推奨」、ステロイドが「強い推奨」となっている。また、中等症に限定しては、トリズシマブが「弱い推奨」となっている。ただし、いずれもまだ決定的なエビデンスが確立されたわけではなく、今後の研究成果を待ちたい。

以上が日本政府の標準的な対応であるが、ここで特筆すべきは、多くの自治体が独自の感染対策を展開したことである。東京都、大阪府、北海道、神奈川県などが代表的なところであるが、本稿では「和歌山モデル」に注目したい。[8]

和歌山県では二月に済生会有田病院で医師らの新型コロナ感染が確認されたことが大きく報じられ、早い段階から独自の感染対策を実施していた。クラスター対策も日本政府に先駆けて行っており、仁坂吉伸《にさかよしのぶ》知事は政府の方針にとらわれず、渡航歴に関係なく検査を大規模に実施していた。「和歌山モデル」の特徴は、早期発見、早期隔離、行動履歴の徹底調査という三点に加えて、保健所や行政の統合システムの早期形成だった。検査で発見した感染者は無症状患者も含めて全員入院させる方針に加え、保健所業務を徹底的に守った点も特筆すべきであろう。具体的には、和歌山県庁に窓口をつくって二四時間体制で電話相談を行い、病院周辺の聞き込みにも保健所を関わらせず、保健所業務が圧迫され職員が疲弊することを防いだのである。『二〇二〇年前半』での保健所の機能の重要性について触れたが、この点だけでも和歌山モデルに追随する自治体が増えることを期待したい。

指定感染症

日本政府は、二〇二〇年二月一日から新型コロナ感染症を感染症法の「指定感染症」に指定した。これは、従来感染症法の対象ではなかった疾患を、期間限定で臨時に感染症法上の分類に含める、という意味である。ちなみに指定期間は最大で一年延長することが可能である。

感染症法では感染力や重症度などに応じて一類感染症から五類感染症までに分類されている（表1）。表に示す通り、エボラ出血熱は一類、SARSやMERSは二類に分類されており、新型コロナは二類に相当するとされている。これらの感染症は、診断がつけば所轄の保健所に届け出が義務づけられており、これにより政府が全体の発生数の把握をして対策をとれるようにしている。また一～二類については、都道府県知事が必要と判断した際には強制的な入院措置を取ることができる。

指定感染症に指定するメリットとしては以下のものがある。

感染症法に基づく主な分類	無症状者への適用	入院勧告	就業制限	消毒	積極的疫学調査	医師の届け出
1類 エボラ出血熱、ペストなど	○	○	○	○	○	直ちに
新型コロナウイルス感染症	○	○	○	○	○	直ちに
2類 結核、SARSなど	×	○	○	○	○	直ちに
3類 コレラ、腸チフスなど	×	×	○	○	○	直ちに
4類 日本脳炎、マラリアなど	×	×	×	○	○	直ちに
5類 季節性インフルエンザ、手足口病など	×	×	×	×	○	原則7日以内

危険度：高 ↕ 低

○できる　×できない

表1　指定感染症の分類

まず、入院費は全額、公費負担となる。また、患者に対して就業制限ができる。医師には保健所への迅速な届け出を求めることで正確な患者数を把握できるし、患者の接触者調査を積極的に行うことも可能となる。だから患者の分布や死亡率といった疫学調査もやりやすくなる。また、おそらくは医療関係者の感染リスクも減らせるであろう。新型コロナの患者は、感染症指定医療機関で診療を受けることになるため、一般の病院で治療を受ける可能性が低くなるからである。指定医療機関では専門病棟があり、感染予防のトレーニングを受けた専門スタッフが対応するため、一般医療機関に比べて感染リスクははるかに低い。

このように、新型コロナを指定感染症に指定することには何の問題もないように見える。しかし、第一波が終息しはじめた頃から、指定感染症から外すべきという議論が広がりはじめている。

枩村《まつむら》秀樹氏の「新政権はまず新型コロナ『指定感染症』の解除を」[10]という記事で述べられている批判が代表的なものであるが、まず新型コロナ感染症の危険性は五類のインフルエンザ相当であって、二類は過剰対応であるとしている。また、現状のまま感染者が増えて、無症状者や軽症者まですべて感染指定医療機関に入院させていたら、病床が満杯となって医療崩壊につながるという懸念がある。それゆえ無症状者と軽症者は入院対象から外し、重症者に医療資源を集中させよ、としている。くわえて、二類のままだと、政府への全数報告を担っている保健所の負担が過重になるとも指摘されている。最後に、コロナ対策で疲弊した国民が経済を回せなくなるという懸念が表明されているが、「指定感染症から外すべき」という議論の多くは、この点を強調することが多い。

新型コロナがインフルエンザ程度の感染症と言い切れるかは大いに疑問の余地はあるが、医療崩壊の懸念や保健所の過重負担は事実であり、政府や専門家はこうした声にも耳を傾けるべきであろう。

ただ、疫学研究に関わる立場としては、指定感染症から外れることで全数把握ができなくなり感染状況が把握できなくなることは、コロナ対策上、決してあってはならないと考えている。強制入院などの行動制限も最小限に留めたいところではあるが、現在のように感染を恥とする価値観が支配的な状況下では、重症化しても入院を拒む患者が一定数出てくる可能性を排除できない。国際的に見ても医療機関でのクラスター発生率が高い日本で、そうした患者が指定ではない一般医療機関を受診していたら、院内感染が続発する懸念もある。

以上より筆者は、指定感染症の期間は延長しつつ、保健所と指定医療機関の拡充ないし、負担軽減のための助成金ないし人的支援を手厚くすることが急務ではないかと考えている。

メンタルヘルス

コロナ禍はメンタルヘルスについても、大きな影響をもたらしつつある。正式な診断名ではないものの「コロナうつ」なる言葉も拡がっている。先行きの見通しが見えない状況下、行動制限、心理的負担などの要因が、強い不安やうつ状態につながっているとされている。

筆者の個人的な印象では、こうした特徴的な症状を訴える患者が臨床場面で大きく増えたという印象はあまりない。ただ、もう少し漠然とした抑うつ気分、意欲や自発性の低下、何も楽しめない気分といった訴えは決して少なくない。あくまでも印象論ではあるが、コロナ禍が「うつ」に傾く傾向につながっていることは間違いないように思われる。

それを象徴するのが、最近の自殺の急増である。こちらには統計的な根拠がある。警察庁の発表によれば、二〇二〇年九月の自殺者は一八〇五人で、前年の同時期より一四三人（八・六%）増えている。二〇二〇年七月以降、三カ月連続で、前年よりも自殺者が増えているという状況がある。ここで注目されるのは、女性の自殺の増加ぶりである。男性が前年よりも〇・四%増えて一一六六人、女性が二七・五%増えて六三七人となっている。単純に男女を比べれば男性の自殺者数のほうが多いが、増加率は女性のほうがあきらかに高い。[11]

うつ病の罹患《りかん》率について言えば、女性は男性の約二倍、罹患しやすいとされている。では、自殺率はどうだろうか。日本では、男性の自殺率が女性の約二倍以上であるが、国際的にも男性のほうが自殺リスクが高く、ロシアのように八倍近い国もある。[12]

うつ病は自殺リスクの高い疾患の一つだが、女性は男性の二倍、うつ病に罹患しやすいにも関わらず、男性よりも自殺リスクが低いということになる。こうした自殺の性差については文献的にもいまだ定説はないようで、以下は筆者の推測となる。

ここで補助線となるのは、自殺希少地域のコミュニティ特性である。岡檀《まゆみ》らの調査によれば、自殺希少地域の一つである徳島県旧海部町《かいふちょう》には、次のようなコミュニティ特性があるという。[13]①コミュニティがゆるやかな紐帯《ちゅうたい》を有している（絆が強くない）、②身内意識が強くない、③援助希求への抵抗が小さい（何か問題を抱えた時に周囲に助けを求めることへの抵抗感が小さい）、④他者への評価が人物本位、⑤意欲的な政治参画、⑥主観的な格差感が小さい。

ここで特に注目されるのは、③援助希求行動について、である。

男性は一般的に「弱音を吐く」「愚痴をこぼす」「助けを求める」といった行動に「男らしくない」といった、ネガティブな印象を持っている。ストレスフルな状況にあっても黙って耐えることが美学である、という考え方は、いまなお健在である。また、男性の人間関係は女性に比べて仕事関係が中心になりやすく、利害関係の伴わない人間関係が相対的に少ない。こうした人間関係の狭さも、援助希求行動のハードルを上げている。以上のような、援助希求を抑制しがちで孤立しやすいという傾向が、男性における自殺率の高さの背景にあると考えられる。

いっぽう女性は、男性に比べれば利害関係のからまない人間関係、いわゆる「社会関係資本」が豊かである。近所づきあいや井戸端会議（最近ならファミレス会議、カフェ会議だろうか）的な場面で積極的にグチをこぼしあい、助け合うという関係が存在する。もちろん例外もあるだろうが、男性に比べればそうした傾向が強いという点には異論は少ないだろう。

このように考えるなら、コロナ禍の中で、女性の自殺率が急増した理由もはっきりしてくる。まず、コロナによる直接のストレスは、女性のほうがやや高かったのではないか。しばしば耳にしたのは「日中は仕事に行っているはずの夫が一日中家にいて、その世話をするのがストレス」といった声だ。在宅のストレスについては男性の声はそれほど多くなかったため、コロナ禍のひきこもり生活は、女性のほうに過重な負担がかかった可能性がある。さらに女性にとって問題だったのは、コロナ以前にはとれていたストレス対処行動としての援助希求が、著しく困難になった点だろう。三密回避や外出の自粛によって、対面で愚痴をこぼしたり相談したりする機会が激減したのである。こうして多くの女性がストレスのはけ口を失い、孤立感を深めた結果、自殺念慮《ねんりょ》が急速に高まった、とは考えられないだろうか。

メンタルヘルス問題は感染対策に比べて軽視されるきらいがあるが、少なくとも自殺予防については、ネットを用いて当事者間の対話機会を増やすなど、従来とは異なるアプローチでの対策が急務であるように思われる。

ウイルス型の変異

新型コロナについては、これまで多くの変異が報告されている。これは特別な現象などではなく、そもそもウイルスは感染の拡大とともに変異を繰り返すのが普通なのである。

たとえば新型コロナの感染が最初に広がった武漢《ぶかん》市の海鮮市場では、食用のセンザンコウが売られていた。ここから一つの仮説として、コウモリ由来のウイルスがセンザンコウを中間宿主として変異を繰り返し、さらに人に感染することで新型コロナを発症する、というルートが想定された（実証はされていない）。エボラ出血熱のウイルスもコウモリ由来とされているが、異種間の感染も変異のきっかけになりやすく、その過程で感染力や毒性が強化されることも珍しくない。

あるいは、ヨーロッパと東アジア地域では感染率や死亡率がかなり異なることの説明に、異なる変異株のためと説明されることがしばしばあった（医学的な根拠はない）。最近ではデンマークで一一月四日、変異した新型コロナがミンク農場で発見され、ミンクから人間への感染が確認されたため、国内で飼育するミンク約一七〇〇万匹が殺処分された。余談ながらこの事件を契機に、ヨーロッパの毛皮産業は一気に衰退に向かうと予測されている。

それでは、変異はどのようにして起こるのか。新型コロナについて言えば、その遺伝子はＲＮＡであり、四種類の塩基が一列に並んだ構造を持っている。ウイルスはこのＲＮＡを複製することで増殖するのだが、この複製がいつも正確になされるとは限らない。コピーに失敗して、いくつかの塩基が抜け落ちたり違う塩基に置き換わったりすることがある。変異はこのようにして生じる。

変異はランダムに起きるので、ウイルスにとって不利にも有利にもなる。感染や増殖に不利な変異株は淘汰されて消滅するし、変異が適応的に作用する場合は、その変異株は急速に増殖する。これを広義の「進化」の過程とみることも可能だ。ちなみにこれまでの研究から、新型コロナウイルス（SARS-CoV-2）については、変異の大きさや速度がＨＩＶウイルスなどに比べるとかなり小さいことが判っている。[14]

新型コロナの変異で特に注目されるのは、ウイルスの表面にある突起状の「スパイク蛋白《たんぱく》」に関する変異だ。スパイク蛋白はウイルスが細胞と結合するための足場になるので、もしも変異によってこの結合力が高まれば、感染力が強化されてしまう。さらに問題なのは、ワクチンの効果にも影響する点だ。COVID-19のワクチンは後述するように、このスパイク蛋白を抗体で覆って細胞に結合できなくするものだ。もしスパイク蛋白の性質が変わってしまうと、抗体が結合できなくなってワクチンが無効になりかねない。

ちなみにインフルエンザウイルスもスパイク蛋白（ＨＡ、ＮＡ）で感染するが、Ａ型インフルエンザウイルスの場合、ＨＡが一六種類、ＮＡが九種類あり、その組み合わせで一〇〇種類以上の型がある。この型の変異で抗原性が変化するため、インフルエンザワクチンは毎年接種しなければならないのである。

もう一点、懸念されるのは、ウイルスがＲＮＡをコピーするのに用いるポリメラーゼに生じる変異である。ポリメラーゼは抗ウイルス薬、レムデシビルのターゲットなので、変異の性質によっては薬剤耐性が生じてしまう可能性がある。

SARS-CoV-2のゲノム配列を公表しているネクストストレインというウェブサイトによれば、二〇二〇年に全世界に広がった新型コロナは五つの系統に分類される。このうち中国とその他のアジアの全域に広まった系統群のウイルスから、スパイク蛋白に変異が生じたD614Gと呼ばれる系統群が生じ、この系統群が急速に大陸全土に広まって、現在の世界的流行で多数を占める結果となっている。

東京大学医科学研究所感染・免疫部門ウイルス感染分野の河岡義裕教授らの研究グループが中心となって行った研究によれば、[15] D614Gは、変異する前の新型コロナ株に比べて、感染力や増殖力が強いことがわかった。ただし、幸いにも同一のワクチンで感染が防げることもわかった。その意味では、後述するｍＲＮＡワクチンの接種が広がることで、D614G系統のウイルスも撃退できるということになる。

以上を簡単にまとめると、SARS-CoV-2は頻繁に変異を繰り返して感染力は高まる傾向にあるが、ワクチンによる感染対策にはまだ十分に希望を持てる、ということになる。

ワクチン

現在、新型コロナの感染拡大を食い止める有力な切り札と考えられているのが、ワクチンの接種である。COVID-19ワクチンの開発は、異例とも言えるスピードで進んだ。もっとも早く臨床試験を開始したのはＮＩＨ（米国立衛生研究所）と共同開発を進める米国のバイオベンチャー、モデルナだった。彼らは二〇二〇年一月一一日に中国の研究チームがSARS-CoV-2の遺伝子配列を公表すると、その二日後にはワクチンの設計を終え、三月一六日には第一相試験の被験者への投与を発表している。

新型コロナのワクチンは、従来とはまったく性質の異なる「ｍＲＮＡワクチン」である。現時点で使用許可を待機しているｍＲＮＡワクチンは、米国モデルナが開発したものと、ドイツのビオンテックとファイザーが合同で開発したワクチンの二つがある。

ｍＲＮＡワクチンは、かつてない画期的なワクチンと言われているが、その理由を以下に説明する。

麻疹《ましん》や風疹《ふうしん》などのように、一度罹患すると免疫ができて二度と罹患しない感染症がある。人間の免疫系が病原体を抗原として認識・記憶して抗体を作り、同じ病原体が侵入するとただちに撃退するためである。この免疫の仕組みを利用して、感染症を予防するのがワクチンの機能である。

ジェンナーの種痘《しゅとう》の話は広く知られている。牛痘に罹患した人は天然痘にかからない事実に注目し、牛痘のウイルスを少年に接種したところ、彼は天然痘に罹患しなかった。つまり、毒性の弱いウイルスを体内に入れて免疫を作っておけば、毒性の強いウイルスにも抵抗力ができることが発見されたのである。

従来のワクチンは、ジェンナーの種痘とほぼ同じ原理で作用する。毒性を弱めた病原体やその一部を抗原として人体に投与し、抗体を作らせて免疫をつける。ただしこの手法は、HIVやインフルエンザのように、変異しやすいウイルスには効果も限られているという問題もある。インフルエンザワクチンを毎年接種する必要があるのは、ウイルスがどんどん変異するからだ。

mRNAワクチンは、抗原そのものを使用しないところが従来型のワクチンとは大きく異なる。RNAはタンパク質の設計図だ。このワクチンは、抗原となるタンパク質の設計図を人体に投与して、人間の細胞に抗原を作らせ、その抗原に対して抗体が作られることで免疫が獲得されるのである。

抗原そのものを使うワクチンよりもmRNAを使うほうがすぐれているのは、何と言ってもスピードとコストである。インフルエンザワクチンは、現代でも鶏卵でウイルスを増殖させることで作られており、手間と時間がかかる。しかしmRNAはDNAと同様、四種類の塩基の組み合わせなので、配列さえわかれば工業的に合成できる。それゆえウイルスがどんなに変異しても、遺伝情報さえわかれば、すばやくかつ安価に対応するワクチンを合成できるのだ。喩えるなら、3Dプリンタでワクチンを製造するようなものである。

今回開発されたワクチンは新型コロナのスパイク蛋白（ウイルス表面についているトゲ状の蛋白）をターゲット（抗原）とするものである。つまり人の細胞にスパイク蛋白を合成させるmRNAが含まれている。スパイク蛋白は、新型コロナウイルスが人に感染するさいに使われるタンパクで、これが抗体で覆われると感染できなくなってしまう。

原理は簡単そうに見えるが、mRNAワクチンの開発には、実は大きな壁があった。人体にとって外から注射されたmRNAは異物でしかないため、体内では不安定ですぐ壊れてしまうのだ。mRNAが細胞まで到達できなければ、スパイク蛋白は生産できない。また、人工的に合成・注射されたRNAに対しても自然免疫のシステムが働くので、炎症反応が起きてしまう。これではワクチンとして意味をなさない。mRNAが無事に細胞まで届ける手法が必要だったが、そんなことができるとは誰も考えていなかった。

この壁に挑んだのがペンシルバニア大学のカタリン・カリコ教授である。[16] 彼女は細胞内のRNAが様々な化学修飾を受けているため攻撃されないことに注目した。そこで、壊れやすいmRNA分子を保護しつつ、ヒト細胞への吸収を助けるために、ある物質でコーティングすることを思いついた。具体的には、細胞膜と親和性のある脂質膜のカプセル（脂質ナノ粒子：NLP）でRNAを包み、細胞表面に膜が融合することでRNAが細胞内に送り込まれるという仕組みである。

この技術を開発したカリコ博士はハンガリーからの移民で、ペンシルバニア大学では冷遇されており、ＮＩＨからの助成金も獲得できなかったという。しかし彼女はめげることなく研究を続け、ドイツの製薬ベンチャー、ビオンテックにバイスプレジデント待遇で招聘された。ちなみにビオンテックの創業者ウール・サヒン（独マインツ大学医療センター教授）もまた、トルコからドイツへの移民だった。

COVID-19の感染拡大のもと、ビオンテックはファイザーと組んで、COVID-19ワクチンの大規模治験を短期間でクリアした。被験者が新型コロナに高頻度で曝露《ばくろ》されるパンデミックの状況が、皮肉にも実証の速度を早めたという。

ちなみにモデルナのワクチンも、この技術を応用したものである。このほかアストラゼネカのワクチンは無害なウイルスに新型コロナの遺伝情報を組み込んで細胞へ感染させる「ウイルスベクターワクチン」、大阪アンジェスのワクチンは、遺伝情報をＤＮＡに組み込んで細胞に届ける「ＤＮＡワクチン」の手法を用いている。いずれも遺伝情報を使って人間の細胞に抗原を作らせる、という原理は共通している。

ｍＲＮＡワクチンの技術は、他の病原体やがん治療、遺伝子治療などにも応用可能である点で画期的なものとされる。COVID-19ワクチンの効果はまだ未知数ではあるが、もし有効性が実証されれば、カリコ博士の業績はノーベル医学生理学賞級のものと評価されることは確実である。むしろコロナ禍ゆえに、人類は新しい医療技術を手に入れたと、後年、回顧されるようになるのかもしれない。

ワクチン接種による副反応の問題など、解決すべき課題も少なくはないが、現時点で筆者は、このパンデミック終息の最大の鍵は、このワクチンの普及にかかっていると確信している。

（二〇二一年一月四日）

参考文献

1　新型コロナウイルス感染症の現在の状況と厚生労働省の対応について（二〇二〇年一一月二三日版）
https://www.mhlw.go.jp/stf/newpage_15010.html

2　「医療体制『崩壊の危機』　日医会長」（時事ドットコム、二〇二〇年一一月二五日）
https://www.jiji.com/jc/article?k=2020112500948&g=soc

3　「【データで見る】〝第３波〟第２波との違いは（ＮＨＫ特設サイト「新型コロナウイルス」、二〇二〇年一一月一七日）
https://www3.nhk.or.jp/news/special/coronavirus/medical/detail/detail_55.html

4　「世界の感染者数が６０００万人を突破」（nippon.com、二〇二〇年一一月二六日）
https://www.nippon.com/ja/japan-data/h00673/

5　新型コロナウイルス国別感染者数の推移（外務省海外安全ホームページ）
https://www.anzen.mofa.go.jp/covid19/country_count.html

6　「接触確認アプリ『COCOA』、２０００万ダウンロード突破」（ITmedia NEWS、二〇二〇年一一月一七日）
https://www.itmedia.co.jp/news/articles/2011/17/news156.html

7　「民間検査拡充、感染者増の一因に『隠れ陽性』恐れも―新型コロナ」（時事ドットコム、二〇二〇年一一月一九日）
https://www.jiji.com/jc/article?k=2020111801097&g=soc

8　知事からのメッセージ（二〇二〇年一二月二八日）
https://www.pref.wakayama.lg.jp/chiji/message/20201228.html

9　「『エボラ並み』どう見直す？　無症状、宿泊療養徹底―『指定感染症』維持か・コロナ」（時事ドットコム、二〇二〇年九月五日）
https://www.jiji.com/jc/article?k=2020090500174&g=soc

10　夽村秀樹「新政権はまず新型コロナ『指定感染症』の解除を　国民の疲弊と経済悪化・財政支援は限界に来た」（東洋経済オンライン、二〇二〇年九月一四日）
https://toyokeizai.net/articles/-/374771?page=2

11　「コロナうつの先に…若い女性の自殺『不安が止まらない』」（朝日新聞デジタル、二〇二〇年一〇月二六日）

https://www.asahi.com/articles/ASNBR4G61NBNULBJ008.html

12 小森田龍生「２０００年代の高自殺リスク群と男女差—既存統計資料の整理と課題抽出に向けて—」(『専修人間科学論集 社会学篇』Vol.3 No.23、二〇一三年)

https://core.ac.uk/download/pdf/71789675.pdf

13 岡檀・山内慶太「自殺希少地域における自殺予防因子の探索—徳島県旧海部町の住民意識調査から—」(『日本社会精神医学会雑誌』第二〇巻三号、二〇一一年)

14 ユディル・オフィンニ「東南アジアにおける新型コロナウイルスの突然変異と拡散—今後のワクチンの行方—」

https://covid-19chronicles.cseas.kyoto-u.ac.jp/post-041-jp-html/

15 「現在流行中のSARS-CoV-2 D614G変異株は、高い増殖効率と感染伝播力を示す」(東京大学医科学研究所ホームページ)

https://www.ims.u-tokyo.ac.jp/imsut/jp/research/papers/page_00041.html

1 船引宏則「続・コロナの革命的ワクチンを導いた女性移民研究者『自分に何ができるのかだけを考え、それにエネルギーを注ぐのです』」(論座、二〇二〇年一二月二五日)

https://webronza.asahi.com/science/articles/2020122200005.html?page=1

［貧困］

続・貧困の現場から見えてきたもの

雨宮処凛

雨宮処凛（アマミヤ・カリン）

一九七五年、北海道生まれ。作家、活動家、フリーターなどを経て、二〇〇〇年に自伝的エッセイ『生き地獄天国』（ちくま文庫）でデビュー。〇六年からは貧困問題に取り組み、『生きさせろ！ 難民化する若者たち』（ちくま文庫）はJCJ賞（日本ジャーナリスト会議賞）を受賞。著書に『「女子」という呪い』（集英社クリエイティブ）、『非正規・単身・アラフォー女性』（光文社新書）、『ロスジェネのすべて 格差、貧困「戦争論」』（あけび書房）、対談集『この国の不寛容の果てに 相模原事件と私たちの時代』（大月書店）、『相模原事件裁判傍聴記 「役に立ちたい」と「障害者ヘイト」のあいだ』（太田出版）など多数。

困窮の状況はより厳しくなっている

「自殺するつもりで荷物も身分証明もすべて捨てましたが死に切れませんでした」
「餓死か自殺かホームレスか刑務所しかないと思っています」
「もう四日、何も口にしていません」

これらは二〇二〇年四月以降、コロナ禍での困窮者支援の現場で耳にしてきた言葉だ。貧困問題に取り組む三〇団体以上からなる「新型コロナ災害緊急アクション」（三月に立ち上げ）の相談フォームには、緊急事態宣言から半年以上経ったいまも、連日SOSのメールが届き続けている。一方、弁護士らで電話相談を開催すれば、感染拡大から時が経つほどに困窮者の状況は厳しくなっていることがうかがえる。

「SOSをしてくる人にはどういう人が多いんですか?」とたまに聞かれる。たとえば〇八年の年越し派遣村の時は、製造業派遣を切られた中高年男性が多かった。しかし今回は、あまりにも幅広い。メールフォームに届く二〜三割は女性から。男性は当時より若年化して二〇〜四〇代が中心。一方、電話相談の場合は五〇代以上が多くなる。

職種で言うと、飲食や宿泊、小売などサービス業が多いが、もう全職種といった印象だ。ざっと思い出すだけでも、日雇い派遣、工場、警備員、居酒屋、百貨店勤務、ヨガなどのインストラクター、キャバクラ、風俗、コールセンター、タクシー運転手など。雇用形態では、圧倒的に非正規が多く、次いでフリーランス。内定取り消しにあった二〇代もいれば、十数年ネットカフェ生活を続けてきたというロスジェネ、二〇年近く「寮付き派遣」で全国を転々としてきたというロスジェネもいた。

シェアハウスを出されたという若い女性もいれば、客が激減し、収入がほぼないのに店から寮費を請求され、追い出しを迫られている風俗業の女性もいた。また、テレビ番組のADとして働いていたなど、メディアの仕事をしていた若者もいた。考えてみれば、テレビも建築も飲食もイベントも、あらゆる現場が一時完全に止まったのだ。

そんななか、唯一よかったことは、これまでリーチしたくてもできなかった「自分をホームレスだと思っていない若年ホームレス」に多く出会えたことだ。いわゆるネットカフェ難民。東京だけで四〇〇〇人いるといわれる彼らの平均月収は一一万四〇〇〇円。日雇いなどで食い繋いでいた彼ら彼女らは、突然収入源を失い、かつ緊急事態宣言でネットカフェも休業となり、行き場をなくした。そんな人々が一斉にSOSのメールをしてきたのが四月。以来、この層からのSOSは途切れることがない。

生活支援の流れ

ここで支援の流れを説明しておこう。「新型コロナ災害緊急アクション」の相談フォームにメールが入ると、早ければその日のうちに支援者が当事者のもとに駆けつける。聞き取りをし、すでに住まいがない場合は、その日から滞在できるホテルを確保。所持金も尽きている場合は数日分の食費もわたす。そうして後日、公的な制度につなぐという流れだ。多くの場合、生活保護申請となり、支援者が同行する。

「生活保護なんて甘えている」という人もいるかもしれない。が、住所も所持金もなければ仕事も探せず、最悪、餓死だ。生活保護を利用すればアパートに入り、生活を立て直すことができる。住所があれば仕事も見つかりやすい。仕事が見つかって収入が保護費を上回れば、生活保護を卒業すればいい。

しかし、なかには「生活保護だけは嫌だ」と拒否する人もいる。世間にはびこる偏見からなのか、「そこまで堕ちるなら自殺した方がマシ」と口にする人もいる。一方、親などに連絡がいく「扶養照会」が壁となるケースもある。生活保護を申請すると、福祉事務所から親などに「あなたの息子さんが生活保護の申請に来ていますが、面倒を観られませんか」という連絡が行く（DVや虐待がある場合は免除）。これに抵抗がある人が多いのだ。この扶養照会、コロナ禍のあいだだけでも廃止してほしいと厚生労働省（以下、厚労省）に求めているのだが、いまだ実現はしていない。ちなみに困窮者支援に奔走する足立区議会議員・おぐら修平氏によると、一九年に足立区で生活保護の新規申請をした世帯は二二七五件。うち、扶養照会によって実際に扶養がなされたのはわずか七件で一％以下。事務的な手間を考えても、照会しないのが合理的ではないだろうか。

生活保護を拒否した人がその後どうなっているのか、そこまでは追えていない。一方、「自力で仕事を探す」と生活保護を拒否したものの、数カ月後、ボロボロになって連絡してくるケースもある。路上生活ですべての荷物を盗まれた、野宿で身体を壊したなどの状態だ。

夏以降多いのは、こうした「二度目のSOS」。そして、もうひとつは、特別定額給付金や持続化給付金などでひと息つけたものの、それも尽きたという「給付金切れ」の訴えだ。「貯金を切り崩し、この数カ月、一日カップラーメンひとつでしのいできた」などの声から、状況は二〇年上半期より深刻になっているのを感じる。そんなSOSがネットカフェから、路上から、車上生活の車から、追い出される寸前のアパートから、続々と届く。

一一月に入ってからは、女性からの相談が増えて、三割ほどを占めるようになった。大半が二〇代。所持金が尽き、家もないという状態や、「パパ活」などで食いつないできたという女性もいる。

「新型コロナ災害緊急アクション」では、四月から一〇〇〇人以上に対応し、給付した額は五〇〇〇万円以上に上る。原資となっているのは、三月に立ち上げた「緊急ささえあい基金」に寄せられた寄付金だ。一二月現在で九〇〇〇万円以上が集まっている。

女性の自殺が激増

ここから、時系列にそって七月以降の動きを振り返っていきたい。

六～七月、比較的コロナ感染は落ち着きを見せていた。この頃、飲食店から「客の戻りは半分だけど、このまま感染者が減ればなんとかなるかも」という声を聞いたことを覚えている。七月二二日には、東京都を除外するかたちで「Ｇｏ Ｔｏ トラベル」も始まった。

しかし、七月末に東京を「第二波」が襲った。八月一日には東京の新規感染者数が四七二人と過去最高を更新。東京都は、飲食店やカラオケ店に二二時までの時短営業を要請（九月一五日まで続いた)。応じると協力金二〇万円が支払われるとのことだったが、「二〇万円ではどうにもならない」というため息があちこちから上がった。

この頃、数カ月ぶりに繁華街に足を運び、風景が一変していたことを覚えている。よく行っていた飲食店や雑貨店が潰れ、内装工事中だったり居抜きになったりしていたのだ。

八月四日には、総務省を訪れた。この日、ホームレス支援団体が「野宿者にも一〇万円を!」という署名を総務省に提出したのだ。すべての人を対象とした特別定額給付金だが、住民票のないホームレスは受け取れない。これに「おかしい」と声を上げたのだ。

「でも、コロナ不況なんてホームレスには関係ないでしょ?」と思う人もいるかもしれない。しかし、コロナによって、彼らの収入源である「特別就労対策事業」は四月から中止された。同事業は、公園の清掃などに従事した人が八〇〇〇円弱もらえるという都の失業者対策で、これが唯一の現金収入というホームレスは多い。六月からやっと復活したが、「熱中症対策」で仕事は午前中だけになり、日給は半減。それだけではない。アルミ缶を集めて換金する人が多いが、コロナを受けて一キロあたりの値段は暴落。通常は一二〇円ほどのところ、一時期は六〇円にまで下がった。中国輸出がストップしたためだ。このように、ホームレスは世界経済の影響をダイレクトに受けている。

そんななか、特別定額給付金事業が八月で終了するということで、八月四日に総務省と交渉の場が持たれたのだが、結局はゼロ解答。ちなみに「特別就労対策事業」は、八月末には半日が全日に戻り、「三密回避」として減らされていた人数も、一一月から通常の人数に戻ったという。

八月の終わりには、安倍晋三首相が突然の辞任会見。九月、菅義偉首相が誕生したが、コロナ禍でもっとも公助が必要とされるなかで「自助」を強調する姿には、多くの人が落胆した。

一方、八月の自殺者は一八四九人。前年同月と比較して二四〇人増。

九月二五日には、住まいの貧困に取り組む団体が、厚労省に「住居確保給付金」の拡充と改善を申し入れた。失業や収入源で家賃の支払いがむずかしくなった人に家賃（上限あり）が給付される制度だが、受け取れるのは最大で九カ月。ということは、四月に給付が始まった人は一二月には給付が終わってしまう。

九月末の時点で支給を受けている世帯は八万二〇〇〇件を超え（一二月時点ではさらに増えて一〇万世帯以上）、最悪、年の瀬を前にして数万世帯のホームレス化が起こり得るという状況だった。ちなみに四～七月のあいだで住居確保給付金の申請件数は前年比の約九〇倍。自治体によっては数百倍にもなっている。この延長に関しては、「新型コロナ災害緊急アクション」の政府交渉でも再三要求し続け、一二月八日、ようやく延長という発表がなされて胸をなでおろした。しかし、期間はわずか三カ月。

さて、九月末には衝撃的なニュースも飛び込んできた。それは女優・竹内結子《ゆうこ》さんの訃報。これがどう影響したのかはわからないが、一〇月の自殺者は二一五三人となった。それまでのコロナでの死者数をひと月の自殺者数が上回ったのだ。しかも女性自殺者の増え方がすさまじく、前年同月比で八二・六％増。

異様な事態である。この背景に、コロナによる女性の貧困があるのはまちがいないだろう。もともと非正規女性の平均年収は一五四万円（国税庁、一八年）。これでは貯金もままならないが、三月以降、そんな非正規女性たちが次々とクビを切られているのだ。この時点で「コロナ解雇」は六万人と言われていたが、七月の労働力調査によると、前年同月比で非正規雇用者は一三一万人減で、その内訳は男性が五〇万人減、女性が八一万人減。

「でも、そのなかにはパートの主婦もいるだろう」という声もあるかもしれない。もちろん、すべてが失業即貧困となるわけではないだろう。だが、非正規女性のうち、二〇〇万人が単身もしくは世帯主。そんな女性たちの一部が、なんの補償もなく放り出されているのだ。

一方、女性の自殺の背景にあるのは、貧困だけではないことも強調したい。一一月下旬に発表された国連女性機関の五四カ国調査によると、家事や子育てといった家庭内の無償労働の負担が、コロナ禍でより女性に偏っていることが明らかになったという。夫の仕事がリモートになったことで、DVからの逃げ場がなくなったという声も聞く。親からの虐待がひどくなったという子どももいる。社会の弱い部分にしわ寄せが集中し、その命を奪っている。

生活保護という制度のほころび

一〇月に入ると、「Ｇｏ Ｔｏトラベル」に東京発着も含まれることになった。

この頃、一部の生活保護行政に変化が現れていた。コロナ禍により、生活保護を受ける人は増加。四月には前年同月比二五％増となり、そのあと少し落ち着いていたのだが、九月には二カ月ぶりに増加。そんな状況のなか、「もうパンク寸前」とばかりに、役所による冷たい対応がなされているという話を聞くようになったのだ。

たとえば足立区は一〇月、生活保護を利用し始めた男性の保護をたった四日間で一方的に廃止。男性はコロナで仕事を失い、野宿しながら物流センターで働いていた。支援団体の助けを受けて生活保護申請し、一〇月八日に支給が決定。住まいがないため、ビジネスホテルに宿泊していたのだが、足立区はホテルを通して連絡が取れなかったことなどを理由に「失踪《しっそう》」したとして保護を廃止。しかし、男性はホテルから仕事に通っていたのだ。支援団体は足立区に抗議。紆余曲折を経て一一月九日、足立区は廃止処分を取り消し、男性に謝罪した。

同じ一〇月、杉並区でも一悶着《ひともんちゃく》あった。生活保護利用者のアパート転宅を福祉事務所が渋るという問題が起きていたのだ。これに対しては、支援者や杉並区議会議員ら約二〇人で福祉事務所に申し入れをした。

ここでアパート転宅の流れについて説明しておこう。生活保護を申請すると、二週間以内に決定が下りる。支給が決定すれば自分でアパートを探す。費用は生活保護から転宅費として出る。上限はあるが、これが一般的な流れだ。

が、区によってはアパート転宅を渋るところもある。たとえば、住まいがない人が生活保護申請をした場合、首都圏では「無料低額宿泊所」に案内されることが多い。「申請するには、そこに入ることが条件」という福祉事務所さえある。しかし、多くの場合、相部屋。しかも六畳の部屋に二段ベッドがふたつの四人部屋なんかもザラにあり、食堂や風呂、トイレは共用。

クラスター発生の条件がそろっているような場所だ。厚労省はコロナ禍を受け、原則個室に案内するよう通知を出しているのだが、いまだに相部屋に案内されている人もいる。衛生面でも問題は多く、ダニや南京虫に悩まされている人も少なくない。また、保護費の大半を家賃や食費として取り上げるところも多い。

そんな環境が嫌で逃げ出す人はあとを絶たず、逃げ出せば「失踪」扱いとなって保護は廃止される。アパートに転宅したくてもその道筋は示されず、ずっと留め置かれて「貧困ビジネス」の餌食《えじき》になり続けることも多い。全国で、そんな無料低額宿泊所にいる人々は三万人にも上るという。

さて、杉並区の福祉事務所でアパート転宅を阻まれたのは、Aさん(男性、四一歳)。二〇代から全国各地で工場や警備など「寮付き・日払い」の仕事をしてきた。しかし、コロナで仕事を失い、寮を出る。その後、真夏の野宿生活を経て、私たちにSOSをくれて生活保護申請となった。幸い、支援団体のシェアハウスが空いていたので、そこに住みながらアパートと仕事を探すことにした。

ただ、申請の時点からおかしなことはあった。たとえば、所持金がない人が申請した場合、福祉事務所では一日二〇〇〇円ほどを本人にわたしてくれる。食費と生活費だ。だが、杉並区は二週間で五〇〇〇円しか出さないというのだ。一日たったの三六〇円。これに難色を示すと、職員は「こういっちゃなんですけど、Aさん、路上生活されてましたよね?」と言ったという。

アパート転宅を阻む背景には、そんな差別や偏見が垣間見えた。くわえて、転宅の条件について職員は、「生活を三カ月から半年見せてもらわないと判断できない」の一点張り。ほかの人にはアパート転宅を認めるのに、Aさんには認めない。そんなAさんは就労意欲が非常に高く、すぐにでも働きたいと意欲満々だ。それなのに「路上にいた」という偏見からなのか、職員は認めない。

結局、申し入れをした日は二時間粘って、やっとアパート転宅を確約させた。市議会議員や支援者が二〇人そろって、やっとである。普通であれば、こんな申し入れをしなくても転宅できるのに。

このように、秋頃から福祉事務所の対応にほころびが目立つようになってきた。

少しさかのぼるが、九月には無料低額宿泊所にいるBさん（男性、二七歳）からSOSが来た。工場の派遣として働いていたものの仕事がなくなり、春、寮を出されたという。五月はじめ、埼玉県のある市で生活保護を申請。その足で連れて行かれたのが、最寄り駅から徒歩一時間以上の僻地《へきち》にある無料低額宿泊所だった。

入居者は五〇人ほど。保護費としてもらえるのは一〇万五〇〇〇円だったが、そこから住居費と食費で七万九〇〇〇円を払わないといけない。しかも入った月の支払いは、「初回利用料」として一万円プラスの八万九〇〇〇円。携帯代を払えば数千円しか残らず、ハローワークには徒歩二時間以上かかるので就職活動もままならない。一日二食出るはずだった食事はなぜか一食しか出ず、しかし毎月食費は引かれる。市役所は徒歩では行けない場所にあり、ケースワーカーは面談に来ない。これではとてもじゃないが貧困から脱出できない、とSOSをくれたのだ。

そんなBさんに、無料低額宿泊所の「集金」の方法を聞いて、驚いた。以前であれば、保護費支給日に施設の職員が、入居者たちをバスで役所に連れて行き、その場で金を集める様子などが確認された。が、彼のいた施設では、カードリーダーを持って職員が部屋まで訪れるのだという。彼の場合、保護費は振込だったので、その場で銀行のカードをカードリーダーで読み込めば、施設側は彼からお金を徴収できるのだ。

このように、貧困ビジネスの手口は日々進化し、洗練されている。

命綱のスマホとフリーWi-Fi

進化ということでいえば、コロナ禍で、民間の支援も格段にパワーアップした。

たとえば、携帯とフリーWi-Fi関連の進化は目覚ましい。メールフォームでSOSを受け付けていることは前述したとおりだが、相談して来る人の約半数が携帯が止まっているか、もうすぐ止まるという状態。よって、本人がフリーWi-Fiのある場所にいるときにメールしてくる。しかし、フリーWi-Fiがない場所では連絡がとれない。フリーWi-Fiが文字通り命綱《いのちづな》になっていることから、コロナ禍のなか、都内の炊き出しでは「フリーWi-Fiを飛ばす試み」や携帯の充電サービスが始まった。

また、携帯がないことは社会参加の壁になる。たとえば、仕事。通話できる携帯番号がないとむずかしいのは不動産契約も同じだ。一方、料金滞納で携帯が止まるとほかの携帯会社と情報が共有され、再契約がむずかしくなることもあるらしい。「携帯なんてぜいたくだ」という人もいるかもしれない。しかし、もしあなたが携帯を失ったら、日常生活のあらゆる場面に支障が出るはずだ。すでに携帯は社会的IDになっている。

ということで、七月には、共に活動する「つくろい東京ファンド」がNPO法人ピッコラーレ、合同会社合同屋と協働し、本人負担ゼロで通話可能な電話番号を付与した携帯電話を生活困窮者にわたすという「つながる電話プロジェクト」を開始。独自に通話アプリを開発し、最長二年間まで無料で使ってもらうシステムだ。

ペットと共に住まいを失った人の支援

もうひとつ、ニーズから発生したのは「ペットと入れるシェルター」。本企画「二〇二〇年前半」の原稿で、「犬を連れてアパートを追い出された」女性について書いた。困り果てて役所を訪れたものの、「生活保護を受けるなら犬を処分しろ」といわれて私たちにSOSをくれたケースだ。

ちなみに、生活保護はペットがいても受けられる。「処分しろ」なんてありえない対応だが、「ペットとともに住まいをなくした人」の支援は思いのほか、茨《いばら》の道だった。まず、いつものようにビジネスホテルに泊まってもらうことがむずかしい。公的な施設もすべてペット不可。犬や猫を連れているというだけで、あらゆる支援から弾《はじ》かれてしまうのだ。結局、高額になったものの、ペットと泊まれるホテルに数日滞在してもらい、支援団体のシェルターに入ってもらった。

しかし、「ペット連れでホームレスになった」というSOSはほかからも入る。ペットに特化した支援の必要性を感じた六月、世界的に有名な猫、「ボブ」が亡くなったというニュースが飛び込んできた。ボブとは、イギリスの元ホームレス青年に飼われていた猫。猫と出会った青年が変わっていく様子は『ボブという名のストリート・キャット』(辰巳出版)という書籍にもなり、映画化もされた。

そんなボブの訃報を受け、「つくろい東京ファンド」の稲葉剛さんは、ペット連れでも入れるシェルターを作ると決意。それからすぐに、都内に二部屋を確保するかたちでペット可シェルター「ボブハウス」ができた。いま、猫を連れた人がボブハウスに入居している。ペットを連れた人からの相談は、その後も続いている。住まいを失っていなくても、「ペットフードを買えない」などの声があれば、ペットフードを送る活動もしている。

外国人の困窮

大変なのは日本人だけではない。外国人も深刻な困窮のなかにいる。なぜなら、日本人は生活に困ったら生活保護を受けるという手段があるが、外国人の場合、永住・定住権がなければなかなか生活保護の対象にならないからだ。

ちなみに日本に住む外国人労働者は約一六五万人。外国人実習生は約三八万人だが、コロナ禍の影響でそのうち四〇〇〇人以上が解雇されている。一一月には、ベトナム人実習生ら約三〇人を風俗で働かせた罪で、経営者が摘発されている。また、一〇月には、ベトナム人一三人が逮捕されるという事件もあった。群馬県など北関東で家畜や果物の盗難が相次いでいたが、それに関わっていたのではないかと捜査が進められている。

「新型コロナ災害緊急アクション」で給付した額が五〇〇〇万円以上であることは前述したが、じつは給付先の七割近くが外国人。国籍は多岐にわたるが、深刻なのは「仮放免」など就労を禁止された人たちだ。「働くな、だけど保証もしない」という制度の狭間《はざま》で苦しむ人々が存在する。

一一月一日には、埼玉県の川口駅前で、そんな外国人のための相談会が開催された。訪れたのはクルド人三〇〇人ほど。埼玉県川口市、蕨《わらび》市には約二〇〇〇人のクルド人がいるといわれている。多くが難民申請をしており、仮放免や在留資格がないなどの状態で、就労を禁止されている。

コロナ以前は、それでもコミュニティで支えあっていたが、コロナ禍になると働ける人にも仕事がなくなり、困窮が極まっているという。在留資格の関係で保険証がない人も多く、体調不良を訴えているのに病院も行けないでいる。子どもを連れた人が多いが、子どもの検診も受けられない。そんな人々の所持金の中央値は二〇〇〇円。

「新型コロナ災害緊急アクション」ではクルド人だけでなく、ベトナム人実習生らとも繋がりを持ち、支援をしている。だが、民間の支援ではとても追いつかない。よって政府交渉を重ね、外国人への公的支援を訴えているが、国は「検討中です」と繰り返すばかりだ。

生活苦からの犯罪

一一月には、コロナ不況を象徴するような事件が熊本で起きている。五三歳の男性が窃盗で逮捕されたのだが、「家と食べ物に困っていて、警察に捕まりたかった」と供述。コロナで派遣の仕事を切られ、ネットカフェを点々としていたという。所持金は二三〇〇円。

さかのぼる八月には、三〇歳の女性が福岡で逮捕されている。真珠《しんじゅ》販売店で現金を脅し取ろうとしたのだ。女性は、コロナでうどん店の仕事を失い、家賃を払えなくなり、公園で寝泊まりする日々に。「食べ物をください」と書かれた紙を持って、路上に立つこともあったという。逮捕時の所持金はわずか二五七円。

さらに一一月一六日、痛ましい事件が起きた。渋谷のバス停で六〇代の女性ホームレスが撲殺されたのだ。女性は二月にスーパーの試食の仕事を失い、少し前からそのバス停を寝床にしていたらしい。死亡時の所持金は八円だった。逮捕されたのは、近所に住む四六歳の男。一二月六日、彼女の死を追悼し、暴力と排除に抗議するデモが行われた。「彼女は私だ」。プラカードにはそんな言葉が書かれ、参加した女性たちは「他人事ではない」と一様に口にした。参加した人の多くが、非正規で働いてたり、コロナで職を失った女性たちだった。

家なき人たちの居場所

一一月一七日、東京都は年末年始対策としてホテルを一〇〇〇室用意し、生活費の貸付も予定していると発表した。それを聞いて、四月の緊急事態宣言を思い出した。

あのとき、小池百合子都知事は、ネットカフェ生活者などにホテルを提供すると発表したが、その仕組みはあまりにもわかりづらいものだった。広報がほとんどなく、どこに行けばいいかわからない。入り口が複数あり、対応はちぐはぐ。それでも八月までに約一〇〇〇人がホテルを利用した。

が、その後の行き先を見ると、約六割が一時住宅（失業などで住宅の確保がむずかしい居住喪失者に、一時的に提供される住宅）に移動したが、そこには四カ月しかいられない。一割強が安定した住居を得て、一割強が再びネットカフェなどの不安定な場所に戻っている。年末年始対策では、一〇割を安定住居に繋げるような仕組みにしてほしい。

一方、神奈川では年末年始にホテル七〇室を確保するという。また、厚労省は、各自治体に年末年始の臨時開庁の協力依頼をしている。役所が閉まれば困窮者は一週間近く、公的支援を受けられないからだ。しかし、いまのところ、どれだけの自治体が応じるかは未知数だ。

「貧困研究会」の相談データ分析

さて、最後になったが、四月から五回にわたって開催されている「コロナ災害を乗り越えるいのちとくらしを守るなんでも電話相談会」のデータを紹介したい。弁護士や司法書士、支援者たちが相談員となり、私も相談対応をしてきたのだが、この電話相談の八月と一〇月の相談を「貧困研究会」（貧困問題に取り組む研究者らからなる）が分析したところ、さまざまなことが明らかになったのだ。ちなみに八月の分析で対象となったのは二二一件。一〇月は七七九件。同じ人が相談してきたわけではない。

基本的なところから見ていくと、八月・一〇月ともに相談者の男女比はほぼ半々。メール相談と違い、両月ともにもっとも多かったのは五〇代で三割弱。相談者の職業を見ると、八月は無職がもっとも多く二六・六%、ついでパート・アルバイトが二一・六%。正社員（一四・六%）、自営業主（一一・六%）、フリーランス（九・五%）と続く。これが一〇月になると、無職は四一・三%を占め、パート・アルバイト（一八・五%）、自営業主（一一・二%）、正社員（一一・〇%）となった。現在の預貯金の中央値は、八月の時点で一〇万円で、本人を合わせた世帯全体では一七万円。だが、一〇月には中央値が二万円となり、本人を合わせた世帯全体では三万円となっていた。〇円も九四人。

また、「今年の二月と比較して現時点でどれほどの収入減か」という質問には、八月の時点では自営業主が月収でマイナス一一万四〇〇〇円ともっとも減っており、ついで派遣社員のマイナス九万二〇〇〇円、フリーランスのマイナス六万円が続く。これが一〇月には、自営業主がマイナス一〇四万円（売り上げで回答している可能性あり）。ついで契約社員の一二万一〇〇〇円、フリーランスの九万七五〇〇円が続く。相談時点でなんらかの借金や滞納があったケースは、八月・一〇月ともに四割弱。どちらも住宅ローンや家賃の滞納が目立った。

これらのデータから読み取れるのは、時間が経つにつれ、状況が悪化の一途を辿っているということだ。特に気になるのは、契約社員や派遣社員が月収レベルで一〇万円も下がっていること。非正規の平均年収は一七九万円。月収で割れば約一五万円。そこから一〇万円引かれたら家賃も払えない。この約一〇万円という数字は別のデータにも登場する。日本生命の調査によると、全就労者のうち二三・四%の人がコロナ禍で減収し、そのマイナス額は月に九万八〇〇〇円。

残酷な現実

ここに残酷なデータがある。コロナ禍において、所得が少ない人ほど収入が減っているというものだ。沖縄大教授の山野良一氏が朝日新聞デジタルによっておこなわれたアンケート結果を分析したところ、子育て中の年収四〇〇万円以下の世帯では七割が減収。年収二〇〇万円以下の世帯に限るとその三割が、収入が五割以上減っていたのだという。それに対して、年収六〇〇万円以上の世帯は、約六割が収入は「変わらない」と回答で、五割以上減収した人はわずか二・五%だったという（「朝日新聞」二〇二〇年七月五日付）。

年収六〇〇万円以上の人々の多くは、リモートワークができる環境にあるだろう。大多数が正社員だろうから、休業補償などの制度も整っているはずだ。かたや電話相談などでよく耳にするのは、「正社員はリモートワークができるが、派遣社員は出社しないといけない」「正社員には休業手当が出るが、非正規は出ないと言われた」などの声だ。コロナ禍における経済危機は、より貧しい人を追い詰めている。

そんなこの九カ月で、地味につらいのは、一度も国から「安心して」というメッセージが発せられないことだ。三月の時点で失業者が大幅に増えることを見越し、ドイツでは大臣が国民に「生活保護をどんどん利用して」と呼びかけていた頃、この国では「お肉券・お魚券」という素《す》っ頓狂《とんきょう》なものが検討され、みんなを不安に陥れていた。台湾でIT担当大臣がマスクをみんなに行きわたらせるよう対策を取ったのに対し、日本ではすでに店頭にマスクが売られ始めてから布マスク二枚が配布された。それだけじゃない。医療機関は機能不全を起こし、保健所にどれだけ電話しても繋がらず、春頃には次々と自宅で亡くなる人が出た。失業者・困窮者対策はまともになされず、特別定額給付金は一度きり。自殺者が激増した頃、新たに首相となった菅氏が強調したのは「自助」だった。

「誰も困窮では死なせない」「自殺者も増やさない」「感染したら速やかに医療にアクセスできるよう努力するので安心してください」。

一度でいいからこんなメッセージが発されていたら、どれほどの人が救われていただろう。しかし、第三波のなか、まず強調されたのは「マスク会食」。さらに「Ｇｏ Ｔｏ」キャンペーンの来年六月までの延長が発表された（のちに年末からは一時停止に）。もう、何をしようとしているのか、どこに向かっているのかさえ誰もわからない。

そうしてこの原稿を書いている一二月のいま、連日の感染者数は過去最多を更新し続けている。年末年始は、支援現場に張り付く予定である。

（二〇二〇年一二月二三日）

［ジェンダー］

コロナ禍とジェンダー２

「ジェンダー不況」のもとで

上野千鶴子

上野千鶴子（ウエノ・チズコ）

一九四八年生まれ。京都大学大学院社会学博士課程修了。東京大学社会学博士、平安女学院短期大学助教授、京都精華大学助教授、コロンビア大学客員教授、メキシコ大学大学院客員教授などを歴任。一九九三年に東京大学文学部助教授、九五年に東京大学大学院人文社会系研究科教授、二〇一二年－一七年に立命館大学特別招聘教授。現在、東京大学名誉教授、認定NPO法人「ウィメンズアクションネットワーク（WAN）」理事長。専門は、女性学、ジェンダー研究、ケア研究。著書に、『近代家族の成立と終焉』（岩波書店）、『上野千鶴子が文学を社会学する』（朝日新聞社）、『差異の政治学』（岩波書店）、『家族を容れるハコ 家族を超えるハコ』（平凡社）、『ケアの社会学』（太田出版）、『おひとりさまの老後』（法研）、『おひとりさまの最期』（朝日新聞出版）など多数。

七月五日
東京都知事選投票日。三六六万票の得票で小池百合子候補が圧勝。他に宇都宮健児、山本太郎等が立候補したが、コロナ禍のもとの選挙戦は盛り上がらず、あたかも規定の路線のように現職が再選された。政府よりつねに先を先をと強硬路線を採る小池都知事のコロナ対策が支持を集めたのだろうか。
緊急事態宣言の前に「ロックダウン」などという強いことばを発して危機感を煽ったのもこのひとだ。また「夜の街」を連発して、飲食、風俗業などへの偏見も強めた。「東京アラート」「ステイホーム」さらにクリスマスシーズンが近くなると「サイレント・ナイト」などとカタカナを連発したが、ニュージーランドのアーダーン首相やドイツのメルケル首相のような弱者への想像力や共感が響いてこない。
彼女が都知事に就任してから、九月一日の関東大震災記念日の式典への都知事の出席はなくなり、朝鮮人虐殺についての言及も期待できなくなった。このひとはかつて女性初の防衛大臣を務めたこともあるタカ派だ。日本の核武装を容認したこともある。「女性のリーダー」がテーマになるたびに、海外のジャーナリストから「日本には女性の都知事がいるでしょ」と言われるが、喜ぶ気持ちになれない。

七月二二日
政府のＧｏ Ｔｏトラベルキャンペーン、前倒しで開始。人口の最も多い東京発着を除外したが、人の移動が増えれば感染リスクは高まる。あたりまえの疫学的事実だ。専門家や野党の懸念を押し切ってスタートした。事実、その後、北海道へのツアー客からコロナ陽性者が発覚。北海道と沖縄のリスクはハンパでない。

GoTo事業の補正予算総額は一兆六七九四億円、巨額のカネが動く。政治家と観光業界とのあいだに利権があるのではないかと疑ってしまう。実施直前に東京発着を除外したことで、キャンセルが相次いだ。旅行代金の二分の一の補助、飲食代金の二割相当分のプレミアムというささやかな庶民利権に乗っかり、それが得られないとただちにキャンセルする人々の行動も理解できない。困窮する旅行業界を応援したいというなら、キャンセルせずに自腹で旅行すればいいものを。

宿泊業は高額の部屋から埋まるという。この割引を利用してふだんできない経験をしようという小金持ちたちだろう。こんな時期に旅行できるのは時間にもおカネにも余裕のある人たちに限られる。税金の回し方として、こんなことでいいのか。

七月三一日

わたしの関係する認定NPO法人ウィメンズアクションネットワーク(以下、WAN)では、五月から特別定額給付金を対象に「コロナ禍対策女性連帯プロジェクト」をWAN基金のもとで実施した。ひとり一〇万円の給付金を給与が保証された国会議員や公務員に支払う必要はない。当初は収入の激減した世帯に三〇万給付だったのに、連立与党の公明党代表との会見で一夜にして政策転換したのには、一〇万円で票を買うのかと、いやーな感じがした。山口那津男公明党代表は、このままでは「政権が危ない」と首相を脅かしたと伝えられる。援助はほんとうに必要な人たちに届けたい、ほんらいなら再分配は国家の役目なのに、国がやらないならわたしたちがやる！とした「市民的再分配」の試みだ。

この日が事業の締め切り日。計八六人の寄附者から九〇三万円が集まり、一件あたり五〇万円を一八団体に助成した。管理コストは無料、すべてWANボランティアの無償の活動による。助成先はWAN基金運営員会が責任を持って選定し、優先順位をつけて、目標額に達ししだい迅速に助成してきたから、とても喜ばれた。助成先の団体は公的助成の届きにくい女性支援団体を優先した。風俗業関係からシングルマザー支援、派遣労働者の相談事業など、団体名はWANサイトを参照してほしい。[1]

八月二八日

認定NPO法人しんぐるまざあず・ふぉーらむが研究者のチーム（シングルマザー調査プロジェクト）と共同して、七月の一カ月間を対象に一八〇〇人の実態調査「コロナウイルス　深刻化する母子世帯のくらし」の速報レポートを発表した。[2]

それによるとコロナ禍で「雇用・収入に影響があった」は「大いに影響があった」が三八・五％、「ある程度影響があった」三二・三％と、合計で約七割がイエスと回答している。影響の内容は「収入の減少」が正規三三・三％、非正規五二・四％、「勤務日数や労働時間の減少」

が正規二三・九％、非正規四九・九％。「就労収入ゼロ」になった女性は、正規四・五％、非正規一六・一％。正規雇用にも影響は出ているが、非正規雇用のダメージが大きいことがわかる。一斉休校の仕事への影響は、子育てのパートナーのいないシングルマザーにより厳しい。「仕事日や仕事時間を減らす必要があった」二四・七％、「仕事を休む必要があった」二一・六％。

統計数値以上に胸をえぐられるのが、自由回答だ。「子どもに持病があったので自主休業したが、自己都合なので何の補償もない」「勤めがスーパーなので三密。高齢の母と同居するため、感染リスクを怖れて休業した」「正社員はテレワークをしているのに、派遣は出社を強制された」「給食がなくなって食費が月に一万円増加した」「自分は一日に二食に減らしたが、子どものおやつは買えない」、果ては「子どもには一日二食でガマンしてもらい、自分は二日に一食、子どもも私も体重が激減した」まで。こんな飢餓レベルに達するような貧困が二一世紀の日本にあるとは。すでに緊急事態期間中に、しんぐるまざあず・ふぉーらむには、「明日のお米がない」という悲鳴が届いていた。

リモート授業についても格差は深刻だ。「ＰＣもWi-fi環境もないため、子どもがオンライン授業を受けられない。いじめにあうのでは、と心配」。情報インフラへの投資の有無が子どもの教育格差につながる。菅政権は教育のＩＣＴ（情報通信技術）化を推し進めるとして、すべての子どもにひとり一台のタブレットを支給するというが、Wi-fi環境がなかったり、時間制限のあるWi-fiしかない家庭もある。経済格差が情報格差を生み、それがさらなる経済格差につながるだろう。

九月一日

ヨナオシ・フォーラム２０２０（代表世話人・金子勝）は、「包摂する社会が危機にも強い」というテーマでオンライン・シンポジウムを開催。[3] 大沢真理さんをコーディネーターに、赤石千《ち》衣《え》子《こ》さん、青柳雄大さん、三浦まりさんが報告。赤石さんはさっそく八月二八日にプレス発表されたばかりの「コロナウイルス　深刻化する母子世帯のくらし」速報を報告した。コメントに当たった阿部彩さんの発言、「非常時に現場で何が起きているか、記録しておくことはとても大切」にふかく共感。データがないと何が起きているかすらわからない。この時期にこれだけの規模の調査を実施したチームに敬意を払いたい。このチームは継続して各月の変化を追っていくという。

九月一六日

八月二八日に突然の安倍首相辞任宣言。またまた体調不良が理由で政権を投げ出した。自民党の派閥ボスたちの企みで、まさかの菅新政権発足。戦後最長の在任記録をつくった安倍政権の官房長官を長きにわたって勤めたという以上の実績もなく、派閥の後ろ盾もない政治家が首班になるという番狂わせ。それをメディアは「秋田の農家の長男」「たたき上げ」「パンケーキが好きな庶民派」と持ち上げた。政策方針は「安倍政権の継承」、そのなかには、モリカケ、桜の問題を封印するという暗黙の合意も含まれていたことだろう。発足当時の支持率七一％という数字に驚愕した。あの壊れたテープレコーダーのように内容の伴わない答弁をくり返し、それを記者会見でもリピートした安倍政権の「忠実な番頭」役が後継政権になるということは、この先、何の期待も持てないということだからだ。

閣僚名簿を見てこちらもがっかり。閣僚二〇人中女性は二人、上川洋子法相のほかには橋本聖子五輪・女性活躍担当相のみ。いまさら「初の女性……」にはニュース価値がないが、反対に、「たった二人!」にニュース価値はないのか。メディアの反応も鈍い。

九月三〇日

政府が「コロナ下の女性への影響と課題に関する研究会」を発足させた。[4] 座長は社会学者の白波瀬佐和子さん、メンバーは大崎麻子、大竹文雄、種部《たねべ》恭子、筒井淳也、永濱利廣、松田明子、武藤香、山口慎太郎、山田久の九人。男女半々で順当なところ。遅きに失したともいえるが、コロナ禍をジェンダー視点から調査・分析することは必須の課題だ。

一〇月一日

『しんぶん赤旗』のスクープで、日本学術会議新会員候補の官邸による任命拒否が報道された。激震が走る。定数二一〇のうち半数が改選となるが、その一〇五名のうち六名を名簿からはずして任命拒否をした。官邸から九九名の名簿が山極壽一《やまぎわじゅいち》前会長のところへ届いたのは九月二八日。任期が終わる二日前のことだ。一〇月一日は新会員を迎えた第二五期総会の日。学術会議は、以下の二項目から成る簡潔な抗議文を総会で決議し、翌日に政府宛てに送った。

1．二〇二〇年九月三〇日付で山極壽一前会長がお願いしたとおり、推薦した会員候補者が任命されない理由を説明いただきたい。

2．二〇二〇年八月三一日付で推薦した会員候補者のうち、任命されていない方について、速やかに任命していただきたい。

任命拒否された六名は全員第一部会所属の人文社会科学の研究者。[5] その中には近代史研究者の加藤陽子さんも含まれている。首相は一切説明しないが、この六人は安全保障関連法制や共謀罪、特定秘密保護法等に際して政府に批判的な立場をとったひとたちだ。菅首相は国会答弁で「総合的、俯瞰的」な判断とか、「多様性の尊重」とか後付けのような発言をしているが、任命拒否された六人のなかには女性も私学所属者もおり、十分に多様性があった。

一九期に選考方法を学会推薦からコオプテーション方式（ピアレビューによる業績評価）に変えてからいっきに二〇%に女性比率が上がった。わたしはその改革後の二〇～二二期に学術会議会員、二三～二五期に連携会員を務めている。今年一〇月からの二五期での女性会員比率は三七・七%。[6] 政府の掲げる数値目標「２０２０３０《にいまるにいまるさんまる》」をとっくに達成している。閣僚の女性比率が二〇人中二名という内閣の首班に、「多様性がない」などと言われる筋合いはない。

学術に対する政権の介入は、コロナ禍対策でも専門家を尊重しない政治の姿勢を反映しているとしか思えない。政府のコロナ禍対策について民間の検証委員会「新型コロナ対応・民間臨時調査会」（略称「コロナ民間臨調」）が一〇月八日に報告を発表したが[7]、三月の全国一律一斉休校に専門家委員会はお墨付きを与えず、科学的根拠もなかったと指摘された。

一〇月一三日

コロナ禍で非正規雇用、とりわけ女性が直撃を受けているさなかに、非正規雇用の待遇改善を求める裁判の最高裁判決が出た。「メトロコマース」裁判原告らの敗訴という結果に。東京メトロの子会社、メトロコマースの元契約社員らが賞与・手当・退職金などの格差是正を求め、大阪医科大裁判では契約社員だった女性が賞与と私傷病休職補償を求めた。その二日後、一五日には日本郵便の契約社員らが扶養手当・年末年始手当・夏季冬期休暇・祝日給・病気休暇の正社員との同一処遇を求めた裁判に、最高裁で原告勝訴[8]。明暗を分けた。前者の原告が全員女性、後者の原告が男性だったことが結果を分けたとは言わないが、日本型雇用のしわよせを女性労働者が受けた思いだ。

日本型雇用は終身雇用・年功序列給・企業内組合の三点セットからなる人事管理術。ひとつの組織に長く居ればいるほど、後払い方式で有利になるシステムだ。このルールそのものに性別は関与しないが、私たちジェンダー研究者は性差別を以下のように定義する。あるシステムもしくはルールの集合が男性もしくは女性の集団にいちじるしく有利もしくは不利に働くとき、それを「性差別」と呼ぶ。日本型雇用のもとでは、女性は構造的・組織的に排除される効果がある。結果として長期に居残るのは男性ばかり、というメンズクラブの様相を呈してきたのが日本の企業だ。[9]

このシステムによって日本企業は、男性稼ぎ主型モデルを強固に維持してきた。企業との「共存共栄」を図った企業内組合もまた、その共犯者である。五〇年代、六〇年代の賃上げ闘争で労組もまた、「母ちゃんが働かなくてもすむ給料を父ちゃんに」と主張してきたのだ。「働かなくてもすむ」とは口当たりがよいが、その実、妻の就労を禁止し、労働市場から排除してきたのは労組の男性たちでもある。今でも妻が外に働きに出るのに夫の「許可」が必要だと聞いて驚く。

賞与や退職金は、賃金を低く抑えて後払いにすることで労働者をつなぎとめるシステム。判決は「正社員としての職務を遂行しうる人材の確保や定着を図る目的」だとして、このシステムを是認する。同じ職場で同じ職務にあたりながら正社員と非正規の待遇格差は正当化される。紙切れ一枚で異動や配置転換に応じる正社員にはそれだけの処遇をしてもよい、と。他方、日本郵政の方は、日常的な福利厚生に当たる処遇格差だったから、主張が通ったのだろうか。

それ以前に非正規の基本給が低すぎることが問題だ。非正規労働者の所定内給与格差は正社員のほぼ三分の二。この格差を正当化するどのような合理的根拠もない。メトロコマースの原告のひとり、後呂《うしろ》良子さんは「同一価値労働同一賃金」を実現させたいと言うが、これすら危うい。厚労省が試算した同一労働同一賃金の算定方法には、「評価係数」〇・八という説明できない数字が入っていた。同じ仕事をしていても、非正規労働者の仕事の評価が正規の八割に相当する、という予断と偏見に満ちた数値である。ヨーロッパ標準にないこの算定法が日本で適用されることで、「同一労働同一賃金」も政府によって換骨奪胎される。まったく官僚の狡猾さといったらない。

一〇月二九日

第二〇三回国会における菅新首相の所信表明演説。「私が目指す社会像は、『自助・共助・公助』そして『絆』です。自分でできることは、まず、自分でやってみる。そして、家族、地域で互いに助け合う。その上で、政府がセーフティーネットでお守りする」とあって唖然とした。自助ファースト、そして公助は最後の最後だと。

自助原則はもともと自民党の党是だからとりたてて変わったことを言ったわけでないという人もいるが、コロナ禍のまっさいちゅうに自助の限界に直面している人々に対して、一国のリーダーの言うべきせりふとは思えない。冷酷無情に思えてくる。

一一月三日

アメリカ大統領選。トランプは敗北を認めないがバイデン勝利はほぼ確実。この四年間耐え難い思いをしてきただろうアメリカの友人たちの顔が浮かぶ。次の四年もそんな思いをしなくてすんでよかったね、と心から祝いたいが、翻って足元を見ると日本では悪夢が続いている。これまでは愚かなリーダーを持つ国民の悲哀を同病相憐れむ気持ちがあった。それもあからさまなデマとフェイクニュースを垂れ流すトランプに比べれば、日本の方がいくらかましかも、と自分を慰めたが、アメリカが民主主義の力で脱トランプを実現した今日、情けない思いが募る。

一一月一九日

「コロナ下の女性への影響と課題に関する研究会」（白波瀬佐和子座長）が「緊急提言」を報告。[10]九月三〇日に発足して提言まで二カ月余。異例のスピードと言える。報告書には「ジェンダー不況」「女性不況」という用語が並ぶ。コロナ禍の影響が出てからの政府統計も役に立つ。

三月に突然の休校要請が出てから一カ月の雇用の落ち込みは、男性三二万人、女性七四万人と女性は男性の倍以上、とりわけ非正規雇用の落ち込みが激しい。それというのも、女性の非正規雇用がコロナ禍が直撃した飲食、生活・娯楽、小売りなどの産業に集中しているからだ。いずれもオンライン化できない職種である。仕事のうち七割はオンライン化できるというが、どうしてもオンライン化できない職種は残る。それればかりか、「オンライン階級」という新しい用語が登場した。情報化とともに階級格差も拡大していくだろう。

「ステイホーム」が長くなれば、いらいらも募る。研究会の資料は、四月から九月にかけてのDV相談件数の増加も示す。それによると四〜九月分の合計で前年同期間との比が一五・五％増。東日本大震災の後でもDV相談件数は増えた。追いつめられ、苦境に立つと、自分より弱い者に攻撃性が向けられる。こういうデータを見る度に、「なんて男らしいんだろう」とついつぶやいてしまう。

資料には自殺率の統計もある。日本の自殺者は一貫して女性より男性の方が数が多いが、九月以降の女性の自殺者の増え方が尋常ではない。前年同月比で八〇％増、それも一〇代、二〇代で増加と言う。背後にはＤＶ、性虐待、のぞまない妊娠……があるのじゃないか、と疑わせる数である。

研究会は八項目の「緊急提言」を出したが、そのなかには以下のような項目がある。「ＤＶ、性暴力、自殺等の相談体制と対策を早急に強化するとともに、感染拡大期においても可能な限り必要な機能を果たすこと」「休校・休園の判断において、女性・子供への影響に最大限配慮すること」「ひとり親家庭への支援を強化すること」。だが、政府に実効性のある女性向けの対策があるとは思えない。

一一月二五日

新日本婦人の会が緊急女性アンケート「コロナ禍での仕事の『困った』の声」の結果について要請＆記者発表を。[11] 四七都道府県三五八人が回答。「非正規で雇止め、収入激減など、コロナ下で苦しむ女性むけの『二四時間無料電話相談』を年末年始にむけて緊急設置し、宿泊場所や臨時給付金など当事者に行き届く支援策を緊急におこなうこと」「シングルマザー、一人親家庭に対し、野党が共同して要求している支援金再給付をおこなうこと」等の要望書を政府に提出した。対象者のうち非正規は四三％。非正規雇用の契約期間が一年から半年、さらに三カ月と短縮するなかで、六月ショック、九月ショックが言われたが、いよいよ年末の一二月ショックが大きくなりそうだ。

一二月四日

政府はひとり親世帯への臨時特別給付金を追加給付すると決定。一世帯五万円。第二子以降は三万円の追加。焼け石に水だろう。

一二月一一日

ならコープの依頼を受けて、「生協と男女共同参画」のテーマでオンライン講演を実施した。このところ講演やトークはキャンセルか延期が相次ぎ、そうでないものはオンライン開催となって、Zoom や Webiner の操作にもすっかり慣れた。

画面に顔が大写しになるので、かえって臨場感があり、背景から相手の暮らしぶりが垣間見えたりして、親近感を感じる。移動しなくてすむので時間の無駄がなく、自分の講演だけでなく、他人の講演やシンポをオンライン視聴する機会も増えた。リアルならわざわざ足を運ばないような他分野の講演やシンポに参加するハードルも下がった。今のところ、オンライン講演やシンポはいいことだらけで、何のふつごうも感じない。

生協は女性の活動なのに、ジェンダー平等に感度が鈍いことはかねてから指摘されてきた。[12] ようやく単協や生協連の理事長や役員レベルの意思決定者に女性が少ないことが、課題とされてきたのだろうか。

そこで朗報を聞いた。ならコープだけでなく、他の生協からの情報も得たところ、コロナ禍で売上が三割増と言う。組合員のおうち需要が増えただけでなく、組合加入者も増えた。女性の就労増加に伴い、生協はすでに個配、宅配のルートを全国に毛細血管のようにはりめぐらせており、コロナ禍で外出自粛と言われてもにわかに対応にあわてふためく必要はない。末端消費者とのあいだに流通経路を確保しているところは強い、と実感した。

もうひとつの朗報が。わたしが理事長を務めている認定NPO法人WANには、農業ジャーナリストの金丸弘美さんによる連載「ニッポンはおいしい!」がある。第一次産業や第六次産業(一次+二次+三次で計六次の食品加工業など)でベンチャーを興した農村の女性起業家たちを紹介する好評連載で、すでに一八回続いている。おカネをとれる原稿を書いている金丸さんに懇請して、タダで書いてもらっているという贅沢な連載だ。彼からはかえって感謝された。

というのも、これまで取材先では代表として出てくるのはほとんどが男性。その隣でニコニコ黙っていた女性に直接取材してみると、「やあ、上野さん、女の人の話の方がずっとおもしろいわ」と感想が返ってきた。「そうでしょ」とわたしはニッコリする。取材した対象には、産直市場に農産物を出している農家や、都会の消費者と直結して最適の状態で保存管理した生産物を、通年にわたって出荷している事業者などがいる。その彼女たちがコロナ禍でどうしているのだろうか、と金丸さんに「コロナ禍のもとで……彼女たちは今」という記事を書いてもらった。なんと、どこもうまく行っていて、売上げは前年比二割増しだという。生産者と消費者のあいだに「顔の見える関係」を築いているところは強い!と再認識。

彼女たちは農協をバイパスして流通経路を築いている。こういう農業ベンチャーの「抵抗勢力」はしばしば農協である。ちなみに農協は生協以上に、男女共同参画が遅れている。農協女性役員比率は二〇一九年で九・四％と、国会議員（衆議院）女性比率九・九％よりなお低い。なお、農業委員の女性比率は一二・五％。九〇年代後半あたりから各地で女性農業委員の比率が上昇傾向にあったが、そのひとたちはかつて五〇年代、六〇年代に農村の生活改善運動に取り組んだ当時の若嫁たちであったと聞いた。なるほど、いちど声を挙げた女は一生黙らない、と感心したことを覚えている。

一二月一六日

政府の第五次男女共同参画計画に対する自民党最終案から、選択的夫婦別姓の文言が消えた。菅首相は議員時代に選択的夫婦別姓を唱えていたと言われ、期待が持たれていたが、首相になったとたん「時間をかけてやるべき」と後退。政権の背後にある日本会議に配慮したのだろうか。

自民党内でも森まさこ・女性活躍推進特別委員会委員長は「容認派が増えている」と発言。橋本聖子・男女共同参画担当特命大臣も夫婦別姓推進派だ。対するに強硬な反対派議員も高市早苗衆院議員、山谷えり子参院議員などの女性。ふたりとも旧姓を使用し続けている「通称使用派」なのに、不便は感じないのだろうか。自民党内では男女共同参画会議の答申を巡って大激論があり、強硬な反対派に押し切られて、第四次行動計画にあった「選択的夫婦別姓」の文言すら削られたという。二〇一五年には最高裁で夫婦同氏の原則は男女平等の原則に反しない、と「合憲」判決が出た。司法も立法も行政も動かないなら、この先、可能性は遠のいた。

二〇〇八年に民主党（当時）政権が誕生したときの消費者及び食品安全・男女共同参画・少子化対策特命大臣が夫婦別姓を実践し事実婚をしていた福島瑞穂さん。すわ夫婦別姓が実現するかと期待が高まったが、福島さんは基地問題をめぐる閣内不一致で短期間にポストを去った。選択的夫婦別姓は、すでに一九九六年の法制審議会の民法改正の答申で提案されており、その後も二〇〇三年以降、三年に一回のCEDAW（国連女性差別撤廃委員会）からのたび重なる勧告を受けており、日本の男女平等指数（GGI）の世界ランキングが低い理由のひとつにもなっていた。夫婦別姓に伴う民法改正は、なんの予算的措置も要らないわりに（せいぜい婚姻届の書式が変わる程度か）、世の中が変わったという実感を持つことができる政策効果抜群の改革である。もし実現すれば、コロナ禍のもとで数少ない明るいニュースになったのに。

世論の支持は七割に達している。世論と政治とのあいだのずれは大きくなるいっぽうだ。「家族の絆」が好きな人たちが政権与党の組織票を固めている限り、与党議員は彼らの顔色を見るのだろう。この人たちは同時に「国家の誇り」を愛し、排外主義を唱え、「慰安婦」を攻撃するひとたちだ。

一二月二三日

署名サイトchange.orgが今年度のチェンジメーカー・アワードを発表した。[13] 大賞は「私の夫、赤木俊夫がなぜ自死に追い込まれたのか。有識者によって構成される第三者委員会を立ち上げ、公正中立な調査を実施して下さい！」で、三七万筆を超える署名を集めた。

「性差別はもうたくさん」の部門賞には「『女性はいくらでもうそをつけますから』自民党・杉田水脈衆院議員の性暴力被害者への発言撤回、謝罪、辞職を求めます」が一三万九〇〇〇筆を集めた[14]。署名運動の主催者たちはこの署名を自民党の野田聖子衆院議員に届けようとしたが、受け取りを拒否された。杉田議員は二〇一九年にもLGBTに対して「生産性がない」と発言して物議を醸した。さらに「慰安婦」問題を研究テーマのひとつとする研究者グループに対する科研費助成を、「反日的」「ねつ造」などと攻撃してきた。

女性政治家は増えてほしいが、女なら誰でもいいのかと思わないわけにいかない。保守系の女性政治家は、男性政治家が思っていても口にできないことを発言することで地雷を踏む役目を負わされているという気がする。それによって「女の敵は女」の構図をつくりたいのだろう。その役割を忠実に果たしているあいだは便利に使われ、いらなくなれば弊履《へいり》の如く捨てられる運命が待っている。

政権による日本学術会議の人事への介入の次は、大学の人事や科研費の配分への介入だろうと予測されるが、すでに攻撃は始まっている。ハンガリーやトルコですでにジェンダー研究への政権の圧力が強まっているという[15]。権威主義的な社会では、ジェンダー研究は獅子身中の虫だ。このままでは「研究の自由」が侵害されると、研究者たちは杉田議員を相手取って名誉毀損の裁判を起こした[16]。黙っているわけにはいかない。

一二月二四日

GoToトラベル全国一斉中止決定。すでに一六日までには東京都・名古屋市・大阪市・札幌市、さらに広島市も加わり、五都市が全国一時停止に先駆けて一時停止に入っていた。専門家からのたび重なる警告、各地の医療機関や医師会からの切迫した医療崩壊の危機感に押された感じだ。東京都では連日六〇〇～八〇〇人を越す感染者を出しており、専門家によれば「高止まり」どころか「拡大中」、第三波の到来と指摘されていた。

政府の分科会が一一月二五日から一二月一六日まで年末の大移動に備えて短期間の集中的な自粛を提言し、それを受けて西村康稔《やすとし》・経済再生相が国民に要請した「勝負の三週間」は効果がなく、かえって感染が拡大した。「六五歳以上高齢者」「基礎疾患や持病のある人」は自粛とか、「五人以上の会食」はしないようにと呼びかけてきたが、たび重なる「見直し」要請に対して、菅首相は「考えていない」と言い続けてきた。ここに及んで全国一斉中止に追い込まれたのは、世論に配慮したのか、一二月一四日のNHKの世論調査ではGoToトラベル事業を「中止すべきだ」は六七%に達した。町の声は「遅すぎた」というもの。内閣支持率は前回から一六ポイント急落して四二%に、不支持率は三六%にのぼった。学術会議をめぐるしどろもどろの説明も、モリカケ問題、「桜を見る会」の不透明な後処理も、ボディブローのように効いていることだろう。

来年一〇月二一日の衆議院議員の任期満了まで一年を切った。「この顔」では闘えない、と政権与党が考えるのは時間の問題だろう。だが、ベターな選択肢はほんとうにあるのか？

一二月某日

コロナで明けた二〇二〇年がコロナで暮れていく。まさかここまで長期化するとは思わなかった。しかも日本は第三波のまっさいちゅうで感染は拡大中だ。そこにさらにイギリスと南アフリカから、より感染力を強めたコロナウイルスの変異体が発見されたとのニュースが追い打ちをかける。ワクチンはできたというが、いつ認可され、誰に届くかもわからない。

コロナ不況は「ジェンダー不況」とも呼ばれて、もともと経済基盤の弱い女性を直撃した。非常時は平時の矛盾を拡大・増幅する。女性の失業率も賃金格差も悪化するだろう。出生率も下がるだろう。世界フォーラムの男女平等ランキングはさらに低下するだろうと予想される。

非常時に何が起きたか？の記録は、残しておかなければならない。残念だが、この非常時はまだ続く。定点観測を謳う本書はそのための貴重な史料になるだろう。

（二〇二〇年一二月二六日）

注

1 https://wan.or.jp/article/show/9138

2 https://note.com/single_mama_pj/n/n83bb1e08b706

3 https://yonaoshi2020.jp/311/

4 https://www.gender.go.jp/kaigi/kento/covid-19/index.html

5 任命拒否されたのは以下の六名。芦名定道（キリスト教学・京都大学）、宇野重規（政治学・東京大学）、岡田正則（法学・早稲田大学）、小澤隆一（憲法学・東京慈恵会医科大学）、加藤陽子（歴史学・東京大学）、松宮孝明（法学・立命館大学）。

6 「日本学術会議における男女共同参画の取り組み」

http://www.scj.go.jp/ja/scj/gender/index.html

7 「新型コロナ対応・民間臨時調査会」（小林喜光委員長）はアジア・パシフィック・イニシアティブが二〇二〇年七月に設置、四人の有識者から成り、安倍晋三首相以下、政府の関係者八三人を対象にのべ一〇一回のヒヤリングをくり返して一〇月八日に報告書を発表した。

https://apinitiative.org/project/covid19/

8 「メトロコマース・大阪医大・日本郵便　非正規雇用の最高裁判決　退職金や賞与は認められず」『ふぇみん』三二七二号、二〇二〇年一一月五日

9 上野千鶴子・出口治明『あなたの会社、その働き方は幸せですか』（祥伝社）。上野千鶴子『女たちのサバイバル作戦』（文春新書）。

10 https://www.gender.go.jp/kaigi/kento/covid-19/siryo/pdf/teigen.pdf

11 https://www.shinfujin.gr.jp/12462/

12 上野千鶴子「生協のジェンダー分析」、現代生協論編集委員会編『現代生協論の探究〈理論編〉』(コープ出版)。

13 https://japanchange.org/changemakeraward-2020/

14 https://www.change.org/p/ 女性はいくらでもうそをつけますから - 杉田水脈議員の性暴力被害者への発言撤回 - 謝罪 - 辞職を求めます

15 アンドレア・ペト「学問の自由とジェンダー研究――ハンガリーのバックラッシュが物語るもの」『世界』二〇一九年一二月号。

16 フェミ科研裁判支援の会　https://twitter.com/femikaken_shien?lang=ja

［メディア］

コロナ禍で認識する報道の課題

大治朋子

大治朋子（オオジ・トモコ）

毎日新聞専門記者。一九八九年入社。東京本社社会部、ワシントン特派員、エルサレム特派員などを経て二〇一九年秋より現職。社会部時代の防衛庁（当時）による個人情報不正使用に関する調査報道で二〇〇二、二〇〇三年度の新聞協会賞をそれぞれ受賞。ワシントン特派員時代の「対テロ戦争」や米メディアに関する調査報道で二〇一〇年度ボーン・上田記念国際記者賞受賞。二〇〇四～〇五年、英オックスフォード大学ロイタージャーナリズム研究所客員研究員。二〇一七年から二年間休職し、イスラエル・ヘルツェリア学際研究所大学院（テロ対策・国土安全保障論）修了。テルアビブ大学大学院（危機・トラウマ学）修了。単著に『勝てないアメリカ「対テロ戦争」の日常』（岩波新書）、『アメリカ・メディア・ウォーズ ジャーナリズムの現在地』（講談社現代新書）など。最新刊に『歪んだ正義 「普通の人」がなぜ過激化するのか』（毎日新聞出版）。

新型コロナウイルスの感染拡大に伴い、日本のメディアは総力を挙げてさまざまな角度から状況を伝えている。社会的距離、限られた人員、リモート・ワークなどの制約の中で、一〇〇年に一度とも言われる感染症がもたらす状況を可能な限り伝えようとしている。だが、その思いに見合った発信はできているだろうか。自戒を込め、報道から浮かぶ喫緊の課題を探りたい。

「知識を学ぶ意欲の欠如」

コロナ問題でテレビや新聞によく登場する、ある医師がつぶやく。

「番組や記事の担当者に『これを読むとわかりやすいですよ』と英語の科学論文を渡すと、『日本語のものはありませんか』と聞かれる」

大手メディアには大抵、科学部というセクションがある。科学的な知識が豊富で英語の論文を読むことができる記者も少なくない。だが、コロナのように長期的な問題になると、科学部の記者だけでは対応しきれない。まさに会社を挙げての総動員体制となり、新聞でいえば政治部や社会部、地方部、テレビでいえば、報道番組だけでなくワイドショーの担当者などもコロナ問題を一定程度、科学的に理解する必要がある。

幸い英国のBBC放送やロイター通信、米AP通信やニューヨーク・タイムズ紙などは、コロナに関して重要な科学論文が出るとそのポイントを速報してくれる。英語圏の市民や移民が読むことを想定した英語なので科学的知識がなくても概要はつかめるように工夫されている。日本メディアの記者らも辞書さえあればある程度は理解できるだろう。

だが、現実にはその労を惜しむ記者らが少なくないという。もちろん生半可な知識で不正確な報道をしてはならない。一方で、あまりに知識が不足していると大事なニュースの価値判断さえ危うくなる。

その例として、コロナ問題に詳しいある著名な医師が匿名で情報誌『選択』(二〇二〇年九月号)に寄稿し指摘した問題について考えてみたい。「検証『コロナ報道』誤報と偏向で国民を惑わす大罪」と題した論考には、コロナ禍で改めて顕在化した日本メディアの課題が記されている。論文はまず、尾崎章彦医師(福島県常盤病院)ら研究者が行った調査を紹介する。

尾崎医師らは二〇一九年一一月一日から二〇二〇年四月一八日にかけて、朝日、読売、毎日、産経各紙に掲載された二四七八本のコロナ関連記事を調べ、PCR検査について①重症肺炎の確定診断に用いるという当時の厚生労働省(以下、厚労省)の見解に沿うもの、②コロナの疫学調査として積極的にPCR検査を行うべきという方針を示した世界保健機関(WHO)の立場に沿うもの、③どちらでもない中立もの——の三種に分けた。このほどその結果が集計され、③が最も多く八一%、次が②で一七%、①は二%だと分かったという。

筆者である医師は、WHOの見解は早々に国際的なコンセンサスを得ていたのになぜ日本のメディアの大半が「中立」の立場を取ったのか、と疑問を投げかける。メディアのあいまいな報道スタンスが読者らを混乱させてしまったと批判する。

私の個人的な印象だが、日本メディアの記者は日本語を母語とすることが多いため、英語など外国語で伝えられる世界のニュースに直接、積極的に触れようとする習慣が乏しく、視点がややタコツボ化しやすいように見える。一方で、未知の感染症を「可能な限り正確に伝えたい」とも思っている。その結果、どうなるか。ニュースを取材する記者も、そのニュースをどのくらい大きく扱うかを判断する編集者的立場のスタッフも、価値判断が国内の「権威」に依拠しがちになる。

尾崎医師らの調査でいえば、多くのメディアはWHOと厚労省という二つの異なる見解の間にはさまれ、少なくとも当初、どちらかを優先して伝える知識や判断力に欠けていた可能性がある。一般に、記者は報道するテーマに関する知識や経験が乏しいほど、原稿の歯切れが悪くなる。私自身も経験があるが、「両論併記」にしてあとは読者に判断を任せてしまったりする。読者は大抵、自力でその両論を比較したり検証したりする十分なヒマも余裕はないから、釈然としないままそのニュースへの興味を失ったり思考停止したりして忘れてしまう。

ただこのケースでいえば、大半のメディアは緊急事態宣言が出た四月中旬以降、WHOの見解に従う論調に舵を切った。論考の筆者は、こうした報道のブレも含めて日本メディアの根本的な問題は記者が多忙で科学的知識を学ぶ余裕がないこと、そしてそれを補うために「専門家」のコメントを使うがその大半が国内の専門家に限られていることを挙げる。専門家は厚労省が設置した専門家会議やクラスター対策班のメンバー、つまり政府の「お墨付き」を得た者が多く、情報ソースに集中・依存が起きていることがメディアの構造的な問題になっていると批判する。

こうした「欠陥」は、為政者や大企業に利用される危険性も懸念される。

コロナ治療薬やワクチンの開発を例に検証してみたい。厚労省の専門部会がコロナ治療薬として承認を検討している抗インフルエンザ薬「アビガン」（一般名・ファビピラビル）に関する報道。毎日新聞は二月二二日、加藤勝信・厚生労働相（当時）がテレビ番組でコロナ患者へのアビガン投与を検討すると述べたのをきっかけに関連する記事を書き始めた。アビガンへの期待が高まる中、三月一七日、「厚労省関係者」の匿名のコメントとして、副作用についても初めて触れた。しかし「アビガンまだか　『患者に効果』『医学界からも　治験未完了、副作用懸念も』」（大阪本社夕刊社会面、五月一日付）などと承認への期待感をにじませる記事もあった。

国民のアビガンに対する期待感は五月四日、当時の安倍晋三首相が緊急事態宣言の延長を発表した記者会見で頂点に達した。

我が国で開発されたアビガンも既に三〇〇〇例近い投与が行われ、臨床試験が着実に進んでいる。有効性が確認されれば、医師の処方のもと使えるよう今月中の薬事承認を目指したい。

国内産の新薬がすぐにも誕生するかのような安倍首相の言葉を報道各社は一斉に報じた。「コロナ治療薬　アビガンも月内承認図れ」（産経新聞、五月九日付、社説）、「安倍首相、『アビガン』月内承認へ　治験プロセスを加速」（時事通信電子版、五月四日付）。厚労省も承認を迅速に進めるための「特例」を設けたと発表した。

だが、月末になっても薬は承認されず、次第に「スケジュールを優先しようとした政府の姿勢に、有識者らから懸念する声が上がっている」（毎日新聞、五月二七日付）といった報道が目につくようになった。安倍首相が緊急事態宣言の延長というネガティブなニュースを伝える中で、「明るい話題」を添えようと承認の可能性がまだ不明の「アビガン」を無理やり持ち出したのだとすれば、メディアはそれに乗せられてしまった可能性もある。

アビガンのコロナ患者への有効性についてはロシアが報告しているが、欧米でアビガンをコロナ治療薬として承認した国はほとんどない。そうした海外の事情をある程度フォローしていれば、政権が何と言おうと安易に期待を抱かせるような報道は控えることができたのではないかとも思う。

ちなみに日本経済新聞はその後もアビガンの承認に期待を寄せるような報道を続け、七月一〇日、臨床試験の中間解析で有効性が示されなかった後も電子版に「アビガン、有意差なしも『有効な可能性』藤田医科大」などとする記事を掲載した。

厚労省の専門部会は結局、一二月二一日、新型コロナウイルス感染症治療薬としての承認について「現時点で得られたデータから有効性を明確に判断することは困難」と判断を見送り、継続審議とすることに決めた。

安倍首相のあのときの言葉は何だったのか。期待を膨らませた国民はそう感じたに違いない。ちなみにがん治療薬の開発に貢献してノーベル生理学・医学賞（二〇一八年）を受賞した本庶《ほんじょ》佑《たすく》・京都大学特別教授はコロナワクチンの国内開発について『文藝春秋』（二〇二〇年八月号）のインタビューで、「日本で開発し、治験までやると言っているグループがありますが、あまりに現実離れした話でしょう」と語り、その難しさを指摘している。

このアビガン騒動もまた、専門知識の欠如から当局などの情報に依存しがちなメディアと、恐らくそれを知った上であえて利用しようとする政治家や政府、大企業により国民が振り回されてしまった実例ではないだろうか。

一般に記者は、自分の取材で得た情報の塊《かたまり》を一つの点とすれば、その点と点を結ぶ「線」を専門家の意見を引用しながらつなぎ、取材する問題の分析や背景を描こうとする。こうしたやり方は私自身もこれまでやってきたし、記者が情報収集から分析までをすべてやってしまうより個人の思い込みを回避する有効な手段にもなりうる。

だが、識者コメントにはさまざまな「危うさ」が潜むのも事実だ。アビガンの例のように、専門家が何らかの意図をもって核心的に記者をミスリードすることもあれば、記者が自分の意向や考えに合うように専門家のコメントを勝手に編集してしまうこともある。

また、報道機関と専門家が、暗黙の共犯関係に陥ることもある。コロナ報道は専門性の高い医学的知識が必要とされることが多いが、テレビや新聞に出たい「(感染症が専門ではない)専門家」と、数が少なくてつかまえにくかったりコメントが難解だったりする「感染症の専門家」より、分かりやすく説明してくれる「(感染症以外の)専門家」の方が使いやすい、と重宝がるメディアの利害が一致してしまうのだ。

だが、どんなに難解な問題でも、記者が謙虚に学ぼうとする姿勢を維持する限りは、それに応えてくれる誠意ある専門家も多数いる。そうしたポジティブな関係から生まれる報道こそが、危機に瀕《ひん》した社会を支える力になるのではないだろうか。

スケープゴーティングという現象

社会で起きる現象を表層的にただ漫然と追いかけるだけの報道は、社会を分断させ、人々の孤独感を深めかねない。

メディアが大きな影響力を持つといわれるスケープゴーティング現象は、まさにその最たる例だろう。スケープゴートとは、古代ユダヤで年に一度、ユダヤ人の罪を負わせて荒野に放たれたヤギに由来する言葉で、「責任を転嫁するための身代わり」とか「不満や憎悪を他にそらすための身代わり」（デジタル大辞泉）といった意味で使われる。

『リスクの社会心理学』（中谷内一也編、有斐閣）によれば、スケープゴートは「個人や集団の攻撃的エネルギーが集中的に他の個人や集団に向けられる現象」で、「攻撃の量やレベルが異常に高いのが特徴」だ。「非難攻撃の対象が正当なものとしてきちんと確かめられているわけではないし、そのような行為の是非が十分吟味されているとは限らない。責任を特定の人になすりつけ、自分の罪悪感を軽減する手段として」用いられるものでもあるという。

『スケープゴーティング』（有斐閣）の編著者である社会心理学者の釘原直樹氏は、個人や組織、社会がスケープゴートとしての非難対象を次々と選び出し、その標的を変えていく状況をスケープゴーティングと呼ぶ。そしてメディアは一般に、事件や事故、災害、そして疫病などにおける報道でスケープゴーティングに走りがちだと警鐘をならす。

その古典的な例として専門家によく引用されるのが、一九四二年一一月に米東部マサチューセッツ州ボストンで起きたナイトクラブ火災事件だ。当初、メディアの非難対象になったのは、電球を取り換える時に手元の明かりにマッチを使い、ツリーに引火させてしまったアルバイトの少年だった。しかし少年が勤勉な学生であることが分かると、消火設備を点検して許可した行政や消防、警察の担当者、防火規則を作った市議会やそれを監督する立場にあった市長へと攻撃対象が移り、被害をこうむったナイトクラブのオーナーさえも未成年者を低賃金で雇う守銭奴《しゅせんど》などと指弾された。

日本国内で起きた過去の事件や事故、災害などに伴うスケープゴーティングについて広範囲な調査を行った同書の著者らは、疫病についてはSARS（重症急性呼吸器症候群）やO157（腸管出血性大腸菌）、新型インフルエンザ（パンデミック2009H1N1）などを事例に分析している（前掲書、第六章「感染症報道でのスケープゴーティング」）。それによると、感染症の場合はその発生自体には人為性は認められないが、感染拡大において責任が問われることがあり、それがスケープゴートの拡大に結び付く可能性があるという。

例えば二〇〇九年だけでも世界で一二〇万人以上が感染した新型インフルエンザは、五月にカナダから日本に帰国した高校生三人と教諭の感染が確認され、その後感染が拡大。感染者を出した学校には非難や中傷、抗議の電話が殺到し、ある校長は「お騒がせして申し訳ありません」と謝罪会見まで開いた。

コロナ禍においてもマスクをしない人や感染（経験）者、感染者を治療する病院や医療機関の従事者、その親族などへの非難や差別が拡大している。日本看護協会は一二月二二日、全国八二五七病院を対象にインターネットのアンケート調査を実施し、二七六五病院の看護師や准看護師ら四万人弱から回答を得た、と発表した。それによると、回答者の二割が差別や偏見を経験したと答え、「家族や親族が周囲から心ない言葉を言われた」が最多で二七・六%、「患者から心ない言葉を言われた」(一九・八%)が次に多かった。

また、小池百合子・東京都知事らが強調する「夜の街　クラスター」といった表現が、夜間に営業する飲食店や東京都内の特定の繁華街をやり玉に挙げる流れを加速させている。大阪府や兵庫県では休業要請に応じなかったパチンコ店の店名と所在地を自治体が公表すると、インターネットの掲示板にはパチンコ店に対する爆破予告のような書き込みが見られた。

いずれもコロナ禍に伴う差別や分断の深化を示唆する動きと思われるが、メディアはこうした現象や事件の深層を掘り起こして報道しているだろうか。朝日、読売、毎日、産経の全国紙をはじめ地方紙、専門紙、経済誌などの過去記事を一括検索可能な@niftyビジネスデータ「新聞・雑誌記事横断検索」で二〇二〇年一二月二四日までの過去一年間の記事を調べたところ、例えば「コロナ」「夜の街」を含む記事は六三三六件だったが、そのうち「差別」という言葉を含むものは一〇五件にとどまった。同様に「コロナ」「パチンコ」「自粛」を含む記事は二三一〇件あったが「差別」に言及した記事は九九件だった。

政府や自治体の「夜の街」や「パチンコ店」に関する発表や発言をそのまま伝える報道だけでは、読者は「彼らはコロナ菌をまき散らしている」「自分たちはその犠牲者」といった被害者意識や嫌悪感ばかりを強めかねない。だが、こうした現象の分析を専門とするプロの視点を合わせて報じれば、読者は「我が事」として受け止められるのではないか。

例えば村山綾・近畿大学国際学部准教授は雑誌『都市問題』（二〇二〇年七月号）に寄稿した論考「コロナ禍における差別と不寛容――社会心理学の視点」やそれに基づくインタビュー（朝日新聞、八月一二日付）でこう述べている。

「国や自治体などから有効な対策が立てられないでいると、誰かをスケープゴートに仕立て、ますます直感的な反応を向けてしまう」。行政へのいら立ちや怒りが増すと、人はそのネガティブな感情を「問題行為をしている」と見なされる個人や集団に向けやすくなるという。また、人間には「これまでの経験や知識を土台として、ある特定の社会的カテゴリー（看護師、大学生、など）に属する人たちに対して抱くイメージ」としての「ステレオタイプ」や、それに「好き、嫌いのような感情が伴った」ことで生じる「偏見」、さらにこのステレオタイプや差別に基づきそのカテゴリーに属する人に具体的に行動を起こす「差別」といった思考や行動のクセがある。「コロナ禍のような非常時では、ステレオタイプが偏見につながり、他者を攻撃する差別へと結びつく。顕著なのが「『感染者』とひとくくりにして『自己責任』などと非難を浴びせる風潮だ」と村山氏は述べている。つまり感染者や「夜の街」、特定の繁華街、パチンコ店などにもともと偏見を持っている人は、それが具体的な言動、つまり差別行為につながりやすいようだ。

また、村山氏によれば、ステレオタイプから差別にいたるまでの過程に通底するのが「公正世界信念」だ。社会心理学における概念で、善行には良い結果（努力は報われるなど）、悪い行為には因果応報といった考え方で、何か災いが他者に起きると、私たちは自分に同じような災いが訪れると思いたくないのでそれに見舞われた人と自分を区別し、そうした世界観を守ろうとするという。例えば「あの人は行いが悪いからコロナに感染した」けれど自分は日ごろの行いが良いから大丈夫、などと信じようとする。そうすれば世の中で起きているコロナの大感染は「自分には関係ない出来事」となり心の平穏を保つことができるからだ。

だが、こうした偏見や差別が社会に充満すると、自身が感染した時には多くの医療従事者が差別に疲れて職場を去ってしまっていたり、自分自身が今度は差別を恐れて感染を周囲に告げられなかったりしてさらなる感染拡大を招きかねない。村山氏は、単純に差別を批判するだけでなく「差別」そのものの構造が広く理解されることが重要だと訴え、メディアの役割の重要性を指摘している。

スケープゴーティングは事件や事故、災害や疫病が起きると必ずと言って良いほど生じる現象で、コロナ禍で顕在化するさまざまな現象の本質を読み解くキーワードといっても過言ではないだろう。しかも、そのほとんどのケースにはメディアが関わっている。だが、その心理メカニズムまで解き明かした報道は、私が知る限りほとんどなかった。新聞・雑誌記事横断検索（@nifty）で国内のコロナ状況に関する記事のうち「スケープゴート」「心理」という言葉を含んだものはわずか一〇件で、詳しくそのメカニズムについて触れたのは先の村山氏の分析を交えた朝日新聞の記事だけだった。

災害のリスクを恐怖と未知性の二次元で考える一部の専門家らによれば、特に東日本大震災による原子力発電所事故や今回のようなコロナ禍は、「見えない恐怖」や「未知の脅威」を伴うため、私たちの心身に大きな心理的負荷を与えやすい。人為事故や事件であればその被害者は一部のエリアや時期に限られることも多く、また「責任者」を突き止めたり非難したりすることで個人や社会のフラストレーションは発散されやすくなるが、コロナのようなパンデミックでは、記者を含めて当事者や被害者は広範囲に広がり、誰かに責任を帰結させることは難しい。だからこそスケープゴートとしての生贄《いけにえ》を、社会が選びだしてしまう危険性が高いのではないだろうか。

感染者や特定の職業に従事する人々への偏見や攻撃は、ただ表層的に伝えられるだけでは、読者には「ひどいことをする人がいる」「いやな世の中になってしまった」「社会が分断している」といったネガティブな感情や不安しか残らない。しかし村山氏が述べたように、そうした偏見や差別的行動のメカニズムが知識として共有されれば、一人ひとりが「我が事」としてとらえ、自分やその愛すべき人々がそうした言動に加担したり巻き込まれたりしないようにするための次のステップに進むことができるのではないだろうか。

「道徳感情語」と自己責任論の危うさ

差別や偏見の拡大においては、SNS（ソーシャル・ネットワーク・サービス）の影響も無視できない。なぜ他者への非難は拡散されやすいのか。米ニューヨーク大学の研究者たちが「銃規制」「同性婚」「気候変動」について記した計約五六万のTwitter投稿を調べた調査（二〇一七年発表）によると、いずれのトピックにおいても、投稿に「道徳感情語」が増えるごとにリツイートされる確率が約二〇％増加したという（笹原和俊著『フェイクニュースを科学する　拡散するデマ、陰謀論、プロパガンダのしくみ』化学同人）。道徳観に絡む言葉は拡散されやすいのだ。

そういえば二〇一一年三月の東日本大震災発生直後に見られた、いわゆる「不謹慎ブーム」でも、ブログの更新や花見をした人の道徳観がやり玉に挙げられ、「ネット上ではあたかも『魔女狩りのハンター』が徘徊しているような印象」（針原直樹・編『スケープゴーティング』一七三頁）が広がった。

コロナ禍においても緊急事態宣言が出た四月から夏休みにかけて「自粛警察」「マスク警察」「帰省警察」といった現象が報じられ、SNSでも拡散された。そこには道徳観を問うかたちで他者を非難するという傾向も見られた。村山氏が指摘したように、個人の道徳観次第で災いを防ぐことができるといった考え方は、不安でいっぱいの市民に「やるべきことをやっている自分は大丈夫」という安心感を与えてくれるのかもしれない。

興味深いのは、こうした自己責任論的発想は、特に日本人に見られがちな傾向があるという点だ。大阪大学大学院の三浦麻子教授（社会心理学）らの調査によると、日本では他の国に比べて「新型コロナウイルスに感染するのは自業自得」と考える人が多いという。二〇二〇年三～四月にかけて日米英伊中の五カ国（それぞれ四〇〇～五〇〇人程度）と、七～八月にかけて日米英の三カ国（それぞれ一〇〇〇～一二〇〇人程度）を対象にそれぞれオンライン調査を行い、「感染する人は自業自得だと思うか」と聞いたところ、「どちらかといえばそう思う」「ややそう思う」「非常にそう思う」という肯定的な回答を選んだのは、最初の調査では日本が一一・五％、二回目の調査でも一七％で最も高かった。米英伊はいずれも一～五％で、中国は五％弱（一回目のみ）だった。危機における他者への集中的な非難は自己責任論と密接に絡みやすいという先の議論を踏まえれば、この調査結果からも、日本社会にはスケープゴートを見出しやすい土壌があると言えるのではないだろうか。

もう一つ、われわれ日本人にとってあまり喜べない事実としては遺伝子の問題がある。一般に、日本人は不安感情が強いとされる。例えば気持ちを安定させる神経伝達物質セロトニンの調節に関わる遺伝子（5－HTTLPR）には、脳内のセロトニンの量を増やして人を鈍感だが前向きな方向に導くL型と、敏感で慎重な方向に導くS型がある。父母からそれぞれ一つずつ受け継ぐので、かなり前向きなLL型から過敏になりがちなSS型、その中間のSL型がある。日本人はというとその六六％がSS型だとするデータがあり、LL型は北米などには多いが日本には三％しかおらず世界的にも最低レベルだという（越智啓太編『心理学ビジュアル百科　基本から研究の最前線まで』創元社）。

これらを考慮すると、日本人は「不安になりやすい→自己責任論を支持して自分は責任を果たしているから大丈夫と考えて安心したがる→自己責任を果たしていないと見なす人（感染者や「夜の街」関係者など）を集中的に非難することで自分の自信を維持する」といった思考や行動に陥りやすいのかもしれない。だが、こうした思考のメカニズムが知識として広く共有されれば、バッシングを他人事のように感じていた人々もスケープゴーティングに加担しないための心構えなどができるのではないだろうか。

日本の政府は外出や飲食店の営業などにおいても「自粛」をやたらと呼びかけ個人責任に帰結させようとしているように見える。そこには日本人の不安になりやすい特性や同調傾向を巧みに政治利用しようとする意図も感じられる。

為政者による日本民族「礼賛」

最後に政治利用という観点から、為政者らによる日本民族「礼賛」の言説についても触れておきたい。麻生太郎財務相は六月四日、参院財政金融委員会でコロナによる日本の死亡率が欧米より低いと紹介し、こう語った。

「お前ら（日本人）だけ薬持っているのか」とよく電話がかかってきたが「おたくとうちの国とは国民の民度のレベルが違う」って言ってやるとみんな絶句して黙る。（中略）このところ、その人の電話もなくなりましたから、なんとなくこれ、定着しつつあるんだと思う。

四月六日の参院決算委員会でも「アメリカやら何やらに比べりゃ、はるかに日本の自粛のほうが効果ありますからね。アメリカ人に対して『民度が高いんだ、俺たちの方が』と言ったら笑っていましたけれど」と述べている。

統計的根拠もなく一方的に民族の優位性を強調する発言だが、これもただ内容を伝えただけの報道が目立ち、発言の影響力や弊害について詳しく論じた記事は少なかった。新聞・雑誌記事横断検索（@nifty）によれば、「コロナ」「麻生太郎」「民度」の三語を含んだ報道は九九件で、「差別」「排斥」といった言葉にも言及したのはそのうち四件だけだった。

毎日新聞は「民度って何ですか？　戦後、使われ方に変化　異文化排斥に流れる危険」（六月二四日付）と題した記事で、愛知県立大学教授で文化人類学者の亀井伸孝氏が、麻生発言は「自文化中心主義」の世界観などを示すものだと批判したと伝えた。

自分たちの文化を独善的に信じて他者に強要したり、これと異なる他者や異文化を排斥したりする姿勢は、歴史上多くの悲劇を生んできた。だから私たちは自文化中心の世界観を乗り越え、異文化を尊重する姿勢を長い歴史の中で培ってきたんです。

亀井教授はそう語り、麻生発言は異文化排斥の要素を含むことや、そうした差別意識が「民族浄化」政策にもつながった歴史に触れている。麻生発言は日本が戦前、戦中に占領・統治したアジア各地で貫いた自民族中心主義に通底した差別的思想の表れともいえるだろう。

だが、彼の発言に日本人としての誇らしさを感じて、好感を抱いた人も少なからずいたようだ。「民族の優秀性」を語る言葉は、危機に見舞われて不安な人々の自尊心をくすぐるのだろう。SNS上ではこの発言を誇らしげに拡散する人も多数見られた。為政者は、意識的か本能的かは不明だが、危機に瀕してこうした民族の優位性を語る言葉を持ち出すことが少なくない。

東京都知事だった石原慎太郎氏が東日本大震災直後の二〇一一年三月一五日、「震災に対する日本国民の反応をどう見るか」と聞かれて「スーパーになだれ込んで強奪するとかそういうバカな現象は、日本人に限って起こらない」と語ったことは記憶に新しい。

道徳観に関わる発言は拡散されやすい。私たちメディアはこうした問題を伝えるとき、発言が他者への差別や蔑視、中傷などにつながる危険性を十分に認識し、社会や民族の分断をいたずらに促すことがないよう注意したい。

発言を表面的に伝えることが、果たして「客観報道」なのか。ジャーナリストとしての職務を放棄していないか。権力に利用されないためにも、社会で起きているさまざまな事象に本当に詳しい「専門家」を探し出し、その知見を社会に共有する努力を惜しまぬようにしたい。

先行きの見えないコロナ禍だが、メディアに携わる者として、たとえ難解であっても可能な限り専門知識を学び、公衆衛生や人々の心身の健康に資する報道を目指したいと思う。

（二〇二〇年一二月二五日）

［労働］

コロナ禍の労働現場 2

今野晴貴

今野晴貴（コンノ・ハルキ）

一九八三年、宮城県生まれ。NPO法人「POSSE」代表。ブラック企業対策プロジェクト共同代表。一橋大学大学院社会学研究科博士後期課程修了。博士（社会学）。『ブラック企業―日本を食いつぶす妖怪』（文春新書、第一三回大佛次郎論壇賞受賞）、『ブラック企業ビジネス』（朝日新書、第二六回日本労働社会学会奨励賞受賞）、『ストライキ2・0―ブラック企業と闘う武器』（集英社新書）など著書多数。

はじめに

二〇二〇年七月から一一月までの労働・貧困問題は、それまでの問題が継続し、深刻化した期間として捉えられるだろう。ところが、労働相談はむしろ減少、相談者には「諦念《ていねん》」の拡大が見られた点が特徴的であった。長引く新型コロナウイルス（以下、新型コロナ）問題の中で、政府が有効な対策を採らないことに加え、事業主の非正規切りなどに歯止めがかからなかったことが要因であると思われる。そうした中で、労働者には「従業員シェア」など新しい労働移動の要求を含む「自己責任」および「自助」の要求が強まっている。

また、今回のコロナ禍は女性、学生、外国人など多様な労働者に影響を与え、新しい労使関係の主体を台頭させたことを、前回（六月までの定点観測）指摘した。その後、「女性の貧困」が社会問題として捉えられるようになったことに加え、各種の貧困問題の広がりも見られた。さらに、学生や近年急激に拡大してきた外国人労働者に対する問題は、この期間に深刻さを一挙に増してきた一方で、その主体性には変化も現れている。

一　問題の継続と相談の減少、「諦念」の拡大

一一月三〇日現在、私が代表を務めるNPO法人POSSEおよびその連携労組[1]は、すでに

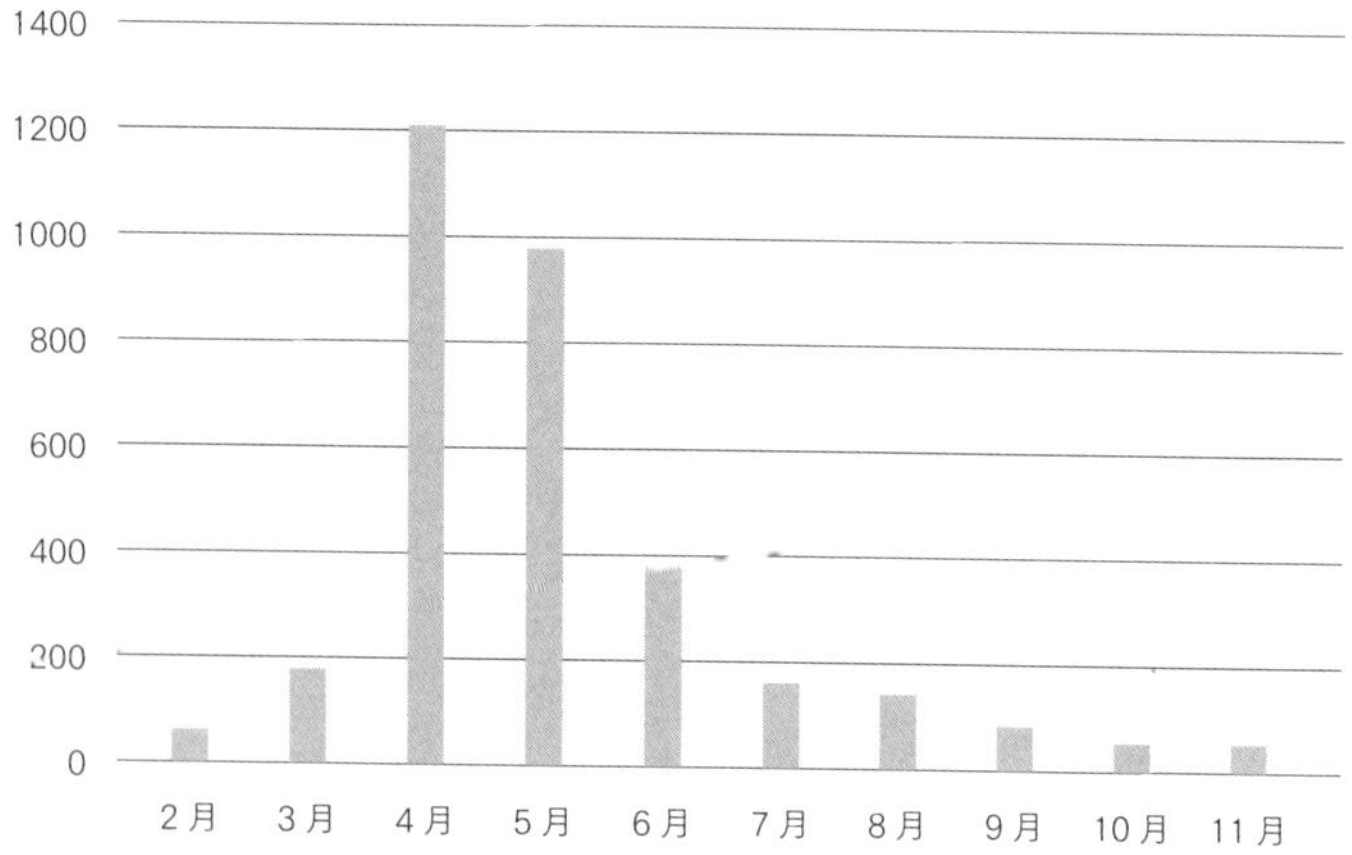

図1　労働相談件数の推移

四〇〇〇件を超える新型コロナ関連相談を受けている。[2]外国人を除く労働相談に絞ると、その推移は図1のとおりである。

労働相談の内容自体は図2のとおりであり、一貫して、「使用者側の事情による休業」に関する相談が多い。ここ数カ月は、休業支援金に関する相談が大半を占めている。会社が「休業を命じていない」と主張し、申請に協力せず、その結果、実際に不支給が決まったというものが散見されるのである。

ここで、この間の政府の休業に対する政策の変化を確認しておこう。国は、事業主が労働者を解雇せずに休業させ、休業手当を支払った場合に助成する雇用調整助成金を新型コロナに対して適用してきた。さらに、この特例措置を段階的に拡大し、六月一二日には解雇等をせずに雇用を維持した中小企業に対しては、一人一日上限一万五〇〇〇円として、労働者に支払った

使用者側の事情による休業	1953	59.3%
労働者側の事情による休業	257	7.8%
解雇、雇止め、採用取り消し	476	14.4%
在宅勤務等の感染防止	556	16.9%
その他（不利益変更を含む）	335	10.2%

図２　労働相談の問題分類（複数回答）

休業手当の全額を助成するようになった。つまり、休業させた労働者に対して従前と同じ賃金を支給した場合、上限額を超えない限り、その全額が助成されるということだ。大企業についても、労働者に支払った休業手当の最大で四分の三が助成されている。

しかし、政府の助成策にもかかわらず、助成金を申請せず、非正規労働者に休業手当を支払わない企業が少なくなかった。たとえば、フィットネス業界ではインストラクターの九割が非正規雇用だが、大手のコナミ・スポーツでは、時給制の非正規雇用にだけ休業手当を一切支払っていなかった。

そこで、雇用調整助成金が現場の差別・労使関係によって機能不全に陥っていることに批判が集まったことを踏まえ、政府は七月、新たに労働者が自ら申請できる制度として休業支援金・給付金制度を創設したのである。ところが、この間は、この新制度の運用においても、非正規労働者が差別されるケースが少なくなかった。申請に当たっては原則として企業による休業の事実の証明が必要であるが、協力を拒む企業が後を絶たなかったのだ。このように、新たな政策を打ち出したものの、問題は継続した。

そのほかにも、七月以降の傾向として、「在宅勤務等の感染防止」に比べて、「解雇、雇止《やといど》め、採用取り消し」、および「その他」（不利益変更を中心とする）の伸びが大きい。この点も、問題がさらに継続しながら深刻化したことを示している。

広がる「諦念」、過酷化する労働者への「要求」

この間、特に後述する外国人以外の労働相談の件数が減少している。労働相談の多くは女性の非正規雇用労働者であったが、その相談が減少しているのだ。その背景の一つには、三密など会社の新型コロナ対策については、不十分ながらも対策が一定程度進んでいる（アクリル板、一人ずつヘッドセットなど）ため、相談が大幅に減少したことが考えられる。

だが一方では、時間経過とともに「コロナで仕方がない」というようなあきらめが広がっている可能性がある。これは、労働相談を現場で受ける労働者の実感でもある。休業手当などの支払いについても、権利主張になかなかつながらないのである。こうした現象は、「危機に慣らされてきた」状態と看取することもできる。そして、日本の労働社会に新たな激変を引き起こす予兆を響かせている。

日本の雇用保険の受給期間は先進国では短く、平時から失業者中の失業手当受給率はおよそ二割と際だって低かった。そのため、失業状態に至らずに休業手当を確保することは、この先の新型コロナ情勢を踏まえれば労働者にとって死活的な重要事項のはずなのである。実際に、雇用の継続が途切れれば、次の仕事を見つけることができる可能性は乏しいのが現実である（後述）。

さらに、日本国籍保持者には生活保護を受ける権利もあるとはいえ、これを受給するためには資産の多くを処分しなければならないうえ、親類への照会などあらゆる嫌がらせを受ける。したがって、多くの世帯では生活の激変を伴わざるを得ない。それにもかかわらず、労働者は諦念に覆われているという事実は強調されるべきである。この諦念の構図については節を改めて論じよう。

労働者への新たな「自己責任」の要求

一方で、先ほどの述べたように、コロナ禍において日本の労働の根幹を変革する動きも加速している。それは、一面ではテレワークの促進やエッセンシャルワーカーの価値の見直しなどこれまでの働き方をよい意味で見直す動きであるが、それだけではない。

新型コロナによって人々の生活が脅かされる中で、政府・財界は雇用や生活を維持するよりも、新たな自己責任論の下に、この状況に適応することを求める姿勢を鮮明にしつつある。象徴的であるのは、予算の配分だ。一二月一五日に二〇二〇年度の第三次補正予算案が閣議決定され、追加経済対策が打ち出された。追加経済対策の事業規模自体は金融機関の融資や民間投資を含めて七三兆円超であり、そのうち、第三次補正予算が総額一九兆一七六一億円となっている。

第三次補正予算は三つの柱から成っている。

①コロナ感染拡大防止
②ポストコロナに向けた経済構造の転換
③防災・減災、国土強靱化の推進など

まず、①コロナ感染拡大防止に対しては、四兆三五八一億円を配分している。これは補正予算全体の四分の一以下でしかない。内訳としては、病床や宿泊療養施設の確保など医療を提供する体制を強化するために「緊急包括支援交付金」を増額する費用として一兆三〇一一億円、各都道府県が飲食店に営業時間の短縮や休業を要請する際の協力金などの財源として「地方創生臨時交付金」を拡充する費用として一兆五〇〇〇億円などとされている。感染拡大により医療崩壊が危惧され、医療の最前線に立つ医師や看護師のボーナスがカットすらされている状況にあって、国がどれほどその問題を重視しているのか、疑念の残る予算配分と言わざるをえない。医療現場においては、労働者の責任感や自発性に依存した「やりがいの搾取」がエスカレートしている。

反対に、②ポストコロナに向けた経済構造の転換には、一一兆六七六六億円と総額の半分以上が配分されている。内訳としては、中堅・中小企業が事業転換を行うための設備投資などを最大で一億円補助するための費用として一兆一四八五億円、遅れが指摘される行政サービスのデジタル化を進めるため、地方自治体のシステムを統一する費用などに一七八八億円、「脱炭素社会」の実現に向けて基金を創設し、野心的なイノベーションに挑戦する企業を一〇年間継続して支援する費用として二兆円を計上している。感染拡大を促進するとして物議をかもした「Ｇｏ Ｔｏトラベル」の来年六月までの延長にも一兆円超が配分されている。

この②のなかに雇用調整助成金の特例措置延長や、緊急小口資金の特例貸付延長が含まれており、それぞれ来年二月末までの延長に五四三〇億円、来年三月末までの延長に四一九九億円が計上されている。冒頭に述べたように、コロナ感染拡大の第三波と言われ、経済や生活への影響が継続している状況にもかかわらず、予算の配分はコロナ感染拡大防止や生活保障よりも、ポストコロナにおける経済成長に重点が置かれていることは明らかだろう。

くわえて、この間に顕著であったのは、労働者の「移動支援」、「従業員シェア」など、労働者を移動させ「活用」使用とする流れだ。これは、新型コロナの影響で人員が過剰になった企業から人手不足の企業へ労働者を一時的に異動させ、雇用を守る仕組みだとされている。新聞報道によると、従業員シェアでは労働者は元の企業との雇用関係を維持したまま、別の企業で働くという。これは法的には「出向」として位置づけられる。

主に、人手不足のスーパーなど小売業界と、臨時休業を強いられ人手が余っている飲食業界のあいだで従業員シェアを導入する企業が出始めている。五月七日には、居酒屋大手のワタミが、首都圏の居酒屋に勤務する正社員約一三〇人を対象に、ロピアのスーパーで働いてもらうと報道された。また、スーパー「まいばすけっと」や食品デリバリーの出前館なども外食産業から労働者を受け入れているという。

こうした手法は、一見すると労働者、出向元・出向先の三者それぞれにメリットがあるように思われるかもしれない。「良心的」な経営者が労働者の生活を守ろうとする「美談」であると感じる方もいるだろう。だが、じつは従業員シェアは、運用次第でかえって労働者の生活を追い詰めかねない。

まず、元の企業との雇用関係を維持しながら、別の企業で働く場合、雇用に付随する法的責任関係があいまいになりやすい。労働契約関係が不明瞭なままでは、給料の支払い義務、労災が起きた際の責任関係、社会保険の加入等の責任が出向元・出向先のどちらにあるのかがあいまいになり、労働者の権利は侵害されやすくなる。そのため、以前から「出向契約」は法的なトラブルになりやすかった。もっともトラブルになりやすいのは、元の会社との労働契約を解除し、新しい会社と労働契約を結ぶ「転籍」をしようとする場合だ。この場合は実質的な解雇に当たるのに、なし崩し的に要求されてしまうことが多いのだ。

また、今回の従業員シェアでも、もとの賃金よりも出向先の賃金が下がるトラブルが予想される。もちろん、出向先が元の賃金水準と同額かそれ以上の賃金を支払うならば、少なくとも賃金に関する問題は生じない。しかし、会社が自動的に賃金水準を維持するという保証は残念ながらどこにもない。そもそも、企業は労働者を出向させずとも、休業手当を普段の給料の全額支払うことができるはずである。

さらに、出向先の労働環境に問題がある場合もありえる。従業員シェアでは出向先は労働者が必ずしも選べるわけではない。雇用を守るためという名目で、感染リスクの高い三密職場への出向を命じられ、感染の危険を労働者が負わされる可能性がある。新型コロナの感染リスクのほかにも、長時間労働の職場への出向や、腰痛持ちの労働者が腰に大きな負担のかかる職場に出向しろと命じられる場合も想定される。また、不慣れな仕事や、子育てや介護などの家庭の事情を考慮せずに遠方への出向を命じられてしまうかもしれない。

仮に、それほど酷い職場に異動するわけではない場合でも、不慣れな職場（しかも別業界の他社）への出勤を命じることは、労働者に相当の精神的・肉体的な負担を強いる。たとえば、過労による精神疾患や自殺が生じた場合、その原因を評価する厚生労働省の「心理的負荷評価表」においても、不慣れな職場への異動は強い心理的負荷があるとして、過労自殺の原因として評価される。

「従業員シェア」はすばらしい仕組みのように喧伝されているが、会社や社会の側は、それが社員に大きな負担を強いる仕組みなのである。だが、政府も、「従業員シェア」による労働移動を強化するために、出向元と出向先双方の企業を対象とした「産業雇用安定助成金」を創設し、先の予算に盛り込まれている。

若年雇用への新しい要求

このような変化は、またしても若年雇用に重大な影響を及ぼしつつある。二一年三月卒業予定の大卒者の就職内定率は一〇月一日現在で、六九・八％と前年より七ポイント低下している。コロナ禍の「雇用危機」を背景に、これまでは考えられなかったような雇用原則の解体が見られるのだ。

象徴的には、大手人材派遣会社・パソナによる次のような施策とその反響だ。同グループは、「一二月一六日に新型コロナウイルス感染拡大の影響で就職難になった新卒者を緊急雇用するプログラムを発表した。パソナが本社機能を移転している兵庫県・淡路島で最大一〇〇〇人を二年間を上限に受け入れる。パソナは『キャリアにブランクを作らない』とメリットを強調するが、ネット上では『給与が安すぎる』『二年後は自己責任』など、疑問の声が相次いでいる」(『毎日新聞』二〇二〇年一二月二七日付)。

問題となっているのは、このプログラムの「内容」だ。

雇用形態は三カ月の有期雇用契約で更新は最長二年までだ。勤務時間は週三〇時間。月給は大卒・大学院卒が一六万六〇〇〇円、高卒が一五万六〇〇〇円など。島内に社員寮があり、寮費は二万六〇〇〇円。食費は五万四〇〇〇円で地場食材などを使った料理をパソナが提供する。さらに、研修プログラム(ビジネスマナーや語学、教養、起業家らの講義や芸術活動など)の受講料が週三回で月額二万八〇〇〇円と設定されている。大学と連携した講座も受けられる。

パソナによると、基本的には入寮と受講を想定しているが、利用は参加者の任意という。大卒・大学院卒者は給与の一六万六〇〇〇円から税金や社会保険料を引いた手取りはおよそ一三万二八〇〇〇円(手取りを給与の八〇%として計算)。そこから寮費や食費、研修の受講料を引くと二万四八〇〇円。そこから、携帯電話料金などを自腹で出すのだ。(同前)

このパソナの施策をリーマンショック期と比較することは、今回の「転換」がどのようなものであるか理解するうえで示唆的である。まず、リーマンショック期にも「どのような仕事でも働け」という圧力は「派遣切り」にあった労働者たちに向けられていた。しかし、新卒に対してこれほど露骨な低条件での就労を促進することはなかった。リーマンショック期とその後の新卒市場に横行したのは、派遣・契約など家計自立型非正規雇用の増加に加え、劣悪な正社員の採用であった。飲食店や小売業などを中心としたサービス業で、むしろ新卒正社員採用が増加した。しかし、三年以内の離職や精神疾患への罹患《りかん》があとを絶たず、これは後に「ブラック企業」として社会問題化していった。

これに比して、今回は非正規雇用としての採用であるばかりか、「家計自立型非正規」としての性質すら捨象させられている。いわば、正面から「半人前以下の雇用」であるとされているのである。とりわけ、家族を持てないだけではなく、「たこ部屋的」な条件すら甘受しなければならないことは、ネット上でも大きな反響があったように劣悪さを際立たせている。

確かに、「派遣切り」にあった製造業派遣・請負労働者も、派遣会社の寮に住みながら全国を移動した。三人部屋のファミリータイプの部屋に押し込まれ、三〜四万円の寮費が天引きされてもいた。それでも、給与は「二五万円以上可」「三〇万円以上可」という内容で募集された。それらの条件の多くは虚構だったが実際に生産が増加し、残業時間が長い場合には月給三〇万円を超えることもあった。のちに「派遣切り」「派遣村」を引き起こすことになった劣悪労働の「代表」のような製造業派遣・請負労働ですら、そのような「自立」が賭けられた労働条件であったのだ。

筆者は当時、製造業派遣・請負労働について詳細な調査研究を行ったが[3]、労働者の多くは家計を自立するためのリストラされた中高年であり、その中に新卒の労働者も混じっているという構成であった。製造業派遣・請負労働では、少なくとも自分自身は自立できる、という可能性がかけられていた。あるいは、派遣先への正社員を志向する労働者や配偶者を支える派遣労働者（さらに、カップル入寮というのもあった）も少なくなかったのである。

じつは、この一〇年間で日本社会には「自立型」がそもそも前提とされていないような、「中間的就労」の形態が就労困難者や学生を中心に広がってきた。中間的就労の一部では労働法さえ適用されない。こうした「就労できるのであれば、それは生計が自立できる一人前の者である必要はない」という観念が、この一〇年間、確実に社会に根付いてきたという素地がある。

最近では大学生のインターンシップが増加しており、これもある種の「中間的就労」に当たる。もちろん、大学生のインターンシップであっても、通常の業務に従事させる場合には労働法が適用される。だが、私たちにはそうした「中間就労」＝「インターンシップ」において、しばしばその原則が無視され、お小遣い程度の支払いが横行しているという趣旨の労働相談が寄せられている。今回のパソナの施策は、このような「インターンシップ」が学生にとっても人材ビジネスにとっても、直接「延長」する構図として捉えられているのかもしれない。すなわち、「生活できないような働き方でも、もう当たり前だよね」という双方の感覚に立脚しているように思われる。

新型コロナはこのような観念を一気に広げる可能性がある。以前の「フリーター問題」は若者の自由選択や自己責任という文脈に歪曲された。しかし、今回はそもそも若者の雇用の「標準」が正面から塗り替えられようとしているようにも見えるのである。特に懸念されるのは、パソナの「後追い」の人材ビジネスが跋扈《ばっこ》することだ。そうなれば、大卒市場は「正社員・使い潰し」の蔓延《まんえん》から、自立を正面から否定された雇用の跋扈する状況へとさらに悪化していくだろう。

以上のように、この間の「危機対応」が成熟する中で見えてきた現状は、ケアワーカーに対するボーナスなどの見返りなき努力の要求や、労働者に対する現状適応の要求の強化である。前者については、感情労働への依存、いわゆる「やりがいの搾取」が国策として全面展開したといえよう。後者については、コロナ前の生活や労働環境を維持することを目指すのではなく、大きく経済構造を転換し、労働者をそこにあわせようとする流れは鮮明である。

2 「女性の貧困のその後」に対する調査

広がる諦念

では、労働者の自己責任による「適応」の実態はどのようなものだったのか。NPO法人P

OSSEでは二〇二〇年一一月、新型コロナに関係した労働相談を寄せた女性六〇人を対象に、彼女たちが「その後」どうなったのかについて追跡調査を行った。[4]六月までの分析で述べたように、新型コロナはとりわけ非正規雇用の女性労働者に重大な影響を与えているからだ。同調査はNHKと共同で実施され、一二月五日放送のNHKスペシャル「コロナ危機 女性にいま何が」でも紹介された。

まず、本調査の対象者の産業、および雇用形態について確認しておくと、七三・七%がパートや派遣などの「非正規」雇用者であり、六八・四%が飲食・小売や医療・保育を中心とする「サービス業」で働いていた。その多くが休業手当を支払われていなかったことは、すでに述べたとおりである。そして、その多くが雇用の不安定さから恐怖で権利行使できず、「泣き寝入り」させられていた。特に重要であるのは、当初は、雇用主の対応（休業補償をしないことなど）を不当だと思い、相談機関に相談したが、不当なことが立て続けに起きることで、徐々に感覚が麻痺してしまったという訴えだ。

調査事例には次のようなケースがある。

ラーメン屋勤務。緊急事態宣言以後、社員だけで営業することになった。ゴールデンウィーク明けから、一日二時間だけ弁当を売るためのシフトができ、週に一回だけ働きに行ったが、稼ぎにはほとんどならなかった。シフトが少なく、シフトに入ることも難しかった。九月以降は、深夜以外の通常営業となったが、シフトは少ないままだった。その後、一〇月いっぱいで店自体が閉店になり、全員解雇された。最初は会社に腹が立ったが、諦めの境地となっており、「なーなー」になってしまった。おかしいことが有耶無耶《うやむや》になっていく感じがする。だんだんと慣れていった。

「適応＝転職」の困難と半失業

そして、政府の方針にもあるように、労働者は自ら適応しようと試みることになる。だが、新型コロナの影響で人員削減や倒産が相次ぐなか、業種によっては採用を控えているために、転職活動が困難になるケースも少なくない。本調査で失業や不利益変更により転職を考えた二三名中、二〇名は、コロナ禍における転職の困難さを訴えている。なかでも、中高年女性労働者の転職活動が困難を極めている。「五〇代。転職活動をしているが、年齢が原因で面接にたどり着くことができない」といった事例が複数ある。

他方で、コロナ禍で人手不足の産業もある。コンビニやスーパー、あるいはコールセンターでは、消費者・顧客との「濃厚接触」の危険があったり、職場の三密状態が懸念されるために、生活に一定の余裕がある層は就業を控えるか、離職する傾向にある。こうした業種においては、比較的容易に転職することが可能となっているのだ。

たとえば、ある労働者は三月以降、数カ月単位で、四社のコールセンター（派遣）で仕事をしている。うち三つのコールセンターは給付金など国の仕事であり、クレームなど精神的に負荷のかかる仕事を転々としている。条件が良いとはいえない短期の仕事をくり返しているのは、五〇代での転職が難しく、しかも単身者であるため、自身で生活を成り立たせなければならないという事情も関係している。

このように、年齢や産業によって転職先が制限されるようになると、どんな仕事・労働条件でもよいから転職する、「半失業」状態に陥ることとなる。新型コロナによって人手不足となっている業種を中心に、頻繁に転職をくり返したり、「とりあえず、仕事があれば」と転職することで、この半失業状態が増えている。

年齢に加え、家族ケアとの関係で転職が困難となっている事例もある。ある五〇代の女性は、ハローワークとジョブスポットに通っているが、週二〜三日で、一日二〜三時間程度の仕事しか紹介されない。希望としては、施設にいる母親の介護（着替えを持っていく）があり、日中は空けておきたい。そのため、正社員での転職は無理だと思っている。

「適応＝転職」の実態

では、転職に成功した労働者の「その後」はどのようなものだったのか。本調査中、四月以降に転職をしたケースは一五件である（以前から就いていた仕事に加えて、追加で仕事を始めたケースを含む）。そのうち、転職の前後で、収入が増えたのは二ケース、収入が維持されたのは六ケース、収入が減ったのは七ケースであった。また、転職後の雇用形態は、一二ケースがパートや派遣などの非正規雇用で、正社員は三ケースにとどまった。また、正社員の労働条件も、給与水準はいずれも二〇万円前後であり、最低賃金をやや上回る金額にすぎない。さらに、以下の事例で見るとおり、雇用保障が脆弱で不安定と考えられる仕事が多い。

そして、労働内容も劣悪である。さきの「半失業」で見たコールセンターの事例のほかにも、次のようなケースがある。「業務内容が精神的にきつい。体調管理についてのプレッシャーや、問い合わせにたいして誤った情報を与えてはいけないというプレッシャーが強い。上司からも『責任感』を持つように言われている。一日一〇時間四五分という長時間にわたる拘束もあり、辞める人が多い」(No.33)。

このように、コロナ禍で求人を出す多くの仕事は、不安定で労働条件が悪く、長期の就労継続が望めないことも多いことが看取できる。とりわけ、新型コロナ給付金関連のコールセンター等の仕事は、短期間の仕事しかないという問題に加えて、研修等が不十分なまま、政府の立てたスケジュールに従うかたちで、「見切り発車」でスタートしていることや、給付金制度そのものの欠陥のために、現場のオペレーターに過剰な負担がかかっていることがうかがえる。制度に欠陥があるために、その対象から漏れてしまった人々の怒りが、コールセンターのオペレーターにぶつけられることになる。オペレーターの多くは、低賃金で何の保障もされないいま、彼ら・彼女らを〝ケア〟する役割を担わされているのだ。

権利主張という岐路

とはいえ、他方で、調査対象者の中には、個人加盟の労働組合に加入するなどして、雇用主の違法・不当な行為に対して権利を行使した人もいる。調査対象者中、労働組合に加入し団体交渉をしたのが一六名、労働組合には加入していないがアドバイスを受けて個人的に交渉したのが四名である。コロナ禍で最も多い相談が休業補償に関するもので、本調査でも、六〇名のうち四二名が休業補償を一〇〇％支払われていなかった。他方で、ユニオン（個人加盟の労働組合）等で一〇〇％補償を求めて交渉すると、多くのケースでは休業補償一〇〇％が実現している。[5]

また、この間は「職業的」な労働問題の顕在化とその連帯の形成も明確な傾向となった。たとえば、保育士、コールセンター、スポーツクラブインストラクターなどである。保育士は、委託費が行政から全額支払われているにもかかわらず、労働者を休業させ、休業手当を支払わない業者が横行していたところ、介護・保育ユニオンなど労働運動の告発によって社会問題となった。新型コロナ対策が十分ではない保育園に対する改善の取り組みも複数行われた。

コールセンターのオペレーターでも同様に職種的連帯が広がった。二〇二〇年四月、東京のKDDIのコールセンターで働く女性労働者が会社に三密対策を求めて団体交渉を申し入れた。コールセンターでは数十〜数百人のオペレーターが近接したデスクに座らされ、労働に従事する。使用するヘッドホンセットは共用の場合も多い。こうした実態を変えようと現場で働く女性労働者が声をあげたのだ。この声は職種的連帯を通じて北海道に飛び火した。コールセンター大手のトランス・コスモスで働くオペレーターがさっぽろ青年ユニオンに相談し、やはり三密の改善を求めて五月末に組合を結成した。

三　その他の貧困問題、外国人、学生

最後に、その他の貧困問題、外国人、学生などの新しい労働問題とその主体化についても、この間の展開を簡単に論じておこう。

貧困問題の変化と論点

六月末からの変化として、まず、新型コロナ関連相談自体は激減した。四月〜六月末までは四〇四件であったが、七月以降から一二月二二日まで三〇件だけである。二〇代はあまり増加せず、中高年が増加し、単身者が多かった。生活困窮の要因は引き続き、休業と解雇・雇止めが二大要因（それぞれ一〇件、一一件）であり、業種としては小売・飲食が中心で製造業（派遣）もやや多かった（四件）。

また、この間は奨学金返済の相談が際立って多かった。四〜五月に増加し、六月以降に減少したが、九月頃から再度増えつつある。たとえば、大学卒業後、正社員として働いていたが、体調不良で退職。その後、派遣で働いていたが、今年一一月一〇日付で新型コロナの影響による人員削減のため雇止めされたといった相談が典型的だ。奨学金返済相談の増加は、日本の福祉制度の問題がコロナ禍によって増幅し現出している好例だろう。

学生の変化

学生については、六月までの定点観測で述べたように、高い教育費と学生の労働者化の矛盾が顕在化した。ただしその一方で、ボランティアなど社会的な関心の高まりが印象的であった。NPO法人POSSEには、ボランティアを希望する学生が四月以降急増した。四～六月には、およそ五〇人の大学生からの応募があった。その後も毎週のようにボランティアの応募があり、途切れることはない。

四月以降、ほとんどの大学で大学がオンライン授業に切り替わった。通常行なわれるサークルの新歓活動も行なわれず、アルバイトもできなくなった。いつもは大学の「内部」で完結していた意識も、連日報道される外国人労働者や女性、非正規労働者たちの困難に触れ、「この状況に対して何かできることがないか」と社会的に開かれるようになっていったものと思われる。

ボランティア参加者の動機をいくつか紹介しよう。都内大学三年生の女性は留学に行っていたが、コロナ禍で中断し帰国することになり、空白期間ができてしまった。もともと外国人労働者の問題に関心があったが、新型コロナで深刻化する状況を報道で知るなかで「じっとしていられない」とボランティアに申し込んだ。このように、留学が中断したことによって生じた「空白期間」に社会的関心が高まり、ボランティアにつながっているケースは多い。

同じく都内の大学二年生の女性は、大学でのサークル活動をはじめ、大学キャンパスでの活動がストップするなかで、大学の外側に意識が向いたという。もともと関心のあった外国人労働者の問題に取り組んでいるPOSSEの存在を知り、「自分にも何かできることはないか」

と考え、ボランティアに応募した。

社会的な関心が高まっていることに加え、大学の講義がオンライン化していることで、オンラインで社会的な活動に参加することへのハードルが大きく下がったことも特徴的だ。こうした状況に対応し、市民団体もさまざまなオンラインの取り組みを充実させている。POSSEでも、八月から「コロナ危機のなかでこそ、学ぼう」をテーマに、POSSEオンラインアカデミーを開催している。毎月、貧困や外国人労働者、履歴書の性別欄廃止問題、難民申請者などの問題をテーマに開催しているが、毎回、全国から大学生が三〇名〜五〇名ほど参加している。大学のオンライン化によって「規律」が低下し、コロナ禍で深刻化している問題を報道で一方的に知るだけではなく、実際に現場に出て問題を知りたい、何かしたいという感覚が学生のなかに広がっている側面も看取できる。

外国人の労働問題

外国人についても、七月以降も依然として新型コロナに関する相談は寄せられている。休業補償が支払われていないというものが主な相談内容だが、四〜五月に比べて件数が三割ほどに減少した。それは、四月や五月の相談が主に給付金など社会保障制度の利用についての問い合わせばかりであったが、そうした相談がなくなったからだと考えられる。

特に、一〇月以降は失職が長期化したことで、失業給付が切れる、在留資格の更新が心配だという深刻な相談が増えてきた。たとえば、建築業で働く香港出身の男性は、「技人国」（技術・人文知識・国際業務ビザ）の在留資格で働いていたが、二〇二〇年七月三一日に雇止めされた。その後、仕事を探し続けているが三カ月間も新しい仕事が見つからない。在留資格に定められている活動を九〇日行わない場合に在留資格を取り消される可能性があるが、すぐに仕事が見つかりそうにない。家賃の支払いに困っていると相談を寄せた。

また、中国出身の宿泊業で働く女性は、中国人観光客が多く宿泊する旅館で通訳の仕事をしていたが、観光客が激減したことで会社から給料を払えないと言われたので二〇二〇年四月に退職した。七月から失業給付を受け取り、九〇日＋六〇日（コロナ特例）の五カ月間給付を受けたが、失業給付が一二月に切れる。職業訓練に通っているものの、仕事が全く見つからない。いまは貯金を切り崩して生活しているという。

さらに、技能実習生については全国各地で解雇が相次いでいる。国の制度として「実習」を名目に人を集めておきながら、コロナ禍で解雇し放置する実態はあまりに過酷である。転職の自由がなく、生活保護も受けられない。そのうえ、簡単に「使い捨て」にされてしまう。このような実態は、社会学における「現代奴隷制」の定義にあまりにも当てはまっている。

おわりに

以上に概観した労働と福祉の実情は、「平時」の構造的な問題がより深刻化し、顕在化したものと見ることができる。一方で、これらに対抗する主体的な取り組みがますます重要性を増している。諦念とさらなる自己責任論の横行に抗して、新たな権利主張や社会運動のネットワーク形成の模索が続いている。

（二〇二一年一月一日）

注

1　総合サポートユニオンを母体とし、支部に介護・保育ユニオン、私学教員ユニオン、ブラックバイトユニオンなど。

2　労働相談三二九五件（一一月まで集計）、外国人労働相談四一一件（一〇月まで集計）、生活相談四三四件（一二月二二日まで集計）。

3　詳細は今野晴貴「製造業派遣・請負労働の雇用類型」（『日本労働社会学会年報』二八号）を参照。

4　『女性の働き方・生活へのコロナ影響調査』中間報告（http://www.npoposse.jp/reports）。なお、最終報告は二〇二〇年度内に公開する予定である。

5　詳細は紙幅の都合で割愛する。前記の調査報告および森達也編著『定点観測 新型コロナウイルスと私たちの社会 二〇二〇年前半』を参照してほしい。

［文学・論壇］

停滞する言論、活気づく右派論壇

斎藤美奈子

斎藤美奈子（サイトウ・ミナコ）

一九五六年、新潟市生まれ。文芸評論家。一九九四年、『妊娠小説』（ちくま文庫）でデビュー。二〇〇二年、『文章読本さん江』（ちくま文庫）で第一回小林秀雄賞受賞。他の著書に『名作うしろ読み』『吾輩はライ麦畑の青い鳥』（以上、中公文庫）、『戦下のレシピ』（岩波現代文庫）、『学校が教えないほんとうの政治の話』（ちくまプリマー新書）、『文庫解説ワンダーランド』『日本の同時代小説』（以上、岩波新書）、『中古典のすすめ』（紀伊國屋書店）、『忖度しません』（筑摩書房）など多数。

メディアは早くも「コロナ離れ」

二〇二〇年一二月、日本の新型コロナウイルス感染症（以下、新型コロナ）は「第三波」を迎えたとされ、新規感染者数、重傷者数、死者数ともに最多を更新しつづけている。一二月二四日の新規感染者数は過去最多の三七四二人。東京都も過去最多で、八八八人。不吉な末広がりの数字である。医療体制はすでに崩壊寸前。日本医師会の中川俊夫会長は「新型コロナの医療に関わる医療従事者の心身の疲弊もピークを超えている」と訴え、小池百合子東京都知事は「今日はクリスマスイブですが、どうぞおうちで静かなサイレントナイトを」と呼びかけた。

もともと予想された事態ではあった。しかし、秋冬の流行に備えて、政府が抜本的な対策を講じていたようには、どうしても思えない。「三密」を避けて「新しい生活様式」を、という国民への呼びかけと、「Go To トラベル」「Go To イート」などの消費喚起策以外に、政府は何かやってくれましたっけ？　医療の逼迫《ひっぱく》した状態を見る限り、病院の受け入れ体制が強化されたとはとても思えないし、PCR検査を市民が気軽に受けられる体制が整ったともいえない。貧困・失業対策が大胆かつ積極的に進められた形跡も見えない。

まあでも政府だけではない。感染症の記憶は薄れやすい。夏から秋にかけて、新型コロナに関する報道は大きく減った。春先にはマスクが不足していたことも、自粛期間中の死んだような街の光景も、首相の独断で決まった小中高校の一斉休校も、みんな忘れたかのようだ。

致し方ない面もあったとはいえる。八月の第二波ピークを越した後、感染者数は減少傾向にあったし、コロナ禍をもしのぐビッグニュースがつづいたからだ。

「持病の悪化」というホントかウソかわからぬ理由による安倍晋三前首相の突然の辞任表明（八月二八日）。それにともなう自民党総裁選（九月一四日）と、菅義偉《すがよしひで》新政権の誕生（九月一六日）。パンケーキが好きだの苦労人だのといった新首相への「ご祝儀報道」の後に発覚した、日本学術会議候補者の任命拒否問題（一〇月一日）。米国では大統領選が行われ（一一月三日）、ドナルド・トランプ大統領を退けて民主党のジョー・バイデン候補が勝利するも、勝利が確定するまでには、トランプが不正選挙を主張するなどのスッタモンダがつづいた。

文学業界にできること

というわけで私たちは、コロナ禍を忘れたわけではないまでも、他の案件にかまけていた。そのかん、文学方面にも、これといっためぼしい成果は認められなかった。

本書の「二〇二〇年前半」版で〈新型コロナウイルスと文学？　そんなの、この段階で書くことなんかべつにないよ〉と私は書いたけれども（「パンデミック文学のパンデミックに寄せて」）、気持ちはいまも同じである。この段階でやれることは限られている。

文芸誌や文芸書でやれることをしいてあげれば、以下の三種類になるだろう。

①旧著発掘（感染症を描いた古い作品を探し出す）
②記録の開示（コロナ禍における文学者の日記や雑感を公開する）
③新作発表（突貫工事でコロナ禍小説を書く）

①に関しては、「二〇二〇年前半」版でも書いたように、アルベール・カミュ『ペスト』の再読ブームが特筆されよう。新潮文庫版の『ペスト』は累計一二五万部を売り、二〇二〇年の年間ベストセラーランキング文庫本部門で当然一位。各社からマンガ版も相次いで発行され、「ペスト」は「Ｙａｈｏｏ！検索大賞２０２０　小説部門賞」に輝いた。突然ふってわいた商機に群がる出版社。にわか『ペスト』ブームである。

カミュ以外の感染症文学にも出版社文学者の目は注がれた。というより、「まだまだこんなにあるぞ感染症文学」という旧作の発掘大会がはじまったというべきだろう。

カレル・チャペック『白い病』（阿部賢一訳・岩波文庫）も、ル・クレジオ『隔離の島』（中地義和訳・ちくま文庫）もコロナ禍で文庫化された作品だ。

また『すばる』九月号は「表現とその思想、病をめぐって」という特集を組み、六人の論者が内外の文学作品に描かれた感染症を論じている。日比嘉高《よしたか》にいたっては、既存の作品のマッピングまで行ってみせる始末である。（「パンデミック小説の地図を書く」）。「始末」といったのはこの段階で何が論じられるのさ、という疑念が消えないためである。

３・11のときもそうだった。地震や津波や原発事故が描かれた作品を、文学ファンはこぞって発掘し、得々として「今日の事態はすでに予言されていた」と語った。今度もまるで同じである。私が発掘した作品も何冊かあるのだが（澤田瞳子『火定』、海堂尊『ナニワ・モンスター』など）、日比嘉高のマッピングには入っていない。地図を書くのはまだ早すぎる。

②について特筆すべきは、方方《ファンファン》『武漢日記―封鎖下60日の魂の記録』（飯塚容＋渡辺新一訳、河出書房新社、九月刊）が刊行されたことだろう。都市封鎖の下、武漢市在住の女性作家がブログの形で公開した日記（一月二五日〜三月二四日）で、ネット上では「億単位」の読者がついたという。コロナ禍の下で書かれた日記（エッセイ）としては、イタリアの作家によるパオロ・ジョルダーノ『コロナの時代の僕ら』（飯田亮介訳、早川書房、四月刊）に続く話題の邦訳書である。国内では3・11の際にも『福島原発人災記』をいち早く刊行した川村湊が『新型コロナウイルス人災記―パンデミックの31日間』（現代書館、六月刊）を上梓している。

とはいえ、右のようなまとまった著作を別にすれば、作家や評論家が新型コロナに関する雑感などを書いたところで、べつにおもしろくはない。

③については、すでにコロナ禍がかんだ新作も発表されている。海堂尊『コロナ黙示録』（宝島社、七月刊）、辻仁成『十年後の恋』（『すばる』八月号・九月号）、東野圭吾『ブラック・ショーマンと名もなき町の殺人』（光文社、一一月刊）、榎本憲男『インフォデミック　巡査長真行寺弘道』（中公文庫、一一月刊）などである。「そんなに急いでどこに行く」と思わないではないものの、今後発表されるであろう新作も含め、これらの評価は次回でまとめて行うことにしたい。

右派論壇を席巻するコロナ楽観論

で、論壇。メディアの「コロナ離れ」は総合誌や論壇誌の特集にも反映されている。

総合誌三誌（『文藝春秋』『中央公論』『世界』）のなかで、まあまあ健闘していたのは『文藝春秋』

だ。八月号の「総力特集」は「第二波に備えよ」、九月号は「コロナ・サバイバル」、一〇月号は「コロナ時代の生と死」。特に八月号は、当時の菅官房長官まで含めた多様な立場から意見やレポートが紹介されており、「自助努力」の方法に終始した六月号に比べたらずっと興味深かったが、特に目新しい知見が語られているほどではなく、力点はどんどん「コロナ後」にシフトして、一一月号の特集はついに「日本再生、私の戦略」とあいなった。

『中央公論』の特集は、八月号「コロナで見えた知事の虚と実」にせよ、九月号の「コロナ、戦争、危機管理　指導者たちの『失敗の本質』」にせよ、一〇月号の「コロナで見えた公務員『少国』ニッポン」にせよ、力点は「コロナで見えた……」という部分にあり、要は「コロナの名を借りた日本論」「コロナにかこつけた社会論」である。

その点は『世界』も大同小異で、七月号で「転換点としてのコロナ危機」という特集を組んだ後、新型コロナ問題はメインの特集から外されてしまった。

二〇二〇年後半の動きとして注目したいのは、むしろ右派論壇三誌（『正論』『WiLL』『Ｈａｎａｄａ』）である。五月号〜七月号（発売日は四月〜六月）の時点において、この三誌は、鼻息も荒く「武漢ウイルスに打ち克つ」（『正論』五月号）だの、「武漢ウイルス戦争　中国は21世紀最大の戦犯」（『WiLL』六月号）だの、「人類共通の敵　習近平と武漢ウイルス」（『Ｈａｎａｄａ』七月号）だのと、「武漢ウイルス（の元凶たる中国）」との戦闘モード一色だったが、秋からはほぼ通常運転に戻った。通常運転とはすなわち、政権ヨイショ、左派叩き、中国叩きを三本柱とするいつもの路線のことである（どっちにしても中国叩きはやるんだけど）。

理由は大きく二つ考えられる。

第一に、他のメディア同様「武漢ウイルス」攻撃にも飽きて、関心が他に移ったこと。四月八日、中国政府は一月二三日にスタートした武漢市（中国・湖北省）の都市封鎖を二カ月半ぶりに解除した。五月には約九億元（約一三七億円）を投じて全市民一〇〇〇万人を対象にしたPCR検査を実施。三〇〇人の無症状の陽性者がみつかって隔離されたが、その後、市中感染の確認はゼロ。ひとまず武漢市は封じ込めに成功したといえるだろう。七月の時点で武漢はすでにもとの日常を取り戻したと報道されている。こうなると、「武漢ウイルス」叩きもさほどエキサイティングなトピックではなくなる。

かくて彼らの興味もほかに移り、「世界中からエール　身命を賭した安倍総理の光輝」（『WiLL』一一月号）、「永久保存版　ありがとう！　安倍晋三総理」（『Hanada』一一月号）と、去りゆく彼らのヒーローに薄気味悪い賛辞を送る一方、「特集　学術会議を廃止せよ」（『正論』一二月号）、「赤い巨塔　日本学術会議という病」（『WiLL』一二月号）など、新しいターゲットへの攻撃を開始した。昨日の武漢より今日の学術会議、というわけだ。

「武漢ウイルス」攻撃バブルがはじけた第二の理由は、コロナ楽観論、つまり「武漢ウイルス、恐るるに足りず」という主張が跋扈《ばっこ》しはじめたことである。

新型コロナなんてただの風邪《かぜ》。だから自粛もマスクもナンセンス。過度に騒いで危機感を煽るメディアは犯罪的。素直に信じてビクビクしている日本人はバカ。

ざっくりいえば、そういう説のことである。恐れる必要のない「ただの風邪」なら、べつにわざわざページを割くほどのこともない、という判断かもしれない。

新型コロナはただの風邪⁉

コロナ楽観論とは、どのようなものなのだろうか。

三誌のなかでも特に熱心に楽観論を押し出しているのは『WiLL』である。九月号の特集は「新型コロナ　第二波はこない」、一〇月号の特集は「日本の日常を取り戻そう！」だった。同誌で「コロナ楽観論」の理論的支柱になっているのは、「上久保教授」こと「医学者・京都大学大学院特定教授」の上久保靖彦。彼は「集団免疫説」を提唱している。日本はヨーロッパ各国など比べて、新型コロナの感染者、重症者、死者ともにきわめて少ない。その理由を上久保は次のように説明する。

新型コロナには、弱毒性のS型、それが変異したK型、K型が毒性を増したG型の三種類がある。水際作戦を怠ったために日本には中国からS型とK型が流入したが、無症状や軽症がほとんどで、感染しても気づかないまま治癒したケースが多い。一方、世界中で猛威をふるっている新型コロナは強毒性のG型である。早くから水際作戦をとった各国にはK型が流入しなかったため、感染者や死者が急増したのである。ひるがえって日本では免疫の形成に寄与するK型が流行したため、結果的にG型の感染拡大にブレーキがかかった。

要は「日本人の過半はすでに免疫を獲得している。よって新型コロナを恐れる必要はない」という話。「集団免疫説」は夏から秋にかけて一部でもてはやされ、いくつものメディアで肯定的に報道された（『週刊現代』六月六日号、『女性セブン』一〇月八日号など）。

上久保と文芸評論家の小川栄太郎（ちなみに杉田水脈の「生産性」発言を擁護した人である）の対談が興味深い（「何度でも言う。コロナは無症状の風邪です」／『WiLL』一〇月号）

一部、抜粋してみよう。

小　川　上久保先生は、コロナ対策は「何もしないのが一番」とおっしゃっています。

上久保　はい、コロナというのは、いわば無症状の風邪です。半日くらい微熱が出て、「ちょっと体調が悪いな」くらいで済む人もいますし、もともと身体が弱い方や、家庭内二〜三人でうつると二、三日にわたって熱が出る人もいます。幅はありますが、ほとんどが無症状なんです。（中略）夏風邪もコロナの一種ですが、多少の症状が出ても「どうせすぐ治る」と思って病院にも行かない人が多い。平気で出社したり、友人と食事したりする人も多いと思います。夏風邪が怖くて、わざわざPCR検査をする人がいるでしょうか。

小　川　コロナは無症状で感染力が強いから、中途半端な行動制限で防げるものではありません。

上久保　むしろ中途半端に行動を制限すると、免疫が薄れてしまいます。どんどん外に出るべきなんです。

小　川　ＧｏＴｏトラベルキャンペーンが批判され、東京だけが対象外になってしまった。

上久保　不条理というか非合理というか……。いま社会全体が集団ヒステリーに陥り、非科学的な言説がまかり通るようになってしまっている。マスクを着けても、ほとんど感染防止に意味はありません。コロナウイルスは直径〇・一マイクロメートル程度。一般的な不織布マスクの穴の直径は五マイクロメートルですから、理屈上は通り抜けてしまう。

小　川　集団免疫は、ネットを中心に徐々に浸透してきたように思います。ただ一方で「トンデモ論」と一蹴する声も聞かれる。（中略）日本での新型コロナの死者は約千人ですが、その半数近くは院内感染で、平均年齢は七十九歳。日本では毎年百三十万人程度が死亡する。半年で六十万人強として、そのうち約千人というのは、〇・一％強にすぎない。

新型コロナは夏風邪と同じ。むしろどんどん外に出るべきだ……。はてさて、これは正しいのか。「集団免疫説」の正否を私は判断できないが、これに近い方法論で独自の「緩和政策」をとってきたスウェーデンが一一月に方針を転換したことを見ても、重症者を見捨てるという意味で、集団免疫作戦はきわめてリスクが高い。と同時に、この人たちの発想は旧日本軍と同じじゃないという印象を持つ。敵の戦力を甘く見積もり、希望的観測に基づいて危機管理を怠る。戸部良一らが『失敗の本質』で指摘したのと同じ種類の楽観論だ。中国や北朝鮮の脅威には過剰な危機を煽る右派論壇が、ウイルスの脅威を過小評価するのはなぜなのか。

楽観論が左翼批判と結びつく

東京外国語大学教授の篠田英朗と経済評論家の上念司の対談（「日本のコロナ対策はベストだった」／『WiLL』一〇月号）を見てみよう。

彼らはPCR検査を増やすべきだと主張する論者を「PCR真理教」と呼ぶ。

上念　PCR真理教の人たちからは、「陰性か陽性か一刻も早く知りたい」「陰性だったら自由の身だ」という自己中心的、責任を誰かに擦りつけたがるサヨク的な無責任さを感じます。

篠田　憲法の通説的な護憲派と同じ思考回路だと思うんですよ。「軍事力はいらない」という通説の九条解釈は絶対的に正しく、非武装中立なら全国民に絶対的な安心を提供できると仮定すると、自衛隊を中心とした防衛政策などは何をやっても間違いだということにしかならない。「現実」より、頭のなかの「理論」を優先する思考です。

新型コロナ対策に対する姿勢の差は、政治的な立ち位置の差と同一視されているらしい。

篠田　PCR検査をむやみに拡大させたい人たちと政治的な左派、これが重なっているんですよ。「緊急事態を求める専門家」VS「経済への悪化を懸念する非専門家」という図式はウソです。最近は「反安部派」が意図的に混乱を助長していることが明らかになってきたのではないでしょうか。
もっと言えば、PCR真理教と野党が〝同盟〟を組んでいるように見える。

PCR検査強化派は左派の反安部派だ、と。こうして事態は科学や医療を離れ、「反日左翼」攻撃をともなった、いつもの「政治的な対立案件」に変質する。

上久保＋小川の対談は『ここまでわかった新型コロナ』のタイトルで九月に、上念＋篠田の対談は『不安を煽りたい人たち』のタイトルで一一月に、それぞれ単行本化されており（いずれも版元は『WiLL』と同じワック）、Amazonには好意的なレビューがついている。

新聞やテレビが表だって報道しないので、いまのところ、この「コロナ楽観論」「コロナ無害説」は論壇の主流にはなりえていないが、水面下では想像以上に広く浸透しているように思われる。とりわけ政財界には、楽観論の支持者が多いような気がしてならない。

傍証として、七月のスタートしたGo Toキャンペーン事業を思い出してみよう。

時期尚早という声が多かったにもかかわらず（七月一八日～一九日の『朝日新聞』の調査では、Go Toトラベルに「反対」が七四パーセント）、旧安倍政権がGo Toトラベル事業をスタートさせたのは七月二二日。その後、感染者数が増え、Go Toトラベルは停止にすべきだという声が多数を占めたにもかかわらず（一二月四日～六日の『読売新聞』の調査では、「いったん中止にすべき」と「やめるべき」の合計が七七パーセント）、また政府の感染症対策分科会や日本医師会や日本病院会がＧｏ Ｔｏの中止を訴えていたにもかかわらず、「Ｇｏ Ｔｏトラベルが感染を拡大させたエビデンスはない」といいつづけた西村康稔・経済再生担当大臣と菅首相。現菅政権がこの事業の全国一斉一時停止を決定したのは一二月一四日だった。

いくら「経済を回す」という大義があったにせよ、政府がここまで強気でいられたのはなぜなのか。「新型コロナ恐るるに足らず」というふうっすらとした楽観論が根底にはあったためではないか。一二月に入って、菅首相や二階俊博自民党幹事長、あるいは地方議員らが平気で大人数の会食を続けていたのも、基本的にウイルスを舐めていたからでないか。

『ゴー宣　コロナ論』が放つ毒

コロナ楽観論に関してはもう一冊、無視できない書籍がある。小林よしのり『ゴーマニズム宣言ＳＰＥＣＩＡＬ　コロナ論』（幻冬舎、八月刊）だ。「週刊ＳＰＡ！」の連載マンガ（五月〜七月）に、書き下ろしのマンガや自身のブログ（一月〜五月）、小林と同意見の専門家との対談などを加えて構成した、いつもながらの好戦的な本である。

『ゴー宣　コロナ論』は〈新型コロナウイルスのパニックは、史上空前の「デマ恐怖」である〉という一文からはじまる。二〇〇五年の新型インフルエンザ騒動の経験からしても、新型コロナは、取るに足らない感染症にすぎず、ステイホームも外出自粛も緊急事態宣言も検査も隔離も必要なかった。それが小林の一貫した主張である。

日本では毎年一〇〇〇万人がインフルエンザに感染し、直接死で約三〇〇〇人、関連死をあわせて約一万人の死者が出る。しかるに新型コロナの死者は九七七人(七月三日現在)。インフルエンザに比べたら新型コロナは弱毒性のウイルスにすぎず、重症化対策だけをしておけば、インフルエンザと同じ対処ですんだのだ、〈わしは「集団免疫」をつくることと、治療は重傷者のみに集中し、死亡者を減らすこと。この2つに絞るのがいいと思っている〉と小林はいう。

いかにも『ゴー宣』らしいのは、右のようなコロナ楽観論がいっきにメディア批判、リベラル批判という思想攻撃に向かう点である。

『ゴー宣』が「戦犯」として最大の敵と見定めたのは、連日この問題を取り上げたテレビ朝日系の「羽鳥慎一モーニングショー」だった。とりわけコメンテーターの玉川徹と、「コロナの女王」の異名をとる白鵬大学教授の岡田晴恵は完全な悪玉にされた。

・モーニングショーはオウム真理教の洗脳とそっくりだ! 信者をサティアンに閉じ込め、恐怖ビデオを見せ続けて洗脳する。
・羽鳥慎一モーニングショーも「ステイホーム」で国民を自宅に閉じ込め、恐怖を植えつけ、マントラを唱え続けた。
・これ以上、日本経済を破壊するのなら、羽鳥慎一モーニングショーをテロ集団に認定しなさーーーい!

小林のいうことにも一理あることはあるのである。それは本書の「二〇二〇年前半」版で仲正昌樹がいう「左派のジレンマ」に関連している（「コロナ禍と哲学」）。

小林よしのりは、市民の自由を奪う自粛政策に進んで従う者や、検査態勢を拡充して陽性者を隔離する政策の支持者を「自粛・全体主義者」と呼ぶ。

・隔離なんか絶対ごめんだ！　インフルエンザで隔離したら人権侵害だろうが！
・ハンセン病患者を「隔離」した恐ろしい歴史から、PCR真理教の信者は何も学んでいなかった。さらには「ユダヤ人を発見して収容所に隔離せよ！」というナチス・ドイツの人種隔離政策から彼らは何も学んでいなかった。
・「自由」を奪い、「人権」を奪うことを、嬉々として公共の電波で主張していたのだから、わしは戦慄した。これが自称リベラルの正体か！

それとこれとじゃ、もちろん話はまるで違う。検疫・隔離・都市封鎖（外出禁止措置）は感染症対策の基本であり、とりわけ新型コロナは「未知のウイルス」であったため、人命尊重の観点から、各国政府は隔離政策や外出禁止措置をとったのだ。コロナ禍に対する日本の社会不安や差別の横行は、むしろPCR検査が自由に受けられない、隔離中や外出自粛中の保証が十分ではないといった施策のまずさに起因すると考えられる。

それでも彼の主張に一定の説得力があるように見えるのは、「新型コロナはインフルエンザと変わらない」「コロナ対策は非科学的で大げさだ」という信念に基づいているからだ。したがって彼の主張をくつがえすには、一時的に私権を制限してでも外出自粛や隔離政策が必要だということを、しかるべき感染症の専門家が科学的根拠を示してしっかり説明すべきだっただろう。が、政府の公式発表も、専門家会議や分科会の医師による記者会見も、感染症対策と称する生活規範の実践の呼びかけと、「気の緩み」などと称する精神論ばかり。結果、根拠のない楽観論が一定の説得力とともに流布《るふ》されていく。

もう一点、小林が強調するのは、「日本の特殊性」である。日本の死亡率が低いのは、もともと衛生観念が高く、自然免疫が備わっていたからだ。それを考慮にいれず、海外に追従するのは愚かである、と彼はいう。

必ず日本が遅れている、必ず日本が間違っている、欧米が正しい、欧米を見習うべきというのだから、悲しいまでの自虐史観である。

まさかこんなところで「自虐史観」批判が出てくるとは、瓢箪《ひょうたん》から駒だな。

楽観論がもたらす波及効果について

『WiLL』の対談や『ゴー宣　コロナ論』から想起されるのは、福島第一原発の事故後に放たれた、放射能の悪影響を危惧する人々を「放射脳」と呼んで揶揄《やゆ》し、攻撃する風潮である。福島周辺から自主避難した人たちも、福島県産の農産物や水産物を敬遠する人たちも、身体の不調を訴える人たちも、なべて「非科学的」とされ、指弾されたことを思い出すべきだろう。

小林よしのりらがいう「PCR真理教」や「コロナ脳」はそれに近い。Twitter上の次のようつぶやきは、こうした言説がどんな悪意に進展するかを示している。

3・11の津波で原発事故が起きた時、被災者の支援も何もせずに「福島は危険だ」と言い続けて風評被害を煽る#放射脳も、今回の武漢ウイルスで必要以上に不安を煽ってやれ自粛だやれ他所者は来るなだと騒ぎ立てる#コロナ脳も結局似た者同士なんだよな。要は反日クソ左翼（八月二日）

左翼というのは物事を上っ面だけでしか見れない。差別があれば差別はよくないと叫ぶし、感染が広がればロックダウンしろと叫ぶ。何故そうなのかを全く考えられない。ツイッターだと面白い具合に左翼はコロナ脳だし、コロナ脳は左翼。自分のことを頭がいいとは思わないけど、左翼は本当に頭が悪いと思う（一〇月八日）

はからずも小林よしのりが「自虐史観」という言葉を使ったように、彼らの言いぐさは、九〇年代後半から日本中に広がった、歴史修正主義者の言いぐさと酷似している。

歴史修正主義の感染源のひとつは、小林よしのり『ゴーマニズム宣言SPECIAL　戦争論』（幻冬舎、一九九八年）だった。この本と『ゴー宣　コロナ論』は、論の立て方がそっくりである。世間一般でいわれている「先の戦争の評価／新型コロナウイルスの評価」はまちがっている、君たちは騙されているのだ、わしが正しい知識を授けてやる！

南京虐殺はなかった、慰安婦は性奴隷ではない、朝鮮人虐殺は虐殺ではない、先の戦争や植民地支配に対して反省や謝罪を示すのは自虐史観である……。当初、誰にも相手にされなかった右のような言説は、その目新しさによって耳目を集め、やがて徐々に感染者を増やして、最終的には教科書や外交にまで影響を及ぼすに至った。

コロナ楽観論も、同じ道をたどらないとはいいきれない。いまはまだ多くの人がウイルスに対する恐れを抱いているし、政府も表向きは感染症対策に真面目に取り組んでいるように見える。だが、今後もそれが続くとは限らない。経済がいよいよ逼迫し、感染症より経済だ、という声が強くなったとき、人々はだらだら続く自粛に耐えられるだろうか。

菅政権のブレーンである竹中平蔵は、コロナ後の経済について次のように語っている。

大事なのは、中小企業も含めて優良企業は突然死させないようにする一方、もともと経営が危なかった企業は救済しないということです。コロナ以前から経営がうまくいっていない企業は、今から融資を受けたところで立ち直ることは出来ません。淘汰されるべき企業を残しておくと、将来的に日本経済の弱体化につながります。

すでにビジネスモデルが破綻している企業には、これを機に市場から撤退してもらう。そして退出した企業の労働力を、優秀な企業が吸収していけば、経済の強化を進めることが可

能になります。（「東京を『政府直轄地』にせよ」『文藝春秋』二〇二〇年一一月号）

「優良な人材は突然死させないようにする一方、もともと命が危なかった人は救済しないということです」という危険思想と、それは紙一重である。実際、医療が逼迫する一方で、重症者が増加の一途をたどっている今、命の選別（トリアージ）は現実になりつつある。

弱者の切り捨ては、いまやこの国のお家芸である。福島第一原発の事後処理であれ、名護市辺野古の新基地建設問題であれ、現在の自公政権のやり方を見れば、現時点では水面下に隠れているコロナ楽観論が、政策に悪用されないという保証はどこにもない。

東京都の「コロナかるた」を笑う

気分が重くなってきたので、最後にもっともバカバカしい「コロナ文学」を紹介しておきたい。東京都が一二月一一に発表した「ウィズコロナ東京かるた」である。五月の自粛期間中に発表された「コロナ対策東京かるた」の改訂版。HPからデータをダウンロードして印刷し、ハサミで切って使えというのだが、これがきわめて出来が悪い。

【あ】愛してる／家族のために／距離をあけ
【い】家でもね／会話するとき／マスクつけ
【う】うちの中／コップやタオル／共有しない

【え】映画館／マスク着用／会話は控えて
【お】オンライン／三密なしで／親密に

標語としても半端だし、啓蒙してやろうという意図が見え見え。言語感覚も悪く、とてもプロの仕事とはいえないうえ、絵だけのはずの「取り札」にまで文章が入っているという基本的な設計ミスを犯している。虫の居どころが悪くなった私は、腹いせにコロナ禍諷刺かるたを考えずにはいられなくなった。以下は東京新聞のコラム（一二月一六日）に載せたその一部。

【あ】アクセルもブレーキも踏めと言う総理
【い】イソジンでウイルス減ると知事は言い
【う】麗しきアベノマスクは今いずこ
【え】エビデンスじつはなかった一斉休校
【お】お父さん在宅ワークでウザがられ
「かきくけ」を飛ばして、二〇二〇年一二月の状況は、これに尽きるだろう。
【こ】ＧｏＴｏに固執しすぎて墓穴掘り

一二月三一日、東京都の新規感染者数はついに一〇〇〇人を突破して、一三三七人超に達した。全国の新規感染者数は過去最多の四五一五人。通常のニュース番組が休止になる年末年始をまるでねらったかのような感染の拡大。コロナ楽観論者はこれでますます集団免疫に近づいたと喜ぶのだろうか。

（二〇二〇年一二月三一日）

［ネット社会］

ダンスとハンマーの間で

CDB

ＣＤＢと申します。
Twitter を中心に好きな映画や人物について書いています。

映画ブログ　https://www.cinema2d.net
note　https://note.com/774notes
Twitter　https://twitter.com/c4dbeginner

熱が出た！

一一月のある日の夜、熱い風呂に入ったまま突然震えが止まらなくなった。皮膚がピリピリするほど熱い湯に肩まで浸かっているのに、まるで背骨の芯から寒さが押し寄せてくるように全身が震え始めた。なんだこりゃ、と思い、風呂から上がって体温を測ってみると三九度を突破していた。風呂で身体が温まっているせいか、と思い、しばらくして測り直してみてもやはり三九度は変わらなかった。その数時間前、職場で計測したときは三六度、まったくの平熱だったというのに。

咳もなかったし、頭痛もしなかった。ただ、異常なほどの寒気と、それからしばらくして全身の関節痛が押し寄せてきた。どうもこれは少なくともインフルエンザか、さもなければいよいよ例のアレかもしれんぞ、という嫌な予感が頭をよぎった。

新型コロナウイルス（以下、新型コロナ）とインフルエンザの最大の違いは、感染したときの社会的な影響である。少なくとも僕にとってはそうだ。もしもこれが新型コロナだったときの、会社への報告、職場の濃厚接触者の確認、その日から二週間さかのぼってどこで何をしたかの経路確認などの情報提供を想像して、「こりゃ、めんどうくさいことになるぞ」と気持ちが暗くなった。

職場では雇用している社員に対して、正規・非正規の区別なく「注意喚起」のメールを送りつけている。その文面をここにそのまま書き写すと職場にバレるので書けないが、まあ簡単に言えば「感染しないように注意して生活すること。こうして事前に注意した以上、感染した場合はそれなりに責任を問うからな」みたいなことを暗に匂わせた代物である。

　これも詳細に書くとバレるのであいまいにさせてもらうが、僕の職場ではすでにCOVID-19の感染者が何人も出ている。マスクをしたりエタノールを置いたりはしているが、なにしろ換気も悪いところに何人も詰め込まれて不特定多数が出入りする場だ。今年の春の時点で隣接する他社からは感染者が出ていたが、まもなく感染者は次々と僕の職場でも発見された。そのたびに何人かの濃厚接触者が出社停止になったが、業務は停止にならず続行された。

　リモートワークなんていう気の利いたものはない。オンラインでできる仕事とできない仕事があるし、オンラインで仕事をするシステムを構築できる企業とできない企業があるのだ。そういう経緯のないで、もし僕が感じていた異常な高熱が新型コロナであった場合、仕事の引継ぎから人間関係にいたるまで、それはもう想像もしたくないくらいめんどくさいことになるわけである。親しくしている人間ほど迷惑がかかるわけだから。

　一晩たっても熱は下がらず、病院に行くことになった。発熱した患者が回される感染症科のある大きな病院を知っていたのでそこを訪れると、地下の隔離室のようなところでベッドに寝て検査待ちになった。病院側としても僕の高熱を確認し、またそのころには僕の意識も半ば朦《もう》朧《ろう》とし始めていたので、これはヤバいという対応になったのだろう。

　奇妙だったのは、平衡感覚がおかしくなり、顔を右に向けて振り返ったりするわずかな動きだけで、まるで椅子をグルグル回されたかのようにめまいがして吐き気がするようになっていたことである。歩いているだけで船酔いのように目が回ってくるのだ。インフルエンザなどの過去の病気でもこんな状態は経験したことがなかった。

コロナ禍の病院にて

しかし、まず受けた抗体検査の結果は陰性だった。職場であれだけ感染が出ていたらとっくに無症状感染が出て抗体ができているのではないかと思っていたので、これは正直言って意外な結果だった。抗体検査が陰性だということは、まだ言い切れるわけではないがPCR検査でも新型コロナではない可能性は高い、ということを検体採取の看護師さんから聞いて、少し気分は安らいだ。

新型コロナでないからと言って別に健康状態が悪いことに変わりはないわけだが、前述したように周囲への影響がまったく違うわけである。ひとたび陽性とわかれば、職場で接した人間が親しい順に濃厚接触者としてPCR検査を受けさせられ、そして陽性なら影響は仕事やその家族にまで及ぶ。ひとまずはそれが避けられそうだという安心と、じゃあいったいこの高熱はなんなんだという不安のなか、あまりにも体力的な消耗が大きく、意識が不鮮明になりつつあるということで、ベッドに寝たまま点滴を受けることになった。

僕が寝ていた応急ベッドは病室ではなく、人のいない場所に急遽設置された間に合わせのものだったので、周囲に他の患者はいなかった。応急ベッドの上で朦朧としていると、ときどき患者が運び込まれていく。「いまからここには新型コロナの患者さんが運ばれますので、この仕切りから出ないでください」と看護師が告げ、衝立《ついたて》がベッドの前に立てられる。フェイスシールドより心許ないが、ないよりはマシだろう。

薄れた意識でぼんやりと天井を見上げていると、一人の男性医師が少し離れたところで携帯で誰かと話し始めた。おそらくは、病院のなかで周囲に人がいない場所を探していて、ベッドの上の僕がほとんど意識がない状態と見て、「まあここならいいか」と話し始めたのだろう。

最初は静かに始まったその話は、やがて次第にトーンが上がり、最後にはほとんど怒鳴り合いのような状態になった。立ち聞き、というか、薄れた意識で寝たまま聞いたその話をここにそのまま書くことはルール違反でもあるし、不正確でもあるのでしない。だが、要約すればそれは、新型コロナをめぐる現場の医師と上層部にいる誰かとの対立だった。だから最初から言ってるじゃないですか、もうウチは限界ですよ、昨日初めて来た人が明日からやれるってわけじゃないんですよ……。そうした現場医療のキャパシティをめぐる激しい口論が、朦朧とする意識の中で耳元を通り過ぎていった。

医療状況が逼迫《ひっぱく》しているのは、メディアの報道以外でも感じていた。知人が入院している病院でクラスターが発生し、あっという間に人員不足に追い込まれたというような話をいくつも聞いた。だが実際に医療の現場で、患者の枕元で上層部（誰なのかはわからない）と怒鳴り合う現場の医師、その疲弊した声と言葉を聞くと、その深刻さは改めて痛感した。まだ発表される感染者数が落ち着いていた一〇月一一月の段階で、ボディブローのダメージが蓄積するように、医療現場は疲弊し始めていたのだ。

ひとまずＰＣＲ検査でも陰性となった僕は、ひとまず家に帰れることになった。インフルエンザでも新型コロナでもないということになると、じゃあいったい何なんだ、ということになるわけだが、それは血液検査や便検査などで詳細に分析してみなければわからず、まあいったんは咳なども出ていないし、点滴をするうちに三九度あった熱も微熱程度に下がり始めたのでまあ大丈夫だろうということになったのだ。

結局、一週間後、検査結果でも菌やウイルスは発見されず、なにかしらの感染症で高熱が出たのだろうがそれは自己免疫で回復した、という診断になった。原因がわからないのは不安と言えば不安だが、抗体検査でもPCR検査でも陰性ということであれば、社会生活の影響は少なくてすむ。それはありがたかった。

ここに書いたのは一一月のこと、感染者数が本格的に増加する一二月の前の話だ。一一月の段階で、僕のような検査待ちの患者が溢れる野戦病院のような状態になっていたところから、さらに感染者は数倍に膨れ上がっている。おそらく完全にあの病院はオーバーフローしてしまっているだろう。もしいま僕が再び同じ状態になっても、同じような診療はもはや受けられないはずだ。

逼迫した献血の現場

三月に新型コロナが本格的に話題になり始めて以降、SNSでは医師や看護師の発言が注目されるようになった。率直に言って、その意見は割れに割れている。検査と隔離のキャパシティを増やさなければ大変なことになる、と警鐘を鳴らす医師もいれば、PCR、PCRと言わずに一般人はただ手を洗って生活をつつしんでいればいいんだ、という医師もいる。

真っ向から政府の方針を批判するなど苦言を呈してきた東京都医師会の会長と、ドライブスルー検査と言いますが手袋を交換しているのでしょうか、という懐疑的な文章を公式ＨＰで発表した神奈川県医師会の会長のスタンスも真逆に見える。ブルーインパルスを飛ばして医療関係者に感謝をと言っていたころが嘘のように、Yahoo記事のコメントにはいま、「医師会など実際には新型コロナ診察には当たっていない連中だ、そんな連中が国を批判するな」という攻撃コメントが並び、多くの賛同マークが集まる状況になっている。

開業医と勤務医の違いもあるだろうし、医師と看護師の違いもある。意見は統一されないだろう。だが、どう意見が割れるにせよ、巨大な制度疲労が医療全体に重くのしかかっていることは間違いない。

発熱した時期よりかなり前、僕の携帯に地元の献血センターから突然電話がかかってきた。献血の血液が不足しているので献血に来てもらえないか、という内容で、一種の意識向上キャンペーンなのかと思い、ではそのうちに行きますという感じで曖昧《あいまい》に返事をした。すると「明日などはお時間とれますか」と切迫した声で言われた。どうやら広告的なキャンペーンではなく、本当に急場で不足しているらしい。

新型コロナによるイベントの中止などが相次ぎ、いままでコンサート会場やコミケなどで献血車を出して得ていた献血がほとんど入らなくなった、という話は聞いていた。だが、個人の携帯に直接電話が入るほどに切迫しているとは思いもしなかった。結局、翌日に献血には行ったのだが、人を集めたら集めたで、献血センターに「密」ができて感染の場になりかねない。だから、献血者は喉から手が出るほどほしいのに、予約を制限して人数を調整しなくてはならないというダブルバインド、矛盾のなかで献血センターが必死に運営されている状況だった。

もし発熱が献血の前であれば僕も献血には行けていないし、発熱が献血の直後であれば、採った血液も連絡して廃棄しなくてはならなかっただろう。いままで動いていたシステムが変わることは、あらゆるところに大きな影響を及ぼす。経済を人体の血流にたとえ、血が止まった先は壊死してしまうという不況の比喩に使われることがあるが、献血血液の不足は文字通り医学的な意味での血流の停止、そしてその先にある患者の生命に関わっている。

次に献血ができるタイミングまではまだ間があくために、それ以降、僕の携帯に電話がかかってくることはまだない。だが、第三波のなかで、献血システムはどうなっているのだろうか。いままで大量に血液を調達できた年末年始のイベントや各種のカウントダウンライブ、コミケは今年は開催されず、外出を控えてくださいという呼びかけが溢れるなかで、人を募集しなくてはならないのだ。

休みたくても休めない人々＝ウイルスの苗床

数日仕事を休み、検査結果も出たので出勤しますと職場に連絡すると、「本当に大丈夫なのか」という返事が返ってきた。最初は心配してくれているのかと思い、ええなんとかおかげさまで、と答えていると、どうやらあまり出勤してほしくないらしいことが声のトーンでわかる。

「周囲の心配もあるからね」というのは、周囲が僕の健康の心配をしてくれているという「だけ」の意味ではもちろんなく、「あいつ大丈夫なのか」「PCR検査が陰性って言ったって、検査ミスや、あとで発症して陽性になることだってあるんだろ」「ちゃんとわかるまで出てこないでほしい」という心配がなされているという意味である。

なぜそんなことがわかるのかと言えば、以前から職場で感染者が出たり、コロナとは関係ないちょっとした風邪で誰かが休むたびに、職場ではそのたぐいの言い草が回りまくっていたからである。今度は僕が言われる番になったというわけだ。

やむをえず、「では大事をとってもうしばらく休ませて頂きます」と答えた。公休をくれるわけではなく、休んだ分は給料から引かれる。まったくの自己責任による休みであり、仕事をサボって遊びに行った休みと記録の上では同じ処理をされる。理不尽な話ではあるが、そういうものである。もちろん空気を読まずに無理に出勤することは可能だが、そういう奴には見えないところでそれなりの扱いがされるのだ。

いまの職場の前、日雇い派遣で働いていたときは、冬になると毎年のように風邪やインフルエンザが派遣先で猛威を振るっていた。金のない貧困層は、インフルエンザの予防注射をしないことが多い。しかも多少の熱なら無理をして出勤する。ずっと同じ相手と仕事をする正社員と違い、不定期に異なる職場に派遣される日雇いでは、周囲への感染よりまず自分の収入を確保しなければならないからだ。

そもそも、まず仕事を休んで病院に行くのが、減収と出費のダブルパンチなのである。というわけで、誰かしらゴホゴホと咳をしながら働き、迷惑だな死ねよと思いつつ、数日たつと自分がゴホゴホと咳をしながら働くという悪循環が繰り返されるわけだ。

各国の感染状況の広がりをニュースで見ながら、「貧困」が新型コロナの感染拡大の抜け穴になっていることを感じる。警察官に射殺され、Black Lives Matter運動のきっかけになったアフリカ系の男性が司法解剖の結果、新型コロナに感染していたというニュースが報じられたが、休みたくても休めない人々の生活は、ウイルスにとって格好の苗床《なえどこ》になる。そしてどんな国も、そうした低賃金で働く見えない人々を国家のシステムとして隠し持っているのだ。それは日本にも、韓国にも、中国にも、アメリカにもある。

ダンス&ハンマー、という言葉がある。経済を動かしながら重要な場面で感染を抑え込むために経済を止める、という二律背反の難しさを表現した言葉だ。だが緊急事態宣言解除のときに誰もがなんとなく予想できた通り、僕たちの社会は血を吐きながら休まず経済のダンスを踊らされる雇用労働者と、ロクな補償もなくハンマーで叩き潰される自営業の人々に二分されつつある。

「死ぬのが当たり前」な人はいるのか

日本のインフルエンザの感染報告は、例年の一%以下に激減しているそうだ。これは世界的に同じ傾向にあり、メディアで徹底的にアナウンスされた手洗いとマスクが劇的な効果を上げていることの証明だが、逆に言えばインフルエンザを壊滅させるほどの防疫対応をとっているのに、日本のコロナ感染者は二〇万人、死者が三〇〇〇人をこえるほど強力な感染力を持つウイルスだということになる。

僕も正直、三月の段階では「新種のウイルスと言っても要するに名前が違うだけであって、インフルエンザ香港A型とかああいうのがひとつ増えるだけの話でしょ」と思っていた時期もあった。しかし、いま思えば完全に見誤っていた。アメリカの死者はすでに三〇万人を突破し、イギリスではさらに感染力が七〇％強い変異株が確認されているという。

この状況を、『自然淘汰』のチャンスと捉える人たちは感染症の当初から一貫して存在する。小林よしのり氏による「科学は重要だが。常識はもっと重要である」（『ゴーマニズム宣言SPECIAL コロナ論2』扶桑社）とか、コロナは「インフルエンザに比べれば愛のある優しいウイルスである！　子供と若者を殺さないからだ！　寿命が来た、基礎疾患のある老人がウイルスで死の機会を与えられるのは、当たり前のことだからだ！」（「週刊SPA！」二〇二〇年一二月二二日号）という論は、「老いた弱者が死に、強い若者が国家を建て直す」という強い国家像を夢見ている。

少子高齢化、かさむ医療費と破綻する国民年金、そして終身雇用の破綻によって貯蓄のない次の世代の貧しい老人を「自然の摂理」として淘汰できるこの構造は、ハッキリと口に出さないだけで、ある種の政治家たちがひそかに夢見ている構造ではないのか。

冬に第三波がやってくる、ということをあらゆる専門家が指摘するなか、大阪都構想の住民投票を決行して再び敗れた政党は、かつて人工透析患者を「自堕落《じだらく》な生活でなった病なら自業自得」として攻撃した元アナウンサーに、なぜか奇妙なまでの執着をもって候補に擁立しようとしていた。そして、いまもその政党に所属する大阪府知事は、医療について「トリアージ」という言葉を好んで使う。それは医療の現場で使われるトリアージとは意味の違う、政治的な淘汰を意味するのではないのかと危惧する声は多い。

緊急事態宣言の夏頃から、SNSではある有名な経営者が「この期間を耐え抜けば、体力の弱った小さな会社が潰れたあとの市場を生き残った企業が独占するチャンスが来る」という意味のことを公言していた（二〇二〇年四月一二日の田端信太郎氏のTwitter）。

それは、おそらくその通りなのである。医療の面でも、経済の面でも、そうした「政治的トリアージ」を通じた弱肉強食を夢見る人々がいる。

もちろん、現実にそこで淘汰されるのは老人だけでは済まない。基礎疾患のある子どもや若者は、いままであっても生命のリスクとギリギリのラインで共存させられてきた社会生活を、さらに狭められることになるだろう。

「死ぬのが当たり前の老人」のなかに四〇代から三〇代にわたる氷河期〜リーマンショック世代が予定されていることは言うまでもない。不況のなかでまったく救済を受けられず、ただ派遣労働者として安い労働力を提供してきたこの世代が、高齢で社会保障のみに頼るようになる、いわば「国家がツケを払う」段階に来たとき、高齢者を殺すウイルスがすべてのつじつまを合わせてくれる。それも政治家の政策なら轟々《ごうごう》たる非難を浴びるような結果を、「自然の摂理」の名の下に納得させることができる。そのように算盤《そろばん》を弾く人々は、この世に確実に存在するのだ。

ウイルスが持つ「チャンス」とは

一〇月初旬、女優の広瀬すずが新型コロナに感染したことを発表し、大きな話題となった。まったくの無症状感染を見つけ出したのは、出演中の映画『いのちの停車場』に参加する木下グループが、映画制作現場に提供するリアルタイムPCR装置だったという。もしもそのシステムがなければ、体温にも体調にも異常のないまま広瀬すずは、七〇歳になる吉永小百合が待つロケ現場に参加することになっていたはずである。木下グループはその後、簡易的にPCR検査を受けることが可能になる検査所を東京に開設し、大きな話題となる。

生前退位を表明し、公務を軽減した上皇・上皇后両陛下の暮らす皇居では、おそらく宮内庁スタッフは厳重な検査を義務付けられているはずだ。吉永小百合や上皇陛下に「ウイルスに死の機会が与えられるのは当たり前の老人」と言うことができないのならば、それは貧しい一人暮らしの老人や基礎疾患のある子ども、将来の老人であるロスジェネにも言われるべきではないのだ。

『サピエンス全史』や『ホモ・デウス』(いずれも柴田裕之訳、河出書房新社)などで知られる歴史学者・哲学者のユヴァル・ノア・ハラリ氏が三月に『タイム』誌に語った「人類はコロナウイルスといかに闘うべきか――今こそグローバルな信頼と団結を」というインタビューのなかで、ウイルスと人類の歴史が基本的に人類の知識の共有による勝利であったことを説明したあとで、ウイルス側が持っているある「チャンス」について説明する。それは人体のなかで増殖し、より感染力が強く淘汰されにくい変異を生み出すチャンスである。

・たった一人の人間でも、何兆ものウイルス粒子を体内に抱えている場合があり、それらが絶えず自己複製するので、感染者の一人ひとりが、人間にもっと適応する何兆回もの新たな機会をウイルスに与えることになる。個々のウイルス保有者は、何兆枚もの宝くじの券をウイルスに提供する発券機のようなもので、ウイルスは繁栄するためには当たりくじを一枚引くだけでいい。

・エボラウイルスが比較的稀な病気から猛威を振るう感染症に変化したのは、西アフリカのマコナ地区のどこかで、たった一人に感染したあるエボラウイルスの、たった一つの遺伝子の中で起こった、たった一度の変異のせいだった。

・みなさんがこの文章を読んでいる間にも、テヘランかミラノか武漢の誰かに感染した新型コロナウイルスの、たった一つの遺伝子の中で、それに似た変異が起こりつつあるかもしれない。もしそれが本当に起こっているとしたら、それはイラン人やイタリア人や中国人だけではなく、みなさんの命にとっても直接の脅威となる。新型コロナウイルスにそのような機会を与えないことは、全世界の人にとって共通の死活問題なのだ。そしてそれは、あらゆる国のあらゆる人を守る必要があることを意味する。

（ユヴァル・ノア・ハラリ著、柴田裕之訳『緊急提言 パンデミック』河出書房新社に所収）

世界は、自然淘汰をめざす人々と、「あらゆる国のあらゆる人を守る必要」があることを認識する人々に二分化しつつあるように見える。

作り話のような現実と、現実のような作り話

ネットのデマは困る、フェイクニュースが問題だと誰もが言う。だが、今回のような新型の感染症において、何が本当なのかをネット、あるいはメディアの情報しか触れることができない一般人が判断するのは至難の業である。そもそも去年の初め、このウイルスの全貌が見えてくる前には、欧米の専門家の声として「マスクはあまり効果がない、それより手洗いです」という声が伝えられていたわけだ。しかし、知っての通り海外ではその見解は完全に覆《くつがえ》り、徹底的にマスクが推奨され、法制化まで検討されている。

日本での「三七度五分の熱が四日続くまでは自宅待機、そう専門家が言っている」というメディアの報道は、「我々から見れば誤解ですけれども」という某大臣の一言であっさりと反故《ほご》にされた。素人がネットの情報であれこれ推測を広げてパニックが広がるのは専門家にとってさぞ不快であろうことは想像できるが、正直に言って「黙って専門家の言うことを聞いていればいいのだ」という言葉が説得力を持つ状況ではない。だからと言って、日々現れては消えるネットの言説が信用できるわけでもないのだが。

人のことは言えず、僕にしても直感的に状況を正しく見ていたとはとても言えない。繰り返

すが、年初の段階ではたいていの人がそうであったように、「インフルエンザに新しいタイプが加わる程度のものだろう」と思っていたし、麻生太郎財務大臣ではないが、夏になれば下火になるだろうとあなどり、全世界でここまで猛威を振るうことなど想像もしていなかった。

緊急事態宣言の前、Twitterでは「このウイルスに感染すると、症状が悪化して入院する前に急死してしまうことがある」というツイートを目にすることがあった。僕はそれを、恐怖をあおるためのよくある作り話と思い込んでまったく信じていなかった。だが、二〇二〇年一二月二七日、立憲民主党の羽田雄一郎・参院議員が急死し、死後に新型コロナ感染が発覚した。

羽田氏は、三日前から発熱があったものの重い症状はなく、亡くなった日の一五時四五分にはPCR検査を受けるために秘書の運転する車で医療機関に向かった。その車内で、「俺、肺炎かな」と言ったきり言葉が途切れ、運転する秘書が車を止め、後部座席のドアを開けても反応がないため、その場で救急車を呼んだという。そして、PCR検査を受けるはずだった約一時間後の一六時三四分、病院で死亡が確認された。東京都監察医務院が検視をおこない新型コロナと判明したのは、死亡した場所が「病院外」と判断されたからだ。つまり、秘書が最速で救急車を呼んだにもかかわらず、救急車が病院に到着したときに羽田氏は死んでいたということになる(『毎日新聞』二〇二〇年一月二日付)。

羽田氏には糖尿病などの既往症もあったとのことで(五〇代なら珍しくもないだろう)、各大手メディアが報道しているから信じるしかない。現職の参院議員が、人工呼吸器や入院どころか検査にすらたどり着けず、発熱からたった三日で急死したのである。仮にこれがネットの「私の友人が急に……」という書き込みであれば、とうてい僕は信じていないだろう。ホラー映画じゃあるまいしバカな作り話をするな、と一笑に付していただろう。だが、これは現実なのだ。ならば、ネットの書き込みをどれだけ信じればいいのか。作り話のような現実と、現実のような作り話が溢れるなかで、何が本当なのかを判断しなくてはならない。その困難さはますます増していく。

ダンスが戻る日はいつになるのか

夏に、終わりかけの日本映画を追いかけて、普段は足を運ばない横須賀の映画館まで行ったことがある。上映が終わった夜の帰り道、まだ宵の口だというのに不気味なくらい明かりの消えた奇妙な商店街を歩きながら、僕はそこがあの名の知られた「ドブ板通り」であることに気がついて呆然とした。

すぐ近くにある横須賀基地の米兵とその家族で賑わうはずの商店街は、米軍が出した外出禁止令によってほとんどの店舗がシャッターを降ろし、休業状態に入っていた。たまに開いているバーを見かけても、なかには日本人が一人か二人で呑んでいるだけで、米兵や家族の姿がほとんどない。

それもそのはずで、シャッターの閉まった商店街を迷彩服の米兵がトランシーバーを持ち、二人一組でパトロールに回っているのである。基地を抜け出して呑んでいる兵士がいないか監視に回っているというわけだ。米兵が楽しむための街が米兵に監視されているのだから手の打ちようがない。

この原稿の締め切りの直前の一二月二四日、クリスマスイブの夜に僕はもう一度、横須賀のドブ板を訪れてみた。いくらなんでもクリスマスイブなら少しは活気が戻っているのではないかと思ったのだ。結果は同じだった。多くの店でシャッターは閉められ、バーには数人の日本人、クリスマスツリーも音楽も聞こえなかった。それはダンスの消えたドブ板、ハンマーで叩き潰されたクリスマスの街だった。


米軍が徹底した外出禁止令で感染を防ぐのはやむを得ないだろう。だが、一方で日本の街を支える補償がもたらされ、生活を支えなくてはダンスが戻らない。

本企画の定点観測期間（二〇二〇年六月一日から約半年）からはすこしずれるが、二〇二一年一月七日、日本政府は再び緊急事態宣言を発した。その前日、一月六日の感染者は、東京都だけで一五〇〇人を超えている。イギリスや南アフリカで発見された変異株は、日本国内でも次々と発見されている。一方で、同宣言によって振り下ろされる営業自粛のハンマーは、社会のあらゆる層を再び直撃するだろう。それに対する補償の話はまだ見えない。

真っ暗な、音楽の聞こえない商店街で迎えたクリスマスイブを思い出しながら、僕はあのドブ板通りにダンスが戻る日のことを考えていた。


（二〇二一年一月一一日）

〔日本社会〕

続・アベノマスク論

武田砂鉄

武田砂鉄（タケダ・サテツ）

一九八二年、東京都生まれ。ライター。出版社勤務を経て、二〇一四年よりフリー。著書に『紋切型社会』（朝日出版社、第二五回Ｂｕｎｋａｍｕｒａドゥマゴ文学賞受賞）、『芸能人寛容論』（青弓社）、『コンプレックス文化論』（文藝春秋）、『日本の気配』（晶文社）、『わかりやすさの罪』（朝日新聞出版）などがある。

まだ届かない

さて、いまだに我が家にアベノマスクは届いていない。届く気配がない。待ち望んでいるわけではないものが、届く予定なのに届かない、というのは初めての経験かもしれない。

宅配ピザのチラシは毎週のように届いているのだが、マスクは一向に届かない。それなのに、「アベノマスク配布完了」というニュースを見かけた。一体、どういうことなのだろうか。「ググる」行為は、情報だけではなく、人間の感情も引っ張り出してくれるので「アベノマスク届かない」と検索してみると、私と同じような状態の人からの怒りや諦めを無数に拾い上げることができる。

とてもシンプルな話だ。シンプルに愚かな話だ。全戸にマスクを配布します、と宣言しておきながら、全戸に配布できないまま、全戸配布が完了した、と言い張っているのである。「明日の会議の資料、昼過ぎまでに一五部用意しておけ!」と言われて、一三部用意した上で、「すべて用意しました!」と言い張っている。これって確実にあちこちから怒られるパターンだが、怒られるどころか、「く、ば、り、ま、し、た、よ!」と、どことなくキレ気味なのである。これほどまでの仕事のできなさは、コロナ禍で繰り返し飛び交った「やってる感」の証左でもあるだろう。わかってはいたけれど、「やってる感」って、やっていない、ってことだったのだ。

最終更新日として、二〇二〇年一一月一日と明記されている厚生労働省(以下、厚労省)の「布マスクの全戸配布に関するQ&A」を、事細かにチェックしてみる。

「問3　自分の家には届いていない場合、どうすれば良いですか？」

そうそう、届いていないんです。どうすれば良いのでしょうか。待っていれば届くんでしょうか。このように答えている。

「全ての都道府県で配布は完了していますが、届いていない場合は、以下の布マスクの配布に関する電話相談窓口にお電話をいただき、お申込みをお願いいたします」

やっぱり、配布は完了した、と言い張っている。フリーダイヤルの番号が添えられているが、布マスクを欲する気持ちが皆無なので、電話で要求することはしない。「届かない！」という訴えは、決して、「欲しい！」ではない。国が二六〇億円も使って布マスク配布を行った結果、誰もその布マスクを使わないし、届かなかった人さえいるし、届かないままになっている、という状態を記憶しておきたいだけだ。

厚労省のサイトには、あたかも多くの国民の気持ちを代弁するかのような問いも投げかけられている。

「問5　布製マスクのサイズが小さいと思うのですが、大人用ですか」

とても鋭い問いだ。この問いが浮上すること自体が、このプロジェクトの失敗を物語っている。ファミリーレストランのホームページに「ハンバーグのサイズが小さいと思うのですが、お子様ランチ用ではないですか」という質問は載っていない。素材やコストを考え抜き、最適と思える値段で自慢のハンバーグを出しているに決まっている。店員を捕まえて、そんな問いかけをする人がいたら、それはもうクレーマーの域だろう。でも、政府から配布された布マスクには、この問いが機能してしまう。これこそ、アベノマスクの実像だ。この鋭い問いへの答えはどう書かれているか。これは本当に大人用なのか。答えてもらおうじゃないか。

「洗濯可能で繰り返し使える布製マスクは、せきやくしゃみなどの飛散を防ぐことや、手指を口や鼻に触れるのを防ぐことにより、感染拡大の防止に役立つものと考えております。こうした観点から、口と鼻がしっかりと覆われることが重要であり、今回配布する布製マスクは、縦9・5cm、横13・5cmの市販品の大人用のものであり、口と鼻を覆うために十分な大きさであると考えております」

アベノマスクは口と鼻をしっかりと覆うことができるものだとしている。本当にそうだろうか。アベノマスクを愛用している人の写真を探して確認しようと試みたものの、調べても調べても、ひたすら安倍晋三の写真が出てくる。その安倍の写真をチェックしていくが、アベノマスクでは口と鼻をしっかりと覆うことはできていない。特に大柄でもない安倍自身が、これでは不十分です、と体を張って主張し続けていた。

「問18　不良品が届いたのですが、交換できますか」の答えは、「ガーゼの破れ、ゴム紐の破損、生地の汚れなど、ご利用いただく上で問題がある場合は交換させていただきます（サイズの大小を理由にした交換には応ずることができません）」である。サイズのことは聞かないでくれ、それは今言われても無理なんです、という断り書き。サイズのこと、めっちゃ気にしているじゃないか。

六〇〇〇万枚が備蓄

アベノマスクは、たちまち「安倍のマスク」、つまり、安倍しか使わないマスクになった。前回も引用したが、安倍とも親しい作家の伊集院静が、このマスクについて、「総理は母親が子供の自分にしてくれたものを国民に与えたかったのだと私は思うよ。それを少し小さいとかデザインが、とか横着を言うんじゃない」（『週刊現代』二〇二〇年七月四日・一一日号）と述べている。何度読んでも味わい深い。あのマスクは、安倍と母親との繫がりを象徴するもので、その気持ちをおすそ分けしてもらったものだったのだ。台湾のデジタル担当大臣であるオードリー・タンが、効率的にマスクを配布するシステムを構築して世界から賞賛されたが、一方で私たちの国は、総理のママへの気持ちを染み込ませた小さなマスクがまだ届かない、大量に余っている、もう誰もいらない、という状態に置かれている。そして、効果があったと言い張っている、そんな絶望的な現在にあるのだ。

とても残念なことだが、安倍晋三少年の、お母さんに対する気持ちに忖度《そんたく》するほど、新型コロナウイルスは優しい相手ではない。小さくてユルユルのマスクは、ただただ感染リスクが高い。そこに物語なんて必要ない。こめられた思いなんて聞きたくない。ウイルスの侵入を防ぐマスク。こちらからの拡散を防ぐマスク。それだけでいいのだ。それだけをやってくれればいいのだ。

二〇二〇年四月二八日、衆議院予算委員会で、立憲民主党・大串博志議員から、布マスクは息苦しくなると言われた安倍首相は、機嫌を損ねながら「最初はこの布マスクをしていただいたんですが途中から息苦しいということで外されましたが、私はずっとしているんですが全然息苦しくはございません。意図的にそうやっておとしめるような発言はやめていただきたいと本当に思います」（国会会議録より）と答えている。布マスクだと息苦しいという申し出に対して、私は息苦しくない、おとしめるな、と返す。このときの、おとしめられた主体が安倍なのかマスクなのかははっきりしないのだが、もはや安倍とマスクは一体化していた。それくらい、安倍しか装着しないマスクになっていた。

安倍は八月末に内閣総理大臣を辞する決断をしたが、二〇二〇年の後半、「桜を見る会」の前夜祭の開催費用をめぐって、安倍晋三事務所が費用を補塡していた問題で再度カメラの前に引っ張り出される機会が増えた。その口元に装着されているマスクはアベノマスクではなかった。十分に口と鼻が覆われた市販のマスクだった。安倍がアベノマスクをやめたのはいつだったか。七月末だ。八月一日、総理官邸に現れた安倍はアベノマスク以外のマスクをしてした。当然、報じる側は「ベツノマスク」と、この他に考えようがない形容で茶化したが、アベノマスクをしなくなった理由を問われた安倍は、「お店でもいろんなマスクが手に入るようになりましたので、ぜひ国民の皆さまにも外出にはマスクを着用していただくなど、感染予防にご協力をお願いしたいと思います」と、毎度ながら理由になっていない返答でお茶を濁した。首相周辺から「今後様々なマスクをつける」（日テレNEWS24）との見解も漏れていたが、「様々なマスク」にアベノマスクは含まれていなかった。

つまり、あれから、安倍はアベノマスクを装着していない。安倍がアベノマスクをやめる直前、介護施設などにアベノマスクを配布するプランを提示したが、介護施設側から断られるケースが続出した。当然の判断だ。どこよりも感染に気をつけなければならない施設にとって、アベノマスクの大量送付はリスクでしかない。重症化の危険が高い場所では、安倍の母親への気持ちなんて感じている場合ではないのである。結果的に、アベノマスクは六〇〇〇万枚ほど備蓄されることになった。あれから数カ月経っているが、そのマスクを欲する組織は見当たらない。今、どこで眠っているのだろう。

「国民から感謝やお礼の声もいただいている」

安倍が首相を退き、忠誠心の表れなのか、「せっかく頂いたみんなのマスクということで、あれを使うことを心掛けておるところでございます。大事にしたいと思っております」（朝日新聞デジタル・五月二〇日）と述べていた北村誠吾・地方創生大臣も役職を外され、菅義偉《すがよしひで》内閣では、菅も含め、アベノマスクをする人がいなくなった。

『新型コロナ対応・民間臨時調査会　調査・検証報告書』でも、「4月1日に安倍首相が発表した1世帯当たり2枚の布マスク全戸配布、いわゆる『アベノマスク』は、厚労省や経産省との十分な事前調整なしに首相周辺主導で決定された政策であった。背景にあったのは、使い捨てマスクの需給の逼迫。値崩れ効果を狙ったが、緊急経済対策や給付金に先立ち、政府の国民への最初の支援が布マスク2枚といった印象を国民に与え、政策コミュニケーションとしては問題の多い施策だった。配布の遅れもあり、官邸スタッフは『総理室の一部が突っ走った、あれは失敗だった』と振り返った」(「報告書のポイント」より)と酷評されている。しかし、いや、あれには意味があった、国民に布マスクを配布することで、需給バランスが整った、というのが政府の主張である。安倍政権から菅政権に変わり、アベノマスクをする人はいなくなったが、その評価自体は変わっていない。

一一月三〇日、参議院本会議で、立憲民主党・古賀之士議員から、アベノマスクについて、「古今東西、まれに見る残念な政策」と言われた田村憲久・厚生労働大臣は、「国民から感謝やお礼の声もいただいている」と反論した。どこかで聞いた感じがする。そう、安倍が星野源「うちで踊ろう」動画に便乗して大顰蹙《ひんしゅく》を食らったあと、当時の菅官房長官が「ツイッターでは過去最高の三五万を超える『いいね』をいただくなど多くの反響がある」と述べたアレに似ている。批判はありましたけど、賛同してくれる人もいたんですよ、という答弁をやたらと好む。古賀議員が「虫が混入した不良品の回収を含めどのくらいの予算を使い、どのような効果があったのか」と問うと、厚労大臣は「布マスクは洗濯することで繰り返し利用できるため、急増するマスク需要の抑制に有効と考えた」とした。

アベノマスク研究家である私、田村大臣の詰めの甘さにすぐさま気づく。布マスクに対する政府見解は、誰も使用しないことが明らかになってから二転三転しており、使用を前提とした「感染拡大防止」から、使う・使わないではなく「需要を抑える」なのだとする見解へ移行し、最終的には「第二波への備え」として保有するもの、と移り変わっていった。田村大臣は、このアベノマスクの立ち位置の変化を頭に入れていなかった。彼は「洗濯することで繰り返し使えるので、需要抑制に有効」としたが、それは、配布直後あたりに放たれた強弁であり、彼は強弁のアップデートを怠っていた。この時点で政府が投じるべき言い訳は、「アベノマスクは感染拡大防止の観点から全戸配布されたあと、残っているものについては、コロナウイルスの収束が見込めない現状を鑑みて保存しているところでございます。状況に応じて配布先を検討するなど、総合的な観点から、現時点でも必要な政策であったと考えております」くらいの、壮大な説明が必要だった。

麻生太郎のマウスシールド

二〇二〇年の新語・流行語大賞は「三密」に決定したが、トップ10には、「アベノマスク」も選ばれている。ここにある説明書きのほうが、田村大臣の説明よりもマスクの現状を捉えているだろう。このようにある。

「新型コロナウイルスの感染拡大を受け、政府が国内の全世帯に対し、2枚ずつ布マスクを配布したが〝なかなか届かない〟〝サイズが小さい〟という声も聞かれ、〝アベノマスク〟とも揶揄された。さらに、政府にとって誤算だったのが、配布したマスクの相次ぐ不具合。汚れや異物混入が見つかり、調達、検品、配送にも余分な費用がかかった。そんななか、『アベノマスクと当店のマスクを交換します』と呼びかけた薬局や動画サイトにマスクのリメイク動画を投稿したファッションデザイナーの再生回数が80万回以上になるなど、アベノマスクは政府の想定とは異なる形で有効活用が広がったのだ」

受賞者は安倍晋三ではない。「特定非営利活動法人サラダボウルの皆さん」だ。この団体は五月の時点で、不要なアベノマスクを回収するBOXを吉祥寺駅周辺に五カ所も設け、募集のチラシに「マスクを必要としている人がいます。マスクが手に入らず困っている人がいます。あなたの想いとマスクを、必要な人につなぎます」と記した。武蔵野赤十字病院で入院している子どもたちにぴったりなサイズだったので、不要なマスクを回収し、子どもたちに配ることにしたのだ。全戸に配られたってどうしょうもないものをどうかして意味のあるものに変えられないだろうかと考えた人たちの努力により、なんとかして意味を持ち得たのである。

東京大学医科学研究所の河岡義裕教授らがおこなった研究で、マスクの予防効果が明らかになった。実際に新型コロナウイルスを使用した実験で、「ガーゼの布マスク」（アベノマスクだったかは不明）と「不織布のマスク（表記上は「外科用マスク」）」と「医療現場で使われるN95」の三種類による予防効果を計測している。そのマスクをつけていることで、ウイルスを吸い込むのをどれくらい防止できるのか。発表された「新型コロナウイルスの空気伝播に対するマスクの防御効果」から引用する。

「ウイルスを吸い込む側のマネキンに各種のマスクを装着させて、ウイルスの吸い込み量を調べました。その結果、布マスクを着用することでウイルスの吸い込み量がマスクなしと比べて60－80％に抑えられ、N95マスクを密着して使用することで10－20％まで抑えられることがわかりました」

調査結果のグラフを見てみると、布マスクでは一七％、布マスクは四七％、N95は七九％、ウイルスを抑えることができる、との研究結果だ。マスクをしていればウイルスを全て吸い込むことはない、なんて考えはさすがに誰も思っていないと思うが、事実、布マスクでは多くのウイルスを吸収してしまうとの結果が出た。では、吐くほうはどうか。

「反対にウイルスを吐き出させる側のマネキンにマスクを装着させてSARS-CoV-2（引用者注：新型コロナウイルス）を空間中に噴出させると、マスクの装着によりウイルスの吸い込み量が大きく低下することが明らかとなりました」

こちらについては、布マスクも不織布も同じように七〇%弱抑えることができている。吐き出すときには当然、真正面に息を吐き出すことになるから、小さな布マスクでも効果はある。ただ、吸い込むときには、当然、それが達成されることはなく、傍《かたわら》からどんどんウイルスが入ってくる。政府が言うところの「感染拡大の防止に役立つもの」として、布マスクはやはり物足りない。というか、物足りないとわかっているからこそ、誰も使わないのだ。

安倍政権から菅政権に切り替わり、相変わらず同じ場所に居座っているのが麻生太郎・財務大臣である。その存在感は薄まっているが、閣僚が全員集合する場面で、一人だけ、マウスシールドをしている。テレビ番組などでもタレントがしているのを見かけるが、誰がどう見ても、ウイルス侵入し放題、吐き放題である。あれは、あくまでも飲食店の店員などが、自分の唾液を料理等に飛ばないようにするための措置であって、ウイルスの侵入には効果がない。テレビの街ロケなどでは、感染対策を講じる一方で、芸能人の表情を映さなければならない。その妥協案として、あのマウスシールドが多用される。テレビタレントの振る舞いは一般人にも波及するから、彼らのマウスシールド着用は見直されるべきだが、コロナ対応が常に問われている政権の中枢の一人がアレに固執している姿というのも、なかなか笑い事ではすまされない。

麻生が固執するマウスシールドについて、西村康稔《やすとし》・経済再生担当大臣が講演会のなかで、「実は飛沫が上から出る。専門家に言わせると、あまり良くない」「ちゃんとマスクをしていれば大丈夫なんでしょうけれど、マウスガードだけだと飛沫が飛んでしまい、一人がうつっていると（他の人に）感染する」（朝日新聞デジタル・二〇二〇年九月二三日）と述べている。当たり前のことを言っただけでも、よくぞ言ったと感じてしまうのが情けないが、かといって、西村が麻生に直接告げたわけでもなく、この原稿執筆時点（二〇二〇年一二月末）でも、麻生太郎はあのマウスシールドをつけ続けている。麻生は四月二九日の時点で、アベノマスクをしていないのはなぜかと問われ、「私のところにはまだ届いていないと思います」と答えている。まだアベノマスクをしていないということは、まさか私と同じように、配布されていないのだろうか。厚労省に電話すればすぐに手配してくれる。ぜひ、麻生には、布マスクの配布に関する電話相談窓口「0120－829－1778（9～18時：土日・祝日も実施）」（二〇二〇年一二月二四日現在）まで連絡をお願いしたい。

「まずは、自分でやってみる」

一度決めたことをやめられない。明らかに間違えていたことでも間違いを認めない。大勢が褒めていなくても、わずかに褒めている人を探し出して、その人に感想を代表させる。このコロナ禍で行われてきた施策に共通する態度だ。

繰り返し使えると言い切ったマスクを、今、誰も使っていない。吉村洋文・大阪府知事が、うがい薬が効くと言った件はどうなったのだろう。松井一郎・大阪市長が医療従事者のために集めたものの、配布先が決まらず、市庁舎に山積みになった雨合羽はどうなったのだろう。国民に向けた一〇万円の一律給付が当初、牛肉券だったことは忘れてはいけない。小池百合子・東京都知事が二〇二〇年末、医療従事者に向けた年賀状を小学生に書いてもらうのはどうかと言い出した。厚労省が「『#広がれありがとうの輪』プロジェクト」をはじめ、「共感の輪を広め、責め合うのではなく励まし合うことで、感染症に強い社会の実現を目指します」とツイートした。

この一年で私たちは何度となく、政府や自治体の対応に失望させられた。期待に答えてくれない、物足りない、という次元ではない。なんでそんなことをするんだろう、それだけはやらないでくれ、という内容を、いよいよ、これ、やりますよ、と前のめりに伝えてきた。安倍晋三首相は、桜を見る会や森友学園問題などを追及されるのを嫌がった。菅義偉首相は日本学術会議任命拒否問題などを追及されるのを嫌がった。結果、二人がどうしたかといえば、できる限り質問に答える場面を少なくすることで、自分に向けられた厳しい目を避けようとした。ぶら下がり取材で一方的にコメントを残して、記者からの質問が投じられる前に体を横に向けて急いで立ち去る姿は、両者に共通していた。

新型コロナウイルスは、全大陸に感染者を出す、地球全体を巻き込む惨事になった。だからこそ、同じ問題に立ち向かう各国リーダーの対応能力の差が可視化されてしまった。私たちが住む日本は、なかなかどうして、物足りない対応ばかりだった。政治家の施策に呆れながら、自分たちでなんとか自衛していると、その個々人の対応をパクりながら、中心で動かす人たちが、どうです、日本ってすごいでしょう、民度が違いますからね、と自慢し始めた。

何度だって思い出そう。そして、気を引き締めよう。この国は、国民に布マスクを配ったものの、誰も使わなかった挙句、そのマスクについて反省するのでもなく、一定の効果があった、と主張し続けている国なのだ。アベノマスクを仏壇に供えたのはつのだ☆ひろだが（ずっとそのままにしているのだろうか）、多くの人が未使用であるはずのマスクを、部屋のどこかに画鋲《がびょう》で貼りつけておくのがいいかもしれない。それを見れば、この国は何もしてくれないと、肝に銘じることができる。新しい総理大臣は「自助・共助・公助、そして絆」と言いながら「まずは、自分でやってみる」と要請してきた。こういう社会を生きているのだ。

誰も使わない布マスクを配った社会で生きていかなければならない。この事実は、やっぱり重い。あんまり国に頼らないで、自分でなんとかしろよ。アベノマスクって、そういう裏のメッセージがあったのだろうか。きっとそうだ。そうに決まっている。だって、そうでなければあんなに粗悪なマスクを配ることはない。自分の家には届いてさえいない。このクソ適当な指揮系統の下で、今日もなんとか生きていく。しんどいけれど。

（二〇二〇年一二月二四日）

［哲学］

コロナ禍と哲学　2

――感染症と格差

仲正昌樹

仲正昌樹（ナカマサ・マサキ）

一九六三年、広島県呉市生まれ。東京大学大学院総合文化研究科地域文化研究専攻修了（学術博士）。現在、金沢大学法学類教授。専攻は、政治思想史、ドイツ文学。主な著作に『危機の詩学』『増補新版　モデルネの葛藤』『カール・シュミット入門講義』『ハンナ・アーレント「人間の条件」入門講義』（以上、作品社）、『今こそアーレントを読み直す』『マックス・ウェーバーを読む』『ハイデガー哲学入門』（以上、講談社）、『集中講義！日本の現代思想』『集中講義！アメリカ現代思想』『悪と全体主義』『現代哲学の最前線』（以上、ＮＨＫ出版）など。

一　感染症と格差

緊急事態宣言解除から一カ月以上経ち、ＧｏＴｏキャンペーンが始まった頃から、それまで「経済より命」という声が圧倒的に優先だった世論が、徐々に、新型コロナウイルス（以下、新型コロナ）予防と経済活動を両立させるにはどうバランスを取ればいいか、どこに重点を置いて感染対策をすべきかに関心が寄せられるようになった。それに伴って、コロナ禍が経済格差に与える影響、さらにそれと連動する、職業や年収ごとの感染リスクの格差などの問題も徐々に関心が持たれるようになった。

人と人の接触を避けるための経済活動の停滞が長引けば、企業倒産件数や失業者数が増えるが、その影響を受けてもっとも困窮するのは、当然、飲食店等を経営する自営業者、零細企業の従業員、非正規雇用の人たちである。大企業の社員や公務員など、もともと収入面で安定している人はそれほど影響を受けない。リモートでの取引や会議が増加したため、ＩＴ技術関連の企業にはむしろ売り上げが伸びているところもある。アメリカを拠点とするグローバルＩＴ企業であるＧＡＦＡやZoom、Netflixなどがその典型だ。これらの企業の創業者やＣＥＯの資産は大幅に増加したとされている。

収入面での格差に留まらない。ＯＥＣＤ（経済協力開発機構）は二〇二〇年八月に、収入面での格差拡大が、子どもたちが受ける教育面・精神衛生での格差の拡大にもつながる可能性があるとの見解を示している。[1] もともと低所得層の子どもほど、静かに勉強できる子ども部屋がない、読書や音楽・美術鑑賞等の習慣がない、親が教育に熱心でない、親やその親戚や友人たちの会話やマナーなどから受ける知的刺激が乏しい、といった点で、将来のキャリア形成において不利である。

フランスの社会学者ブルデュー（一九三〇―二〇〇二）は、主として親から子に継承されていく、こうした文化的な所有物を「文化資本 capital culturel」と呼んでいる。「文化資本」は、経済格差の世代間継承・拡大、いわゆる教育格差と密接に関係している。

「文化資本」には、①教養、趣味、知識、感性のように「身体化された状態 l'état incorporé」のもの、②書物や絵画、楽器のように物資として所有可能な「客体化された状態 l'état objectivé」のもの、③学校や試験によって付与される「制度化された形態 l'état institutionnalisé」の三種類がある。[2] ステイホームの長期化は、主として①の面で影響を与えると考えられるが、それが長期的には③にも影響を与えると考えられる。両親と生活している文化的・心理的環境の悪化が、進学・進路を左右するという形で。

ＯＥＣＤによると、ステイホームが長引くことで、貧困家庭の子どもたちは給食の機会が少なくなり、規則的に十分に栄養のある食事を取ることができなくなり、外出できないなかで、室内でスポーツをすることもなく、運動不足で太りがちになる。両親が離婚している場合、もう一方の親との面会の機会がなくなったり、養育費が振り込まれなくなり、一人で家計を支えて働く親と家庭内で過ごす時間がさらに少なくなる、といった問題が生じる可能性がある。また、自らがストレスを受けている親による虐待が生じる恐れもある。「感染についての懸念、隔離や学校閉鎖などの感染抑止策、そして卒業試験についての不確実性などが、子どもの日常生活に影響を及ぼしている」[3]という。

学校が閉鎖になり、オンライン授業になると、言うまでもなく、その家庭のデジタル環境——ブルデューの用語で言うと、客体化された文化資本——が子どもの学習に強い影響を及ぼす。家庭内学習が多くなると、親が教師の代りに学習を監督・サポートすることになると考えられるが、その場合、親自身の教育水準や教えることに対する慣れ——身体化された文化資本——によって、学習に格差が生じることは充分に予想される。OECDはこのほか、親の失業や学校閉鎖によって、児童労働がかえって増加する可能性もあることも示唆している。

近代の公教育制度は、教育面での平等を保障すると共に、フーコー（一九二六―八四）が「規律権力 pouvoir disciplinaire」と呼ぶものの浸透に寄与した。「規律権力」とは、監獄、軍隊、病院、工場、学校など、多数の人間が集められる場で、一律の身体的な規律を課して訓練し、その達成度に従って諸個人を等級付けする形で作用する権力である。与えられた「規範 norme」に同化することを通して各人は、「普通さ（正常性）normalité」の感覚を身に付ける。「規律権力」が誕生するきっかけになったのは、ペストなどの感性症への対策であった。[4]

コロナ禍は奇しくも、学校などの特定の姿勢における身体的・直接的な規律化の機会を減少させ、教育への参加の自由度を高めることになった——日本の大学では、二〇年後期から、教室での授業を同時配信し、対面かリモート参加か選択できるようにしているところが増えている。その反面、文化資本面での不平等はかえって拡大し、教育における平等の原則が掘り崩されている。

先に、OECDの見解に即して列挙した点に加えて、教室でのほかの生徒・学生や専制と接する機会が減ると、他者とコミュニケーションする能力や情報を収集・評価する能力に格差が拡大する可能性がある。日本の大学一年生は、クラスの同級生との情報交換や教員の指導で、PCの使い方やノートの取り方、レポートの書き方、発表の仕方などを学習することが多いが、リモートだと、元来人見知りだと、友人ができないし、教員にも話しかけづらいうえ、画面越しに教えてもらっても、ピンと来ない。

これはブルデューが「社会関係資本（ソーシャル・キャピタル）capital social」と呼ぶものに関係する問題である。[5]「社会関係資本」とは、家族、友人、同窓生、職場の同僚、同じクラブの会員など、何かの目的を達成するために、その人が協力を求めることができる人脈の総体を指す。一九九〇年代に入った頃から、社会学、政治学、経済学などで強く関心が持たれるようになった。

アメリカの政治学者ロバート・パットナム（一九四〇―）は、イタリアの諸州の統治パフォーマンスを研究した『哲学する民主主義』（一九九三）で、議会や官僚機構、政党組織よりも、社会関係資本がより重要な役割を担っていることを明らかにし、アメリカのコミュニティを研究した『孤独なボウリング』（二〇〇〇）では、アメリカで共同体を基盤にした社会資本がいかに衰退しているか具体的数値に基づいて示している。『孤独なボウリング』でパットナムは、ヴァーチャル・コミュニティを新たな社会関係資本として認める一方で、コミュニケーションにおける、身振りや表情などの非言語的要素が切り詰められてしまうことや、気が合う者だけでミニ・コミュニティを作れるので、現実のコミュニティと違って、多様性を受けれることを学ぶ経験が減ることを限界として指摘している。[6]

イングランド銀行のチーフ・エコノミストのアンディ・ハルデーン（一九六七－）は一〇月に行った「在宅の仕事はあなたにとって良いことか？」と題した講演で、リモートワークの割合が増えることで、各人がそれまで成長の糧としてきた社会関係資本が減少しつつある可能性を示唆している。[7] Zoomなどでのリモート会議は、公式的な情報を効率的に獲得するには有用だが、ハルデーンは、非公式的な会話（informal conversation）を通して得られる「暗黙知 tacit knowledge」[8]や「個人的情報 personal information」が失われていることに眼を向けるべきだと指摘している。具体的には、会議の席で会議が正式に始まる前や後での個人的な会話、エレベーターからオフィスに向かうまでの数分間の立ち話、パブなどでの同窓生との情報交換等である。

ハルデーン自身はこのことと、新型コロナによる経済格差の拡大を別個の問題として論じているが、もともと社会・経済的立場が不安定で、仕事や公的制度の利用に関する情報交換のネットワークが乏しい人ほど孤立化し、仕事がやりにくくなる可能性がある。友達作りが苦手で、デジタル環境も整っていない日本の学生は、進路選択や就職に関するインフォーマルな情報が途絶えるせいで、思い込みが補正されず見当外れな判断をしやすくなる恐れがある。

二 資本主義と感染症

反権力の立場を取り、社会的弱者の抑圧の解放を標榜《ひょうぼう》する人たちを「左派」と呼ぶとすれば、規律権力の基盤が解体する反面、各種の格差が拡大する可能性が高まっているコロナ禍の現状を、左派はどう評価すべきか。解放の可能性が高まっていると考えるべきか、それとも新型コロナという自然現象——あとで言及するように、文明の発達の過程で生じたので、純粋に「自然」現象と言えるのか疑問だが——に気を取られているあいだに、格差が自明のものと見なされ、固定化されていく危うい状況と見るべきか。

一九七〇年代から九〇年代にかけて、左派陣営の内部で、経済的平等の実現を重視するマルクス主義者を中心とする社会主義系の左派と、ジェンダー・セクシュアリティやエスニシティなど、文化的な差別やアイデンティティに関わる問題をより重視する新しい左翼、フーコーやデリダ（一九三〇―二〇〇四）のように、社会の至るところに張りめぐらされ、「主体」の在り方を規定しているものの、その実体を把握しにくい権力ネットワークを露わにしようとするポストモダン（左）派の三つの立場が対立するようになった。

九〇年代後半から、古くからの左派の立場を「再配分 redistribution」という言葉で代表させ、あとの二つのタイプの〝左派〟を「承認 recognition」という言葉で代表させたうえで、「再配分か承認か」を問う議論が、（双方の中間に位置すると目される）フランクフルト学派によって提起されるようになった。ただし、私見では、この設定は単純すぎる。再配分というのは通常、市場経済の下で生じた格差を、福祉や教育、公共投資などによって調整する福祉国家的枠組みを前提にした言い方だ。しかし、私有財産制の廃止による完全平等を掲げる、純粋なマルクス主義的左派は、この前提に当てはまらないし、アメリカのリベラルな政治哲学を代表するロールズ（一九二一―二〇〇二）やドゥウォーキン（一九三一―二〇一三）のように、再配分よりも、自己実現のために必要な基本財の平等な（事前の）配分に重点を置く論者もいる。また、「承認」論者のなかにも、女性差別、民族・人種的マイノリティ差別、障碍《しょうがい》者差別など、現に社会問題として表面化しているものの克服に焦点を当てるべきとする立場と、多数派／少数派の差別の基礎になっている「アイデンティティ」を生み出している言説や表象、ミクロ権力装置的なものを掘り下げて分析し、「少数派としてのアイデンティティ」を認められるのを目指すのが正しいことかを問うフーコーやジュディス・バトラー（一九五六―）のような立場の間にはかなりの隔たりがあり、同じカテゴリーに入れるのは無理がある。〃左派〃はかなり多様化していた。

しかし、九〇年代後半から二一世紀の終わりにかけて、経済的グローバリゼーション＋新自由主義的（反ケインズ主義的）経済政策の影響で、文化的多様性が破壊され、画一化が進むと共に、各国の国内経済格差が拡大するなかで、経済的不平等という左派の伝統的テーマが再び中心的な位置を占めるようになった。ネグリ（一九三三―）とハート（一九六〇―）の『〈帝国〉』（二〇〇〇）は、資本主義的グローバリゼーションとそれへの対抗戦略という視点から、左派の闘いの焦点を再統合する試みだったと言える。[9]

各国が防疫体制を強化したにもかかわらず、コロナ禍が短期間でパンデミック化し、どうしたら収束したことになるか見通せない混沌とした状態になっているのは、明らかにグローバリゼーションの帰結である。だが、皮肉なことに、「経済よりも命」を叫ぶ、日本や西欧諸国のリベラル左派の姿勢は、結果的に格差拡大に寄与している。先の「再配分（平等）か承認か」図式に関連付けて言うと、コロナ禍は直接的には、経済的再配分に作用しているが、文化資本や社会関係資本といった、アイデンティティの「承認」をめぐる問題の領域とも関連している。文化資本や社会関係資本の不足で、キャリアや社会生活の重要な情報に関わるコミュニケーションのネットワークに入っていけないと、経済生活上の基盤がさらに掘り崩される。

各人の経済・文化的ステータスは、当然、労働の形態に関わり、新型コロナ感染のリスクを左右する。典型的なグローバル企業としてGAFAの一角を占めるAmazonは、先に述べたようにコロナ禍を利用して高収益を上げているが、Amazonの商品の在庫管理や運送を担当する末端の労働者は、当然、需要が増えるほど、人との接触回数が増え、感染のリスクが高くなる。これは、ネット通販を展開する大手企業全般について言えることである。東大の生産研究所が一〇月末に公表した研究成果によると、緊急事態宣言に伴う人々の「自粛」によって接触率が低下し、それが新型コロナ感染の実効再生産数の低下に繋がっている。ただ、接触率の減少には東京都内で地域差があり、平均所得の低い地域では高所得地域に比べて接触減少率が低かった、という[10]。低所得の人ほど、感染のリスクが高まりやすい仕事に従事していると考えられる。

格差と感染リスクの関係は、すでに一九世紀の半ばマルクス（一八一八―一八三）やエンゲルス（一八二〇―一九五）によって指摘されている。エンゲルスは初期の著作『イギリスにおける労働者階級の状態』（一八四五）で、貧しい労働者の家族が不潔で狭く、換気もよくない労働者用集合住宅（コテジ）にぎゅうぎゅう詰めで生活しているロンドン、バーミンガム、マンチェスター、グラスゴウなど、大都市の労働者居住区で、コレラ、チフス、しょう紅熱、肺結核などの感染症がたびたび流行したことを指摘している。幼い頃から長時間労働を強いられた労働者の多くが発育不良・虚弱体質になっているので、上・中流階級の人よりも病気に対する抵抗力がなく、症状が重くなりやすいことにも言及している。

マルクスは『資本論』第一巻（一八六七）の二三章でこの問題を扱っている。この章では、資本主義的生産が発展し、資本が蓄積されるようになるのに伴って、労働者がどのような状態に置かれるかが論じられている。資本が労働力をその都度の都合に応じて、安価に入手するには、労働者予備軍となる相対的過剰人口が常に飢えた状態で存在する必要がある。生産システムの部品である労働者たちは常に替わりが利かねばならない。彼らはすぐに動員できる工場施設の周辺に居住している必要がある。

> 生産手段の集中が大量であればあるほど、それに応じて同じ空間における労働者の密集も、ますます甚だしく、したがって、資本主義的蓄積が急速であればあるほど、労働者の住宅状態が、ますます悲惨になる。富の進展にともない、不良建築地区の取払い、銀行や大商店などの巨大な建物の建築、取引上の往来や贅沢な馬車のための道路の拡張、鉄道馬車の開設等による都市の「改良」（improvements）が行なわれ、そのために目に見えて、貧民はますます不良な稠密《ちゅうみつ》な片すみに追い込まれる。[11]

資本主義的な都市がブルジョワにとって仕事をしやすい環境を作ろうとすれば、労働者はその反作用でより狭い空間へと追い込まれ、感染症に対して無防備になる。感染症が労働者居住区の外に拡がるのを怖れるブルジョワは衛生関係の条例を次々と制定し、衛生警察による検査・取り締りを強化していった。[12] 衛生警察によって不適格な家屋が取り壊されると、労働者はより条件の悪い住宅へと追いやられ、余計に密集することになる。労働者は、都市の内部で飼育されている、感染源になる恐れのある、汚らしい家畜として扱われていたわけである。

コロナ禍によって、感染症をめぐる様々な歴史書が再注目されているが、その一つに、S・ジョンソン（一九六八―）の『感染地図』[13] がある。この本では、一八五四年にロンドンのソーホー地区でのコレラ流行に際して、医師のジョン・スノー（一八一三―五八）と地域の聖職者のヘンリー・ホワイトヘッド（一八二五―九六）が、感染の原因が細菌によって汚染された井戸水にあることを突き止める過程が描かれている。マルクスやエンゲルスの資本主義批判と同時代の出来事である。マルクス自身、一八四九年から五〇年代の半ばまで、外国人移住者の多かったソーホーに居住していた。ソーホーは、低収入労働者と起業精神が旺盛な中流階級が混住する地域であり、混雑し、不衛生で、伝染病の温床になっていた、という。

当時、ベンサム（一七四九―一八三二）の影響を受けた功利主義者で、労働組合の創設や労働者の生活改善のために尽力していたエドウィン・チャドウィック（一八〇〇―九〇）が、政府の公衆衛生局長としてロンドンの下水道整備に当たっていた。ペストやコレラなどの病気は瘴気《しょうき》によって生じるという説を取っていたチャドウィックは、労働者居住区などの悪臭を取り除くため、市内で出る廃棄物を下水でテムズ川に流し込む対策を推進した。これによってコレラ菌による水質汚染が広がり、多くの死者を出し続けたことが、スノーなどの調査によって明らかになった。

ジョンソンの記述を要約すれば、伝染病が貧困者の居住区を中心に発生するのは、彼らの生活態度に問題があるという上流階級の偏見と、それに基づく両者の居住空間の隔離、及び、都市の実態に合わない公衆衛生政策が感染を拡大させた、ということになるだろう。コレラと新型コロナでは感染のパターンはかなり違うが、資本主義の発展に伴う都市の巨大化によって感染の可能性が拡がり、資本主義の下での経済格差が健康リスク格差に繋がっている、という基本的な構図は変わらない。

さらに言えば、これは資本主義的グローバリゼーションの問題でもある。コレラはもともと、インドのベンガル地方を中心とする風土病で、英国による植民地化以前は、インドのなかで時折流行することがあったが、外の世界に拡がることはなかった。周辺地域の人も、ガンジス川周辺での祭りを機に流行することが分かっていたので、ある程度備えておくことができた。それが一八一六〜一八年にかけて、インド北部で軍事活動を行った英国軍がコレラ菌と接触し、短期間に全世界に拡大させた。英国本国の大都市は、工業化と中途半端な公衆衛生政策によって、コレラが拡散するための最適な環境だったわけである。

やはりコロナ禍で再読されるようになった歴史書に、ウィリアム・マクニール（一九一七—

二〇〇六）の『疾病と世界史』（一九七六）がある。この本でマクニールは、農業による各地域の生態系の変化や、大陸を越えた人の移動による風土病の交換などによって、新たな世界的疫病が発生し、その疫病への対処の過程で新しい技術や制度が生まれる、ある意味、弁証法的な、動的世界史プロセスを描いているが、ヨーロッパの工業化がそれを加速させ、コレラのような典型的な都市型感染症を生み出したことを示唆している。[14]

資本主義が、経済格差（＋文化資本格差＋社会関係資本格差）と共に健康リスク格差を拡大し、その帰結として、コロナ禍のような形で、文字通り、世界の在り方を根本的に変容させせつつあるとすれば、九月に刊行された斎藤幸平（一九八七―）の『人新世の「資本論」』（集英社新書）のように、エコロジーの視点からマルクスのテクストを読み直し、脱資本主義の構想に繋げていこうとする議論が、コロナ禍で注目されることに必然性があるのかもしれない――「人新世 Anthropocene」[15]とは、人類の活動が気候や生態系などに与える影響が、新しい地質学的年代を形成しつつあることを示唆する概念。

三　免疫装置としての国家

『資本論』第一巻には、労働者の居住環境の問題とは別の文脈で、「ペスト」に触れている箇所がある。英国における最初の労働規制に関する法律である、一三四九年に出された労働者勅令（Ordinance of Labourers）[16]の意義について論じている文脈である。二年前の一三四七年には、ヨーロッパ全域でペストが大流行した。多くの死者が出たため、英国でも、労働者が不足した。

そこで勅令は、六〇歳以下の者は働く義務があると一般的に定めた上で、地主等がペスト以前よりも高い賃金で労働者を雇用することや必要以上に多くの者を雇用すること、労働者が契約期間の終了以前により良い条件を求めて渡り歩くこと、食糧品を扱う商人が価格を不当に吊り上げることなどを禁止している。

一三四七年の大流行を機に西欧諸国が国境線での検疫体制を整備するようになり、それが近代的な国家主権の確立に寄与したのはよく知られたことである。また、フーコーが指摘しているように、感染拡大地域をほかの地域から行政的に分離し、その住民の状態を細かく記録する規律権力的な手法が国家によって確立された。これに、マルクスが指摘する労働力の管理という要因を加えて考えると、ペスト大流行を機に、自らの領域内の人的資源を合理的に管理することを目指す、生権力（フーコー）[17]の主体としての国家ができあがったと見ることができる。

感染症に対する「自己」防衛から生まれてきた近代国家は、免疫システムを備えている。イタリアの政治哲学者エスポジト（一九五六―）は、『免疫 Immunitas』（二〇〇二）で、国家や教会などの「共同体」が示す免疫作用と、生命体に生じる免疫反応の間のパラレルな関係を論じている。

英語の〈community〉の語源であるラテン語〈communitas〉と、「免疫」を意味する〈immunity〉の語源である〈immunitas〉――もともと中世の荘園の「免除」を意味し、現在では「免責特権」意味一般を意味する――は、いずれも「義務」「負担」「奉仕」などを意味する〈munus〉という言葉から派生している。つまり、「共同体」は義務を共有する者たちの集まりであり、「免疫」とはそれから解き放たれていることである。感染症に対する「免疫」は、身体の外部から侵入してくる異物を探知し、捕捉して、最終的には身体から排除しようとする作用を意味する。国家などの共同体でも、たとえば、大量の移民のようなかたちで、異質な存在が体内（corpo）に入り込んでくると、血統や文化の面でその影響（汚染）が拡大しないよう包囲し、最終的には排除しようとする作用が生じる。二つの意味での「免疫」は、単に外部から侵入する異分子を排除するという機能面で似ているというだけでなく、国境での検疫のような形で現実的にも繋がっている。[18]

英語の〈body〉、フランス語の〈corps〉などは、肉体としての「身体」と共に「団体」を意味する。特に「国家」という「団体」は、ホッブズ（一五八八―一六七九）の『リヴァイアサン』（一六五一）以降、しばしば人間の身体のメタファーでその構造や機能を説明されてきた。フーコーの言う「生政治」は、二つの「身体」が、「免疫」という点で交差する領域だ。国家の「身体」の安全のため、各人の「身体」にワクチン接種のような形で医療・公衆衛生的措置が強制的に施されるようになった。英国では一八三二年のコレラ流行を機に、感染症拡大防止のため富裕層の居住区域と貧困層のそれが分離されるようになった。[19]

この著作でエスポジトは、『新約聖書』の「テサロニケ人への第二手紙」の終末論的な文脈に登場し、カール・シュミット（一八八八―一九八五）がその政治神学的意義を強調している「カテコンκατέχων（katechon）」を、免疫論の視点から再解釈することを試みている。「カテコン」とは「抑止する者」という意味のギリシア語で、アンチ・キリストが神を装って現れて人々を誑《たぶら》かすようになるのを、終末のときまで抑止する役目を担っている者を意味する。本当の救世主が現れる前に、救世主を装った偽物（悪の権化）が現われて、人々に害悪を与え、破滅に引きずりこまないよう抑えを利かせるわけである。

本来の「カテコン」は、「キリストの身体＝キリスト教共同体（il corpo cristiano）をそれを脅かすものから保護する抗体（anticorpo）」[20]だが、カール・シュミットは、中世の神聖ローマ帝国が自らをキリストの身体を守る「カテコン」として位置付けていたことに注目する。[21]この延長で、キリスト教のような宗教的共同体を基盤に成立した国家一般が、共同体の中に異物による汚染が広がるのを防ぐ「カテコン」としての性質をその起源において持っていると見ることができる。

現代政治において「カテコン」に相当するものは何かと考えると、多くの人は、トランプ政権のアメリカを連想するだろう。トランプは、アメリカという国家に侵入してくる不法移民と中国資本という異分子を排除して、アメリカを再び健康にする「抗体＝カテコン」として名乗りを上げ、大統領に当選し、その役割をある程度果たしてきた。しかし、その実績で当初は再選確実と思われていたのに、（中国で生まれたとされる）新型コロナを軽視したため、「カテコン」の役割を、民主党所属の州知事たちやバイデン前副大統領に奪われ、敗北した。しかし選挙後、選挙は、アメリカのメディアや行政機関、民主党に深く浸透した中国などの外国勢力によって捻じ曲げられたとする声がトランプ支持者のあいだに拡がった。「カテコン」である大統領を中心とした、国家の身体を守るための最終決戦という、ハルマゲドンあるいはラグナレク的な物言い――「クラーケンを解き放つ」等――がこれまで以上に際立つようになった。「ディープステイト」というのは、感染が相当進み、中枢まで乗っ取られた状態だろう。

今年六月に行われたコロナ禍に関連するインタビューでエスポジトは、①近代人は宗教に代わる免疫装置を求める人たちであり、その装置の最大のものが国家であること、②政治的なものの本質は抗争であり、抗争なくして共同体は存在しないが、国家の根底にある政治神学はそれを単一の秩序に還元しようとすること、③しかし、コロナ禍のアメリカでの反人種主義のデモは、コントロール不可能な抗争の領域が開かれたこと[22]――を指摘している。これを、大統領選をめぐる情勢に当てはめると、以下のようなストーリーになろう。

トランプ政権が、新型コロナそれ自体に対する免疫装置の構築を軽視し、反人種主義運動をANTIFAのような反国家的異物の汚染の帰結として処理しようとしたため、政治的ウイルスをめぐる問題と生物学的なウイルスをめぐるそれがリンクしてしまった。それによって、トランプが守ろうとした――あるいは、守ろうとしているように見せかけた――国家秩序の下で抑圧されていた、根源的な抗争が表面化して、抑えきれなくなった。その結果、四年間ホワイトハウスを支配したトランプ的なもの自体が、国家に巣食うウイルスと見なされ、追放されようとしている、という皮肉な事態に至った。ある方面に特化しすぎた免疫装置が暴走して、「自己」の細胞を異分子と見なして攻撃し、傷つけすぎたため、別の免疫装置が作動した、とまとめることもできよう。

興味深いのは、実際に勝利したのはトランプ大統領で、マスコミの伝えているのはフェイクニュースだという、アメリカのトランプ支持派の言い分をそのままなぞる陰謀論が日本のネットでもかなり拡散したことである。日本のトランプ派は、その間違いを正そうとする意見のほうこそ、中国や民主党のウイルスに感染していると非難し、激しく攻撃する。日本にも、変異したトランプ・ウイルス（あるいは抗体）が持ち込まれ、それが右派の一部によって、日本という国体を守る最後の抗体として過剰に意味付けされ、中国産の文化的ウイルス——生物学者リチャード・ドーキンス（一九四一—）の用語で言うと、「ミーム（自己複製子）meme」[23]——との闘いに投入されているのかもしれない。

先に述べたように、コロナ禍でリアルな人と人の接触が減少し、ネット情報に頼り切りの状況が続くなかで、極端に視野が狭くなっている人が増えていることの一つの現われと見ることもできよう。政府も（一時は英雄として期待された）東京都知事や大阪府知事も、新型コロナと中国から日本を守るため、究極の蛮勇をふるってくれそうにないので、日本の守護神であるアメリカの大カテコンであるトランプに唯一の希望を見出した人たちがいてもおかしくはない。ネット上のイメージとしてしか知ることのできないヴァーチャルな存在であれば、国内の政治家かどうかはさほど問題ではないのかもしれない。彼らは、国体を守る抗体としてトランプ・ミーム（ウイルス）を導入しようとして、自ら深く感染し、思考の中枢を支配されるに至ったということになるだろうか。

（二〇二〇年一二月二六日）

注

1 OECDの見解については、http://www.oecd.org/coronavirus/policy-responses/combatting-covid-19-s-effect-on-children-8df48f29/ を参照。

2 Pierre Bourdieu. Les trois états du capital social, in: Actes de la Recherche en Sciences Sociales, année 1979 (30), pp. 3-6 を参照。

3 前掲のOECDのサイトより引用。

4 フーコーの「規律権力」は、以下の著作で最も体系的に論じられている。Michel Foucault, Surveiller et Punir, Gallimard, 1975（田村俶訳『監獄の誕生』新潮社、一九七七年）。フーコーは、規律権力と感染症の関係について指摘しているが、これについては拙稿「コロナ禍と哲学」：森達也編『定点観測 新型コロナウイルスと私たちの社会 二〇二〇年前半』論創社、二〇二〇年を参照。

5 Pierre Bourdieu, « Le capital social », in : Actes de la recherche en sciences sociales, n°31, 1980, pp. 2-3.

6 Robert Putnam, Bowling Alone, Simon & Schuster, 2000, pp.169ff.（柴内康文訳『孤独なボウリング』柏書房、二〇〇六年、二〇一頁以下）を参照。

7 https://www.bankofengland.co.uk/speech/2020/andy-haldane-engaging-business-summit-and-autumn-lecture

8 「暗黙知」は、化学者で社会哲学者でもあるマイケル・ポランニーの用語である。Michael Polanyi, The Tacit Dimension, Routledge, 1966［高橋勇夫訳『暗黙知の次元』筑摩書房、二〇〇三年］を参照。

9 『〈帝国〉』の思想史的な意義については、拙著『「増補新版」ポストモダンの左旋回』（作品社、二〇一七年、三二三頁以下）を参照。

10 https://www.iis.u-tokyo.ac.jp/ja/news/3393/?utm_source=facebook&utm_medium=social&utm_campaign=update

11 Karl Marx, Das Kapital, Bd.1 ＝ Karl Marx - Friedrich Engels – Werke(MEGA), Band 23, Dietz Verlag, 1962, S.687（向坂逸郎訳『資本論（三）』岩波文庫、一九六九年、二五一頁以下）

12 Ibid.,（同右、二五二頁）を参照。

13 Steven Johnson, The Ghost Map, Riverheadbooks, 2006（矢野真知子訳『感染地図』河出書房新社、二〇一七年）

14 William H. McNeill, Plagues and Peoples, Penguin Books, 1979, pp.240ff.（佐々木昭夫訳『疾病と世界史（下）』中央公論新社、二〇〇七年、一六九頁以下）を参照。

15 「人新世」について詳しくは、Jean Baptiste Fressoz & Christophe Bonneuil, L'Évolution Anthropocène, Seuil, 2016（野坂しおり訳『人新世とは何か』青土社、二〇一八年）を参照。

16 MEGA Bd.23, S.287（『資本論（二）』岩波文庫、一六三頁）を参照。この勅令は以下のサイトで閲覧できる。https://sourcebooks.fordham.edu/seth/ordinance-labourers.asp

17 前掲拙稿「コロナ禍と哲学」を参照。

18 Roberto Esposito, Immunitas, Einaudi, 2002, pp.6 sgg. を参照。

19 Ibid., pp.161 sgg. を参照。

20 Ibid., pp.76-77.

21 Carl Schmitt, Der Ncmos der Erde im Völkerrecht des Jus Publicum Europaeum, Duncker & Humblot, 1950, S.28-36（新田邦夫訳『大地のノモス』滋学社、二〇〇七年、三八―四九頁）を参照。

22 https://antipodeonline.org/2020/06/16/interview-with-roberto-esposito（松本潤一郎訳「COVID-19時代の〈免疫〉生政治」：『現代思想』二〇二〇年一一月号、一七三頁以下）を参照。

23 Richard Dawkins, The Selfish Gene, Oxford University Press,2016,pp.245-260（日高敏隆他訳『利己的な遺伝子』紀伊國屋書店、二〇一八年、三二五―三四五頁）を参照。

［教育］

子どもの受難は続く

前川喜平

前川喜平（マエカワ・キヘイ）

一九五五年、奈良県生まれ。現代教育行政研究会代表。東京大学法学部卒業後、一九七九年に文部省入省。二〇一六年に文部科学事務次官。二〇一七年一月に退官後、加計学園問題で岡山理科大学獣医学部新設の不当性を公にする。福島市と厚木市で自主夜間中学の講師も務める。著書に『面従腹背』（毎日新聞出版）、共著に『同調圧力』（角川新書）、『生きづらさに立ち向かう』（岩波書店）など多数。

「全国一斉休校」の検証と反省

第一波が沈静の様相を呈した七月以降、政府の新型コロナウイルス（以下、新型コロナ）対策について各メディアが検証を行った。二月二七日の安倍晋三首相による突然の「全国一斉休校要請」に端を発し、三カ月から四カ月にわたった長期休校についても、いくつかの事実が明らかになった。

七月一五日の『朝日新聞』は、安倍首相の「要請」の数日前の官邸幹部らとの会議で菅義偉《すがよしひで》官房長官などから異論が出たため「首相も一度は一斉休校を見送る考えを示した」が、今井尚《たか》哉《や》首席秘書官が「立ち消えになった案を再び俎上に載せた」と報じている。七月二一日の東京新聞によれば、二月二七日当日に安倍首相の意向を知らされた萩生田《はぎうだ》光一・文部科学大臣（以下、文科大臣。文部科学省は文科省）が、官邸を訪問し「課題を一つ一つ挙げ、翻意を促した」が、「安倍の決意は固かった」という。一方、一〇月二五日発行の『新型コロナ対応民間臨時調査会調査・検証報告書』（一般社団法人アジア・パシフィック・イニシアティブ著、ディスカヴァー・トゥエンティワン）によれば、二月二七日の午前中に官邸に呼ばれた藤原誠・文科事務次官は、安倍首相の意向を初めて伝えられたとき「私もやった方がいいと思っているんです」などと即座に応答したという。このような迎合発言が安倍首相の「決意」をより強固なものにしたのだろう。

安倍首相に先行して二月二六日に小中学校の「全道一斉休校」を要請していた北海道の鈴木直道知事は、八月一九日朝日新聞掲載のインタビューで、安倍首相の休校要請について「全国一斉に休校し、しかも高校まで拡大する。想像を超えた話で、正直びっくりしました。結果として、休校期間がより長期化することになりました。私たちとしては、休校期間は一週間が限度だろうと判断していたのですが」と述べている。しかし、島根県のように一斉休校の要請に応じなかった自治体もある。鈴木知事は長期休校を安倍首相の責任のみに帰することはできないはずだ。

政府の「基本的対処方針等諮問委員会」が一斉休校に「お墨付き」を与えるのを拒んだ経緯は、九月二五日の『朝日新聞』が伝えている。緊急事態宣言の全国拡大などを審議するため四月一六日に開かれた同委員会で、事務局が対処方針案に「五月六日までの間、学校を一斉休校することが望ましいという専門家会議の見解を踏まえ」という文言を入れようとしたところ、次々に異論が示され撤回された様子が、議事録に記録されているという。「感染拡大している状況であっても子どもが教育を受ける権利をしっかり保障すべき」という武藤香織委員（東京大学医科学研究所教授）の発言も残っている。

前述の「民間臨調報告書」には、「エビデンスから考えると、今回のウイルスは、子どもは感染源にほとんどなっていない」「一斉休校は疫学的にはほとんど意味がなかった」という「専門家会議関係者」の発言も載せられている。

第三波の拡大が露わになった一一月二七日、萩生田文科大臣は記者会見で、緊急事態宣言が出た場合の学校の対応について、「児童生徒の発症の割合は低く、学校を中心に感染が広がっている状況ではない。春先のような全国一斉休業を要請することは考えていない」と述べた。少なくとも、過ちを繰り返さない態度は評価されてよいだろう。

文科省健康教育・食育課が六月にまとめた「学校における新型コロナウイルス感染症に関する衛生管理マニュアル〜『学校の新しい生活様式』〜」（以下「衛生管理マニュアル」）は、逐次改訂されたが、第四版までは「感染者が判明した時点で直ちに臨時休業を行う」としていた。一二月三日に発表した第五版では記述を変え、児童生徒や教職員の感染が確認された場合でも、当該感染者及び濃厚接触者を出席停止や出勤させない扱いとすることを基本とし、臨時休業（休校）の要否については「設置者が、保健所の調査や学校医の助言等を踏まえて判断」「学校内で感染が広がっている可能性が高い場合などには、その感染が広がっているおそれの範囲に応じて、学級単位、学年単位又は学校全体を臨時休業とする」「これ以外の場合には、学校教育活動を継続」と記述している。これはもともと二月二五日に発出した事務連絡のラインに近い。休校に関する方針が正常化したというべきだろう。

極めて少ない学校での感染

全国の子ども（小・中・高等・特別支援学校の児童生徒）の感染者は、六月一日から一一月二五日までに三三〇三人となっている。七月から増え始め、第二波の中で八月三日〜九日の一週間の新規感染者が三二五人とピークを迎えたが、九月・一〇月は沈静化して一週間当たり一〇〇〜一五〇人程度となり、第三波の中で一〇月下旬以降再び増えた。

感染経路の割合を見ると、小学校と中学校では、学校内感染がそれぞれ六％、一〇％、家庭内感染がそれぞれ七三％、六四％となっており、学校での感染は少なく、大部分が家庭内感染だ。高等学校では、学校内感染が二四％だが、それでも家庭内感染の三二％、感染経路不明の三五％より低い。

感染者が見つかった学校数は一九九六校だが、そのうち一五五二校（七八％）は感染者が一人だった（つまり学校で感染したのではない）。学校内での感染が疑われる事例は二六二件で、そのうち五人以上確認された事例は六一件。その内訳は小学校一二件、中学校一一件、高等学校三六件、特別支援学校二件だった。全国の学校の中での割合は、それぞれ〇・〇六％、〇・一一％、〇・七五％、〇・一九％である。

これらの数字が示しているのは、学校が感染源となるケースは極めて少なく、したがって休校の感染拡大防止効果も極めて乏しいということ、そして全国一斉休校が極めて愚かな政策だったということである。

学校の感染防止対策の右往左往

六月末までには全国の学校が再開したが、休校前の学校生活が戻ったわけではなかった。体育では水泳ができない、音楽では合唱ができない、休み時間や給食の時間に友だちとおしゃべりができないなど、さまざまな制約が子どもたちの学校生活を窮屈にした。

児童生徒にフェイスシールドを装着させる学校もあった。東京都葛飾区立立石中学校では教師たちが生徒全員のフェイスシールドを作製した（六月三日の『朝日新聞』はこれを美談として報じている）。大阪市では五月二二日、松井一郎市長がみずからフェイスシールドを着用して記者会見し、市立小中高等学校の全児童生徒と教職員にフェイスシールドを配る方針を表明した。実際、大阪市は二〇万七〇〇〇個のフェイスシールドを購入し、配布した。これに対し六月九日、大阪府医師会学校医部会は「フェイスシールド活用に対する意見」を発表。「学校に於いてフェイスシールドが必要となる場面はほぼない」とする一方、「視界を妨げることによる事故」「熱中症の助長」「頭部を締め付けることによる頭痛」など「デメリットの方が大きい」と指摘した。六月一三日には、大阪小児科医会も「子どもたちへの使用はすすめられません」とするメッセージを発表。大阪市教育委員会は学校でのフェイスシールドを限定的な使用にとどめることにした。

合唱が原因とみられる集団感染が複数の中学校で起きたことから、文科省は一二月八日に、学校で合唱する際にはマスクをつけ、最低一メートルの間隔を空け、十分に換気し、練習時間はできるだけ短くするよう通知した。その際、マウスシールド着用は推奨しないと明記した。

登下校にも制約が課された。友だちと一緒に歩いてはいけないと児童生徒に指示する学校が多い中、豊田市立童子山《どうじやま》小学校のように「ソーシャルディスタンス」を確保するため「傘さし登下校」をさせる学校もあった。一方、群馬県甘楽《かんら》町立新屋《にいや》小学校のように、傘さし登下校をいったんは導入したものの、子どもの負担を考えて中断した学校もあった。夏場に黒い雨傘をさすと熱中症のリスクが高まるという専門家からの指摘もあった（『東京新聞』六月一八日付）。

学校内の消毒作業は教職員を疲弊させた。NPO法人「教育改革二〇二〇『共育の杜』」が七月に行った調査で、新型コロナ対策の負担感を教師たちに聞いたところ、「とてもある」「まあまあある」の合計が最も多かったのは「消毒作業」の九〇％で、並んで多かったのは「子どもへのソーシャルディスタンスの指導」の八九％だった。しかしウイルス学の専門家からは、学校の机の消毒はほとんど意味がないという指摘もあった（西村秀一・国立病院機構仙台医療センター・ウイルスセンター長）。文科省は、八月六日に「衛生管理マニュアル」を改訂した際、次のように記述して過度の消毒作業を戒めている。

「通常の清掃活動の中にポイントを絞って消毒の効果を取り入れるようにしましょう」

「清掃活動とは別に、消毒作業を別途行うことは、感染者が発生した場合でなければ基本的には不要です」

「大勢がよく手を触れる箇所（ドアノブ、手すり、スイッチなど）は一日に一回、水拭きした後、消毒液を浸した布巾やペーパータオルで拭きます」

「床は、……特別な消毒作業の必要はありません」

「机、椅子についても、特別な消毒作業は必要ありません」

「トイレや洗面所は、……特別な消毒作業の必要はありません」

「過度な消毒とならないよう、十分な配慮が必要です」

制約を逆手にとった工夫

多くの学校で過剰な感染防止対策が行われる中で、個々の学校現場では制約を逆手にとって教育活動の工夫をする例も見られた。

プールでの水泳授業は、更衣室での密集や水中に潜る練習の際に二人一組となる機会が避けられないなどの理由で多くの自治体で一律中止の方針をとった。二〇政令指定都市の中では一六市の教育委員会が一律に中止した。

新潟県長岡市も水泳の授業を一律中止にしたが、同市の小学校の木間佳美教諭（三九）はプールを使わない水泳授業に挑戦した。「水難学会」の安全講習に自ら参加し、小学一・二年生を対象に体育館に敷いた柔らかいマットの上で、水に流されたときに浮いて待つ姿勢を体験させた（『東京新聞』八月二五日付、夕刊）。

学校給食時のおしゃべり禁止を逆手にとったのは、大分県別府市の亀川小学校と石垣小学校。両校では給食の時間に児童が手話での会話を楽しんでいる。市民から「手話を採り入れてみては」と手紙が届いたのがきっかけだった（『朝日新聞』八月二六日付）。

県境を越えた移動への過剰反応

過剰反応というべき感染防止対策は、県境を越えた移動が行われた場合の「登校自粛」「自宅待機」などの措置にも見られた。

沖縄県那覇市の小学校は、県外在住の父親と県内で交流していた児童に、五月一二日から一八日までの登校自粛を要請した。学校は、①父親が特定警戒都道府県在住であること、②接触が長期間であったことを考慮したと説明した。沖縄県では当時、特定警戒都道府県からの渡航者に一四日間自宅などで待機するよう求めていたが、この児童は該当しなかった（『沖縄タイムス』五月二九日付）。

長野県池田町の教育委員会は、町内の小中学生と保育園児が五月一八日までに県外と行き来した場合、一週間は登校を控えるよう保護者に通知した。長野県が五月一八日までの間、首都圏・北海道との移動は慎重にするよう求めたことが理由だった（『信濃毎日新聞』六月三日付）。

岩手県の一関《いちのせき》市、奥州《おうしゅう》市、洋野町《ひろのちょう》、九戸《くのへ》村の四市町村の教育委員会は、三月下旬ないし四月上旬以降、感染者の多い県外から転校してきた小中学生に対し、一律に二週間登校を控えるよう求めた。その理由として、①三月末に岩手県知事が首都圏からの来県者に不要不急の外出の二週間自粛を求めたこと、②学校がクラスターになることへの懸念、③転入生に対する偏見・いじめへの懸念、④学校再開を不安視する住民の声などを挙げていた。文科省は六月に状況を知り、医学的な根拠なく自宅待機とする措置は学ぶ権利を侵害すると指摘。岩手県教委は六月二二日、今後は本人や家族の症状を確認した上で判断するよう四市町村教育委員会に是正を求めた（『毎日新聞』六月二五日付）。

長野県教委は八月初旬、九九校の県立学校に対し通知を出し、夏休み明けの始業前一週間に、①児童・生徒、保護者が県外に旅行した、②県外から帰省してきた親戚や知人と会った、③県外出身者が帰省した、④帰省や旅行の際に会った同居以外の家族や知人に発熱やだるさなどで具合の悪くなった人がいるというケースを把握し、該当した児童・生徒は慎重に健康観察するよう求めた。学校側からは、プライバシーの侵害ではないかなどの声が挙がった（『中日新聞』九月一〇日付）。

これらいずれも県境を越えた移動に対する過剰反応であり、児童生徒の学習権やプライバシーへの配慮を欠いた措置だと言わざるを得ない。

修学旅行 To Go Or Not To Go

文科省は「修学旅行は実施すべき」という姿勢をはっきり示した。同省の「衛生管理マニュアル」では、日本旅行業協会等が作成した「国内修学旅行の手引き」などを参考にして感染症対策をとるよう促しているが、中止という選択肢は示していない。萩生田文科大臣は一〇月二日の記者会見で、東京都発着の旅行がＧｏ Ｔｏトラベル事業の対象となったことを踏まえ、修学旅行を「ぜひ実施していただきたい」と発言。文科省は同日付けで「修学旅行等の実施に向けた最大限の配慮について」と題する事務連絡を発出し、「修学旅行等の教育的意義や児童生徒の心情等を考慮し、当面の対応として修学旅行等の実施を取りやめる場合も、中止ではなく延期扱いとしたり、既に取り止めた場合においても、改めて実施することを検討したりするなどの配慮をお願いします」と求めた。

しかし、各学校・教委の方針は割れた。『東京新聞』が東京二三区と首都圏の政令指定都市五市に原則九月一〇日・一一日時点の対応状況を聞いたところ、中学三年は一〇市区、小学六年は二〇市区で中止としていた。その理由としては「休校で授業時間が減った中、学校の授業を充実させたい」（目黒区）、「旅先で全員の安全確保や健康管理が難しい」（大田区）などが挙げられていた。『朝日新聞』が都道府県、都道府県庁所在市、政令指定都市、東京二三区に対し一一月七日までに行った調査によると、公立小中高等学校のうち六六％の学校では修学旅行の実施を決めていたが、「予定どおり実施」という学校は一二％で、残りの八割超は宿泊日数を減らすなど例年と異なる対応をしていた。中止を決めた学校は一五％だった。

筆者は、新型コロナ感染が完全に終息する前にＧｏ Ｔｏトラベル事業を行ったことは間違いだったと思うが、修学旅行については、感染防止対策を十分にとって実施すべきだと考える。子どもたちの人生にとって大きなイベントだからだ。しかし、その実施の可否は各学校が判断すればよいことであって、文科省が科学的知見に基づく情報提供を行うことは必要だが、それを超えて積極的に実施を促すのは行きすぎだと思う。文科大臣の積極的な姿勢の背景には旅行業界の意向があるのではないかと勘ぐりたくなる。

一方、中止を決めた学校や教育委員会が、本当に科学的根拠に基づいてその決定を行ったのかどうかも疑問だ。保護者の中に安全への懸念があるのであれば、十分に対策を説明した上で、任意参加にすればいいだろう。授業時数の確保を理由にする学校もあるが、修学旅行には教科の授業以上の価値があるだろう。

学校によってはＧｏ Ｔｏトラベルを利用して豪華旅行を実現したところもあった。神戸市立鷹匠《たかしょう》中学校の三年生は、加賀市にある北陸最大級の旅館の一棟を丸ごと貸し切りにして、二四畳の風呂付き個室に四人ずつで泊まったという（『朝日新聞』一一月八日付）。

詰め込み授業と過重な宿題

休校による学習の遅れに対し、文科省は五月一五日に通知を出し、学習指導要領で定められた学習内容を「次学年または次々学年に移して教育課程を編成する」ことを認める一方、最終学年の小六、中三、高三は、年度内で必要な指導を終えるよう求めた。指導の工夫として、夏・冬休みの短縮や土曜授業の実施に加え、一コマあたりの授業時間を短くし、一日あたりのコマ数を増やす案も例示した。

六月五日に通知した「『学びの保障』総合対策パッケージ」の中で、文科省は「学校の授業における学習活動の重点化」を求めたが、それは学習内容を精選するということではなく、授業時数が足りないために指導できない部分を「授業以外の場」で学ばせるという意味だった。文科省はそのために教科書会社の協力を得て、小六・中三の指導計画について仕分けを行った。例えば国語では、物語文を読んで感想を述べ合う学習は授業内とし、考えをノートに書くことや漢字の学習は授業外でも可能、算数や理科では、図形の学習や実験は授業内、問題の答え合わせや実験結果の分析は授業外でも可能。こうして、教科書のうち約二割分は授業外で学ぶことができるとした。

文科省は同時に、五月末まで休校にしていた場合の授業日数は例年に比べ四五日程度不足するという試算も明らかにした。その上で、学習の一部を「授業以外の場」にすることで二〇日程度、夏休みの短縮などで三五日程度を取り戻せると想定した。

「授業以外の場」での学習とは、要するに宿題のことだ。子どもたちは二〇日分の授業に相当する宿題を課されることになるわけだ。萩生田文科大臣は六月五日の会見で「決して家庭に負担をかけるということではなく、授業以外の場で学習指導員なども活用しながら個別の指導を行う」と強調したが、保護者の負担と家庭環境による学習の格差という問題が、休校中に引き続き残ることになった。

文科省は六月一二日に成立した第二次補正予算に、小六と中三が少人数学級で学べるようにするなど学習支援を充実するため、三一〇〇人の教員、六万一二〇〇人の学習指導員、二万六〇〇〇人のスクール・サポート・スタッフを追加配置する経費として三一〇億円を計上した。さらに、一二月二一日に閣議決定された二〇二一年度予算案では、「補習等のための指導員等派遣事業」を前年の六二億円から九〇億円に増額した。同日の記者会見では、萩生田文科大臣が、新型コロナの影響で仕事が減った航空業界から、教員免許を持つ客室乗務員を学校現場に受け入れる意向を示した。文科省としては精一杯の手立てをとったのだろうが、十分とは言えないだろう。

夏休みの短縮については、六月二三日時点で文科省が調査したところ、全国の一七九四の教育委員会のうち九五％に当たる一七一〇の教育委員会で予定していた。小中学校では二〇日間以下にする教育委員会が約七割を占めた。最短は小中学校で九日間、高校では四日間だった。また、土曜日を活用する方針を示した教育委員会は三三九で一九％だった。

二〇二〇年の七月には、日本各地で記録的な大雨が降ったため、七月七日時点で熊本、宮崎、鹿児島、広島、静岡、岐阜などで、小中高等学校、幼稚園、大学など五六五校・園が休校・休園していた。熊本県南部では休校が長期化し、すべての小中学校を七月末まで休校にした自治体もあった。無用な休校を行ったツケが、本当に休校が必要な時に回ってきた感がある。

このような状況の中で、学校教育法施行規則に規定された年間標準授業時数を確保することは極めて困難だ。不幸なことに、二〇二〇年度は新学習指導要領の本格実施の年に当たり、小学校六年生の年間標準授業時数は一〇一五時間に増えた。「ゆとり教育」と言われた二〇一〇年度までの学習指導要領では九四五時間だった。少なくとも長期休校で授業日数を失った二〇二〇年度に関しては、授業時数の基準をゆとり教育のころに戻してもよいのではないか。そのためには、新学習指導要領の内容をすべて学習させるという考えを棄てて、学習内容を精選することが不可欠だ。

夏休みの短縮、土曜授業、一日七時間授業などで「詰め込み教育」を行うことは、かえって子どもたちの学習意欲を削ぎ、不登校を助長するだろう。ただでさえ学校で「授業漬け」にしているのに、さらに学校外で「宿題漬け」にすれば、子どもの休息の権利（子どもの権利条約第三一条）を奪い、学校による「教育虐待」にすらなりかねない。

コロナ差別・コロナいじめ

日本の社会には「コロナ差別」や「コロナいじめ」と呼ばれる病理も表れた。その標的は、新型コロナの感染者や濃厚接触者だけでなく、感染拡大地域から帰省した者や感染者が見つかった病院の医療従事者とその家族などにも広がった。咳やくしゃみをしただけで仲間はずれにするようないじめも起きた。

八月に院内感染が起きた東京都足立区の等潤《とうじゅん》病院では、看護師や職員の子どもが区内の保育園や小学校で登園、登校を拒否される事例が相次いだ。院長が区に訴えたところ、教育長が直ちに対応し、全員が登園、登校できるようになったという。教育長の定野司氏は「闘う相手はウイルスなのに、感染の恐怖からその対象が人間になっていた。『正しく恐れる』ことの重要さを痛感した」と話している(『毎日新聞』一〇月七日付)。

日本赤十字社は新型コロナが差別につながる過程を子どもたちに伝える学習教材を作成し、三月末にホームページで公開した。「新型コロナウイルスの三つの顔を知ろう!~負のスパイラルを断ち切るために~」と題されたこの教材は、臨床心理士らが監修したもので、「この〝感染症〟の怖さは、病気が不安を呼び、不安が差別を生み、差別が更なる病気の拡散につながることです」と述べ、「病気」という第一の〝感染症〟、「不安」という第二の〝感染症〟、「差別」という第三の〝感染症〟の間で悪循環が起きると説明している。

国立成育医療研究センターが六~七月に小学生から高校生までの児童生徒を対象に行った調査では、三二%が「もし自分や家族がコロナになったら、秘密にしたい」、二二%が「コロナになった人とは、コロナが治っても、あまり一緒には遊びたくない」と答えた。子どもの心の中に偏見や差別が入り込んでいることが分かる。

文科省は八月二五日、新型コロナに関する差別・偏見の防止に向けて、児童・生徒・学生あて、教職員・学校関係者あて、保護者・地域住民あての三種類の大臣メッセージを公表した。

児童・生徒・学生に対しては「感染した人が悪いということではありません」と諭し、教職員・学校関係者に対しては「誤った情報や認識、不確かな情報に惑わされることなく、正確な情報や科学的根拠に基づいた行動を行うことができるよう」児童生徒等を指導するよう求め、保護者・地域住民に対しては「身の周りに差別等につながる発言や行動があったときには、それに同調せず、『そんなことはやめよう』と声をあげていただきたい」と呼びかけている。文科省はさらに「〝差別・偏見をなくそう〟プロジェクト」を発足させ、日本赤十字社の「三つの感染症」の考え方を参考にした動画や授業用スライド、ワークシート、指導例などを作成し周知した。

政府の新型コロナウイルス感染症対策分科会の「偏見・差別とプライバシーに関するワーキンググループ」は一一月一二日、感染者や濃厚接触者の性別や年代は、容易に個人が特定されることから、原則公表すべきではないなどとする提言をまとめた。

いじめや差別は不安や恐怖から生まれ、不安や恐怖は無知から生まれる。科学的根拠に基づく正しい知識・情報を国民に提供することは、感染症対策において政府が行うべき第一の責務である。ならば「コロナ差別」や「コロナいじめ」は、安倍・菅政権の科学軽視の姿勢に原因があるといっても間違いではなかろう。

不登校　飛躍的増加の兆し

一般社団法人「不登校支援センター」では、一斉休校明けの六月下旬から新たな相談が急増したという。例年七月は一〇件ほどだが、二〇二〇年の七月は三〇件を超えた。

日本教職員組合が八月末から九月中旬に小・中・高等・特別支援学校を対象に行った調査では、二二・七％が不登校や保健室登校などの子どもが「増えた」と回答した。

長野県教委と信州大学の合同チームが公立小・中・高等・特別支援学校を対象に行った調査では、二〇一九年度に不登校ではなかった児童生徒で、学校が再開して以降六月末までの登校日数の半分以上を欠席した者は、小学校九一人、中学校一五六人、高等学校一二七人、特別支援学校五人、計三七九人に上った。

小中学校の不登校児童生徒数は、一一万三〇〇〇人だった二〇一二年度を境に年々増え続けている。特に最近三年間は、二〇一七年度一四万四〇〇〇人、二〇一八年度一六万五〇〇〇人、二〇一九年度一八万一〇〇〇人と急激に増えている。その背景には、①「スタンダード」という画一的な行動規範の導入や校則の厳格化、②学習指導要領改訂による学習内容と授業時数の増加、③「学校へは必ず通わなければならない」という意識の希薄化などの事情があると考えられるが、二〇二〇年度はこれらに加えて、④長期休校のために生活習慣が崩れたこと、⑤再開後の学校生活に感染防止のための制約が多いこと、⑥学習の遅れを取り戻すための授業や宿題の増加といった事情があるため、おそらく不登校が飛躍的に増えるだろう。さらに、⑦「学校へ行くと新型コロナに感染する危険がある」と恐れる児童生徒や保護者が学校に行かない選択をする「積極的不登校」のケースも見られる。二〇二〇年度の不登校の数は二〇二一年度に集計されるが、このままでは史上初めて二〇万人を超える可能性もあるだろう。

不登校の増加は学校教育の失敗を意味する。子どもたちが安心して楽しく学校生活を送れるようにすることは、授業時数の確保より重要である。

新型コロナ対策を追い風に少人数学級が実現

長期休校中に行われた「分散登校」は、学級を二つに分けるなどして少人数の学習集団を作り、午前と午後に分けて授業をしたり、一日おきに登校させたりする方法だ。分散登校の経験は、教師たちに改めて少人数学級のメリットを認識させた。教室内の「密」を避けることができるし、一人ひとりに目が届く授業ができる。多くの教育関係者、自治体関係者、教育学者などから、少人数学級の実現を求める声が高まった。

現職・退職教職員などでつくる「ゆとりある教育を求める全国の教育条件を調べる会」は六月、「来年度から三五人学級を実施し、再来年度から一五年かけて段階的に二〇人学級に」と提言した。

大学教授ら教育研究者有志グループは、小中高等学校で少人数学級を速やかに実現することを求める署名活動を七月から始め、一二月までに二二万筆を集めた。

全国知事会、全国市長会、全国町村会の地方三団体は、七月三日に少人数学級編制を可能とする教員の確保などを萩生田文科大臣に要望した。

こうした声に押されて、七月一七日に閣議決定された「経済財政運営と改革の基本方針二〇二〇」（骨太の方針）には「少人数によるきめ細かな指導体制の計画的整備」などについて「関係者間で丁寧に検討する」と記載された。

七月三〇日には、小・中・高等・特別支援学校それぞれの校長の全国団体の代表が、萩生田文科大臣を訪れ少人数学級の実現を要望した。

九月八日には、首相のもとに置かれている教育再生実行会議の初等中等教育ワーキンググループが、関係省庁に対し少人数学級の導入の検討を促す合意文書を取りまとめた。

九月二四日には自民党の教育再生実行本部（本部長・馳浩元文科大臣）が三〇人学級実現のための法改正を萩生田文科大臣に申し入れた。

例年より一カ月遅れて九月末に行われた概算要求で、文科省は「学級編制の標準の引下げを含め、少人数によるきめ細かな指導体制の計画的な整備について……予算編成過程において検討することとする」という「事項要求」（具体的な内容と金額を示さない要求）を行った。「少人数によるきめ細かな指導体制」には、少人数学級だけでなく、特定の教科についてのみ学習集団を少人数化する「少人数指導」も含まれる。文科省の事項要求は、少人数学級と少人数指導の両睨《りょうにら》みの要求だったのだ。その背景には、元文科大臣である下村博文・自民党政調会長のように「少人数学級よりも少人数指導」を主張する勢力の存在があった。

文科省は、一〇年間で三〇人学級を実現するには、八万人から九万人の教員定数増が必要になると試算したが、加配定数（ティーム・ティーチングや少人数指導のための定数）約三万人と定数の自然減（児童生徒数の減少に伴い当然に減ることになる教員定数）約五万人を活用すれば、人件費をほとんど増やすことなく実現できるとした。

一一月一二日、PTA、校長会、市町村教育委員会、教職員組合など教育関係二三団体が与野党の国会議員を招いて開いた集会で、萩生田文科大臣は「少人数学級実現に不退転の決意で取り組む」と表明。翌一三日の記者会見では「三〇人学級を目指すべきだ」と明言した。

文科省と財務省とのせめぎ合いの結果、一二月二一日に閣議決定された二〇二一年度予算案では、義務標準法の改正により二〇二一年度から五年間で小学校の全学年を三五人学級とすることが決まった。教育関係者が長年求めてきた少人数学級が、小学校のみとは言え実現することになったのは大きな成果だ。義務標準法の改正により複数学年を少人数学級化するのは、一九八〇年度から一二年かけて四〇人学級を実現した第五次定数改善計画以来だ。今回の計画は第八次定数改善計画と呼ばれるだろう。

三五人学級計画の実現には、新型コロナ対策という大義名分があり、地方の首長たちから強い要望があったことが幸いしたと言えるが、もう一つの大きな要因としては、相次ぐ大型補正予算の編成により、財務省が財政規律や歳出抑制を主張しにくくなっていた事情もあるだろう。

しかし、新型コロナ対策としての少人数学級化は今すぐ必要だし、中学校でも必要だ。各自治体では、国の計画を先取りした少人数学級化に取り組むことが望まれる。その際、文科省が加配定数の弾力的な活用を認めることも必要だ。特別支援学級と通常学級を一体化してインクルーシブ（包摂的）な少人数学級に再編制することも認めるべきだろう。

教職員に対する社会的検査に期待

学校における新型コロナ対策として、少人数学級化以上に効果が期待されるのは、教職員に対する社会的検査（症状の有無にかかわらず実施するPCR検査）だ。先鞭をつけたのは東京都世田谷区の保坂展人《のぶと》区長である。

世田谷区では四億円の補正予算を組み、二〇二〇年一〇月から介護施設、老人ホーム、障害者施設などの職員に対して社会的検査を始めた。順次、児童養護施設、保育園、幼稚園、小中学校、学童クラブの職員に広げていく予定だ。一二月末までの三カ月で五四二一人の検査を行い、五五人の陽性者が見つかっている。二〇二一年一月からは四人の検体を一度に判定する「プール方式」を採り入れて検査数を増やす方針だ。ただ、厚生労働省（以下、厚労省）がプール方式を国費を充てる行政検査として認めないため、東京都からの補助金を活用するという。

社会的検査について国は無為無策のままだが、全国の自治体の間では徐々に広がっている。介護事業所や保育所と同様、学校も「密」な接触が避けられない場所だ。社会的検査が必要な施設として扱うべきである。

子どもの自殺の増加

コロナ禍の中で小・中・高校生の自殺が増えた。厚労省の発表によると二〇二〇年四月から一一月までの八カ月で三二九人が自ら命を絶った。前年同時期より七三人、約三割多い。

一般社団法人「いのち支える自殺対策推進センター」が八月の一カ月間の自殺者の数字を分析

したところ、全国の中高生の自殺者は五八人で、前年同月（二八人）の二倍を超えた。内訳は中学生が一六人、高校生が四二人で、高校生のうち二二人が女性だった。前年同月の女子高校生の自殺者は三人だったから、七倍超に増えた計算になる。

子どもの自殺が増えた原因は一概に特定できない。コロナ禍で社会全体の不安やストレスが高まる中、家庭内のトラブルや虐待が増えたことにも原因がありそうだ。有名人の自殺に誘発された可能性もある。五月に女子プロレスラーの木村花《はな》さん、七月に俳優の三浦春馬《はるま》さん、九月に俳優の竹内結子《ゆうこ》さんの自殺が報じられた。しかし、学校との関係はやはり大きいと思われる。

二〇二〇年の自殺者数は全年齢層で前年より増えたが、前年同月比が増加に転じたのは、全体では七月からだった。ところが、高校生以下では六月に前年同月比が増加に転じた。この時期はちょうど長期休校から学校が再開した時期に当たる。例年夏休み明けには自殺が増えるから、休校明けと自殺との関係は十分疑われる。しかし、その後も子どもの自殺は増えている。それは学校生活が苦しいからかもしれない。少なくとも確実に言えることは、自殺を図る子どもたちにとって学校が救いの場になっていないということだ。学校が安心して過ごせる居場所になっていれば、自殺を防ぐこともできるはずだからだ。

日本の十代の子どもの死因の一位は自殺だ。その自殺が今明らかに増えている。一方、一二月二三日現在、日本の十代以下の子どもの新型コロナによる死者数はゼロだ。重傷者もいない。子どもの命を守るために何をしなければならないか。優先順位を間違えてはいけない。

（二〇二〇年一二月三〇日）

［アメリカ］

新型コロナ日記　イン　アメリカ　2

町山智浩

町山 智浩（マチヤマ・トモヒロ）

一九六二年、東京都生まれ。映画評論家、コラムニスト。早稲田大学法学部卒業。「宝島」「別冊宝島」等の編集を経て、一九九五年に雑誌「映画秘宝」を創刊した後、渡米。現在はカリフォルニア州バークレーに在住。近著に『映画には「動機」がある』（集英社インターナショナル）、『最も危険なアメリカ映画』（集英社文庫）、『町山智浩のシネマトーク』（スモール出版）などがある。

六月三日

アメリカの映画館チェーンの最大手AMCは、三月のシャットダウンからずっと収入のないまま苦しんできたが、破綻の可能性が高く、うちの近所のAMCも閉館と報じられた。

六月五日

アメリカの株価は三月に大暴落したが、その後、トランプ政権はひたすら株価を上げる政策を続け、この日、ナスダックは史上最高の株価九九二四ドルを記録した。

三月の外出禁止以来減り続けてきた感染者数が二万人を切り、経済再開の可能性がでてきたから、というのだが、製造業も小売もエンターテインメントも飲食も旅行も何も動いてなくて、実体経済は縮小している。

いや、だからこそ株でもバブルにしないとやることがないのだろう。

六月一二日

ワシントン州シアトルで、Black Lives Matter のデモ隊に囲まれた警察署から警官が逃げ出し、警察署一帯をデモ隊が占拠し、自治区を宣言したので、そこに取材に行った。

飛行機内は一つずつ座席を空けて座る。食事のサービスは缶入り水のみ。誰も怖がってトイレには行かない。

シアトルのホテルでは「感染防止のため、部屋のメンテナンスはありません。ホテル内での食事のサービスも一切なしです」と言われたので、外に食事に行くとレストランは一軒も開いてない！

でも、自治区は縁日のように賑わっていて、屋台も出ていた。若者たちが公園にテントを張って野宿し、ディスカッションしたり、音楽をかけてダンスしていたが、マスクはしっかりしていた。あちこちにボランティアが持ち寄った消毒液が置かれて無料で使えるようになっていた。

六月二〇日

オクラホマ州タルサでトランプが支持者集会を開いた。会場は一万九〇〇〇人収容可能。これは三月以来、全米で初めての一万人以上が集まるイベントになる。

マスクをしないトランプ支持者が一万人以上集まるということで、感染が爆発する可能性が高く、地元タルサ市は集会を断ったが、トランプに押し切られた。

テレビ中継を見ると、案の定、トランプを含めて誰もマスクをしないうえに、隣同士密着して席に座り、感染防止の努力は何もされていなかった。

トランプはここで新型コロナウイルス（以下、新型コロナ）を「クンフルー（クンフーとインフルエンザの合体）」と呼んで、中国製であることを強調した。

「感染が増えてるんだ」トランプは言った。「だから私は、検査数を減らしてくれないか、と頼んだんだ」

聴衆は笑ったけど、これ、本気で言ってない？

六月二四日

ジョークではなかった。全米の新規感染者数が過去最高の三万六〇〇〇人を超えた直後、トランプ政権がテキサスなど全米の一三カ所のコロナ検査場への資金を打ち切ると報道された。テキサスではフロリダなどと並んでどこよりも早く外出禁止が解かれ、ビジネスが再開されたが、それ以来、感染数が増えている。

カリフォルニアでも段階的に外出規制を緩め始めた。まず、レストランが屋外での飲食に限って許可される。感染数が増え始めているので、早急すぎると批判されたが、これ以上はもう限界ということだろう。

六月二八日

三月から全米規模の外出禁止で感染数は減っていたが、五月、六月と各州で規制が緩和されてから、再び感染数が増え、すでに二五〇万を超えた。

テキサス、フロリダでは、再びレストラン内での飲食を禁止することになった。

テキサスとフロリダは大統領選挙を左右する州なので、このまま新型コロナの被害が大きくなれば、トランプ大統領の再選は危うくなる。そこで、トランプは大量のテレビCMをこの二州で放送しているという。

六月三〇日

新型コロナ感染は人口が多く、海外との行き来が多い大都市のある州に集中していた。その多くは、民主党の支持者が多い「ブルー・ステーツ」だが、ここに来て、テキサスやオハイオ、アリゾナ、アーカンソーなど、保守的で共和党支持者が多い「レッド・ステーツ」にも感染が広がっている。そこは内陸地で、外国との行き来が少なく、人口密度も低いので感染しにくいのだが、それだけにマスクをしない人たちが多い。病院も少なく、高齢者が多いので、死者が増える危険がある。

この日、発表されたギャラップ調査のトランプ大統領支持率が三八％に落ちた。四年目の六月に四〇％を切った大統領が一一月に再選された例は過去にない。

七月一日

全米を新型コロナ感染の第二波が襲うなか、死者三万人という最大の被害を出したニューヨーク州は感染が収まりつつある。クオモ州知事が「私が責任を取る！」と不眠不休で治療と徹底検査による感染防止に努めた結果、毎日の死者数を二〇以下に抑え、新規感染者数も順調に減少している。

そこで、ニューヨークと隣のニュージャージー州は、感染が増えている一六州からの旅行者を規制すると発表した。海外からの旅行客と同じく一四日間の隔離が義務付けられる。その一六州はアリゾナ、テキサス、フロリダ、ミシシッピなど主に南部だが、カリフォルニアも入っている。カリフォルニアはどこよりも早く外出禁止をして感染を抑えたのに、ビジネス再開を急ぎすぎて、ニューヨークと立場が逆転してしまった。

七月四日

独立記念日。ワシントンDC市長は感染を防ぐため、ワシントンで人を集めるイベントをやらないでほしいと呼びかけたが、トランプ大統領は意に介さず、軍を動員して派手な祝典を開いた。ホワイトハウスの庭でのパーティは誰もマスクをしてない。感染者は三〇〇万人を超える。

七月六日

ＩＣＥ（アメリカ移民税関捜査局）は、全米の大学に対して、秋からの新学期で、オンラインのみの授業になる留学生にはビザを発行しないと告知した。

留学生は全学生のうち五％以上を占め、一一〇万人といわれる。アメリカの大学にとって重要な収入源であり、ハーバード、ＭＩＴなど一流大学は、裁判で国と戦う構え。

留学生排除はトランプ大統領の意向で、トランプは以前からアメリカの一流大学を出た中国やインド系のエリートがアメリカのＩＴや金融系で高い地位を占めていることを激しく批判していた。彼らがアメリカ人の仕事を奪っている、と訴え、保守的な有権者にアピールするわけだ。

七月八日

この日の新規感染者は全米で六万人。依然として増える一方だが、トランプ大統領は秋から全米の学校を通常通りに再開するよう求めた。従わない学校には連邦政府からの助成金をカットするという脅しつきで。そのための安全策などは特に提示していない。

また、大統領は、一一月の選挙に向けての共和党大会を八月にフロリダ州ジャクソンビル市で行うと言っている。フロリダ州では新型コロナで毎日一〇〇人ずつ死んでいるのだが。

六月にトランプが集会を行ったオクラホマ州ではその後、感染が増加しており、集会のせいだとも言われている。タルサで演説を行ったトランプ・ジュニアの恋人、キンバリー・ギルフォイルも感染してしまった。フロリダの共和党大会はトランプ支持者を殺すことにもなりかねない。

それにしても不思議なことに、トランプ自身はなぜか新型コロナにかからない。いまだにマスクしないのに。

七月九日

アメリカの航空会社の最大手、ユナイテッド航空が、秋以降、三万六〇〇〇人の従業員を自宅待機にするだろうと発表した。

三月以降、ユナイテッド航空の稼働率は良くて四割。毎日四〇〇〇万ドルの損失を出し続けており、連邦政府から受けた五〇〇億ドルの助成金もすぐに底をつく。

ユナイテッド以外の中小の航空会社はもっと切迫した状況で、一三〇万人が失業しているが、その数はさらに伸びそうだ。

その一方でNSDAQの平均株価は史上最高値を記録した。アメリカのGDPだけでなく全世界の経済の規模が縮小しているのに、マネーゲームだけが暴走している。

七月一一日

フロリダ州の一日の新規感染者が一万五〇〇〇人を超えたこの日、オーランドのディズニー・ワールドが再オープンした。

新型コロナでディズニーは大打撃を受けている。全世界のテーマパークが閉鎖しただけでなく、夏の超大作映画『ムーラン』や『ブラック・ウィドー』も公開が延期。ディズニー・ワールドだけで四万三〇〇〇人の従業員が自宅待機になっていた。だからリスクを冒してもオープンするしかなかったらしい。

トランプはこの日、首都ワシントンの米軍医療施設を視察したが、初めてマスクをつけて現れた。軍の関係者の患者が多いのに感染を広げるような無責任な格好はできなかったのだろう。マスクは紺に大統領の紋章がついた特注品だった。

七月一四日

相変わらず感染者数は増え続けているが、死亡率は確実に減っている。呼吸器など対新型コロナの医療体制が整ったのと、重症化しやすい高齢者よりも、若年層に感染者が増えているからだという。

この日、アメリカ政府は、新型コロナ治療のワクチンの候補を四つにまで絞ったと発表した。現在、治験中だが、六週間後には製造を開始したいという。それがうまくいったとして、アメリカ国民三億人分を作るのだから、一般に届くのは早くとも来年二〇二一年になるという。

七月一六日

南部ジョージア州で感染が増えて、州都アトランタではケイシャ・ランス・ボトムズ市長が市民に公の場所でのマスク着用を義務付けた。当然だ。ところがジョージア州知事ブライアン・ケンプが「マスク義務付けは自由の侵害だ」とアトランタ市長を訴えたのだ。

ボトムズ市長は民主党で黒人の女性、ケンプ州知事は共和党で白人の男性。二人は正反対で、マスクは感染防止というより、政治的対立のシンボルになってしまっている。

七月二七日

新型コロナの死者が一五万人を超えた七月二七日、トランプ大統領があるビデオをリツイートした。

そのビデオでは、フロントライン・ドクターズ（最前線の医者たち）と名乗る白衣を着た六人ほどの男女が首都ワシントンで、「コロナウイルスには治療薬があります！」と訴える。

「ヒドロキシクロロキンです」

それはマラリアの薬だが、アメリカの新型コロナ対策のリーダー、アンソニー・ファウチ氏とＦＤＡ（連邦食品医薬品局）は試験の結果、新型コロナにはまったく効き目がないうえに副作用があるとして認可しなかった。

「ファウチは間違っています。この薬を認可しないのはユダヤ人を殺したナチと同じです」と無茶を言うのはステラ・イマニュエルという黒人の女性医師。「私はそれで三五〇人のコロナ患者を救いました」と断言する。

「もう恐れる必要はありません。マスクも必要ないのです」

そういえば彼らは誰もマスクをしていない。

「アメリカはすぐにビジネスを再開すべきです」

これは非常に危険なプロパガンダだ、Twitter社はそう判断してツイートを削除した。しかし大統領が拡散したため、既に八四〇〇万人が観てしまった。

このビデオの「フロントライン・ドクターズ」は謎の団体だ。一〇日前に公式サイトができたばかりで二八日には消滅した。

エコノミスト誌の調査ではアメリカ人の四九％は新型コロナは人工だと信じ、一三％は新型コロナは存在しないと思っている。

七月三一日

連邦議会の新型コロナ対策委員会で、ホワイトハウスの新型コロナ対策の最高顧問であるアンソニー・ファウチ博士の公聴会があった。アメリカの新型コロナ感染者が四〇〇万人を超えて増える一方で収束の兆しが見えない事態について、なぜヨーロッパのように抑えられないのか？　質問されたファウチ博士は答えた。

「ヨーロッパではシャットダウンを実行した際、九五％以上ビジネスを停止しましたが、我々は五〇％ていどだったからです」

するとトランプはTwitterで反論した。

「違う！　アメリカは世界一検査してるから感染者が多いのだ！」

いやいや、検査のせいじゃない。死者は一六万に近づき、人口あたりの死亡率は最悪といわれたベルギーや英国、イタリアやスペインに迫る勢いなのだから。

八月三日

ケーブルTVのHBOがトランプ大統領のインタビューを放送した。

「毎日、約千人ずつコロナで死んでいますが」と言われたトランプ大統領は他人事のように

「死んでるね」と答えた。

「それは事実だ。そういうことだ。でも私は可能な限りコントロールしている」

「でも、大統領、アメリカの人口に対する死者の数は他の国と比べると多いですよ。たとえ

ば韓国では人口五〇〇〇万人で三〇〇人しか死んでません」

「さあ、どうだかな」

「韓国のデータが嘘だと言うんですか？」

「そこまでは言わんよ。友好国だから。でも、わからんよ」

もちろん何の根拠もなし。

八月五日
トランプ大統領が大政翼賛テレビ局のFOXニュースの朝のワイドショーに電話出演。こちらでは司会者におだてられて上機嫌。その日も死者一〇〇〇人超えなのに「コロナなんてどこかに消えちまうさ！」と息巻いた。半年前の二月一九日にも「夏までには奇跡みたいに消えちゃうさ」と言ってたけど、全然消える気配はない。

FOXでトランプは、公立学校に秋から通常通りの授業を再開するよう求めた。従わないなら連邦からの助成金をカットするという脅し付きで。

全米教員組合は「子どもは症状が出ずに感染を広げていく」と反対しているが、トランプは「子どもは免疫が強いから大丈夫だ」と反論した。「子どもにはほとんどみんなコロナに免疫がある！」

もちろん何の医学的根拠もない。

トランプは調子に乗って、この「子どもはコロナに免疫」発言をFacebookやTwitterにも載せた。Twitter社はトランプの暴力的な煽動や間違った情報を規制する方針なので当然、削除。さらに今まで規制しなかったFacebookまでが、さすがにこの発言は危険すぎると削除した。
アメリカではトランプから新型コロナのワクチン開発に七億ドルの助成金を受けたコダック社の株価が二〇倍に高騰し、証券取引委員会がインサイダー取引の疑いで調査を始めた。

八月二〇日
民主党全国大会。ここでジョー・バイデン前副大統領が一一月の大統領選挙の民主党の正式候補として指名される。これが歴史上初めてヴァーチャルのイベントになった。会場にいるのはバイデンと副大統領候補のカマラ・ハリス上院議員だけ。他はそれぞれの自宅からオンラインで参加。客席は無人。だが、約二五〇〇万人がテレビなどで視聴した。

八月二七日
共和党全国大会。いちおうヴァーチャルで行われたが、やっぱりトランプはそれじゃ満足できなかった。最終日、自分の演説のためにホワイトハウスの庭に一五〇〇人を招待した。やっぱり誰もマスクをつけてない！　もちろん肩を並べて座り、ソーシャル・ディスタンスもまるで取ってない。
この日、全米で一〇一〇人が新型コロナで亡くなった。

九月七日

新型コロナの死者数は二〇万人を超えようとしている。国民の怒りを中国に向けさせるため、トランプは新型コロナを必ず「中国ウイルス」と呼んで印象操作をしている。

九月七日の支援者集会では、「ウイルスを拡散させた中国の責任を問うため」、中国切り離し（デカップリング）の意向を打ち出した。

でも、ニュージーランドや韓国や台湾のように新型コロナを抑え込んでいる国もあるので、死者二〇万人という数は政治の失敗なのは明らかだ。

九月二六日

亡くなった連邦最高裁のルース・ベイダー・ギンズバーグ判事の後任として、トランプ大統領はエイミー・コニー・バレット控訴審判事を指名した。男女平等と差別撤廃のために戦ってきたギンズバーグ判事に代わって、人工中絶や同性婚に反対するキリスト教保守のバレットを選んだのは、来る大統領選に備えてキリスト教保守にアピールするためだ。

トランプは彼女の指名式なるものを行った。選挙向けのパフォーマンスであって、公式のイベントではない。ホワイトハウスの中庭のローズガーデンに二〇〇人が集まった。八割はマスクなしで。

椅子はくっつけて置かれ、握手どころかハグやキスする者までいて、その様子がテレビでも放送された。人々は感染をおそれて、結婚式や葬式まで自粛してるのに。

一〇月二日

ホワイトハウスの最高裁判事指名式で新型コロナのクラスターが発生した。トランプ大統領をはじめ、式の列席者二〇人以上が陽性になった。メラニア夫人、ホープ・ヒックス広報部長、ケイリー・マクナニー報道官、スティーヴン・ミラー上級顧問、ケリー・アン・コンウェイ元上級顧問、選対本部長ビル・ステピエン……。

なかでも高齢で危険なのは七四歳のトランプ大統領。普段、ハンバーガーばかり食べているトランプは死に至る危険が高いだろう。憲法修正二五条に従って大統領代行も検討されているはずだ。

一〇月五日

トランプはなんと入院から三日後に退院し、ホワイトハウスに戻った。

「私はコロナについて学んだ。完全に理解した」

トランプは退院を国民に報告するビデオを発表した。相変わらずマスクはつけてない。トランプは公式に認可されていない治療薬のカクテル注射を受けたと報道された。もちろん一般人には手が届かないものだ。

「コロナを恐れるな！　コロナに人生を支配されるな！」

そう言って自信たっぷりに親指を立ててみせた。続けて、こんなツイートもした。

「インフルエンザで毎年一〇万人も死ぬが、いちいちロックダウンするか？　しないだろ。我々はインフルと同じようにコロナとも共存する道を学ばなければ」

このツイートは「コロナについて間違った情報を拡散しています」とTwitter本社から警告文を付けられた。

一一月一日

大統領選挙投票日直前の週末。テレビ番組「町山智浩のアメリカの今を知るTV」のロケで、激戦州のペンシルバニア州に入った。六月のシアトル取材以来、五カ月ぶりにカリフォルニア州の外に出た。

トランプは新型コロナに感染したにもかかわらず、激戦州のペンシルバニア、フロリダ、ジョージア、ミシガン、ネバダ、ウィスコンシンを飛び回って一日に三回以上の頻度で支援者集会を行っている。そのニュースを観ると、相変わらず聴衆はほとんどマスクをしていない。

自分はペンシルバニアでまず森林地帯を取材した。住民の家の庭にあるのはトランプを応援する立て札ばかり。このへんの産業は石油、石炭、天然ガスの採掘。仕事を失っていく彼ら労働者を救うと約束したトランプは絶大な支持を受けている。

そして訪れたのはトランプハウス。地元のトランプ支持者が家の外側に大きくTRUMPとペイントし、いつしかトランプ支持者の聖地になった。その日も朝から大勢のトランプ支持者が集まっていた。まあ、しかし、ひとり残らずマスクをしていない。
なぜ、マスクをしないんですか？　と尋ねると「毎年どれだけの人がインフルエンザで死ぬか知ってる？　でも誰もマスクしないでしょ？」と、判で押したようにトランプと同じことを言う。しかしペンシルバニア州では毎日の感染者が二〇〇〇人以上を超えて急激に増加している。

一一月二日
投票日前日。トランプは、この激戦地ペンシルバニアを重点的に回って支持者と接しているが、対立候補のバイデンが訪れたのはピッツバーグ市だけ。それも聴衆は自動車に乗ったまま参加するドライブイン形式だ。ただ、会場となる駐車場の外側には若者たちが大勢集まり、バイデン・コールをしている。ピッツバーグには名門カーネギーメロン大学があり、医療やＩＴ産業が栄えており、民主党支持者が多い。もちろん若者たちはひとり残らずちゃんとマスクをしていた。

一一月三日
投票日当日。ペンシルバニアからメリーランド州、首都ワシントンまで各地の投票所をのぞいたが、いつもはズラっと並んでいる投票者の行列がない。新型コロナのため、多くの人々は事前に郵便で投票を済ませてしまったらしい。
首都ワシントンＤＣでは、トランプ・インターナショナル・ホテルの近くのバー、ハリーズでトランプ支持の極右集団プラウド・ボーイズのパーティを取材。もちろん誰もマスクをつけていない。

「プラウド・ボーイズを暴力集団というけど、俺たちは銃やナイフは使わないよ。棍棒で殴るくらいだね」と笑うリーダーのエンリケ・タリオ。

彼にマイクを向ける時も、できるだけ腕を伸ばして距離を取ろうとするのだが、話に熱が入るとどんどんこっちに近づいてくる。しかも思いっきりツバを飛ばしながら。棍棒よりそっちが怖いよ。

一一月五日

新型コロナのため郵便投票が史上最高となった大統領選から二日が経過し、いくつかの州で票の集計は続いているが、バイデンの勝利は揺るがないだろう。ただ、トランプは事前に「もし私が負けたら、受け入れない。それは選挙に不正があったに違いないから」と予告していた通り、負けを認めない。トランプは朝から晩まで休みなく、「この選挙は不正だ」とツイートし続けているが、新型コロナについては何も言わない。全米の新型コロナ死者は二四万人を超えたのだが。

一一月一〇日

州外からカリフォルニアに戻ってきたし、マスクしないトランプ支持者たちと話したので、新型コロナ検査を受ける。住んでいるバークレー市だけで三箇所の検査所があり、ドライブスルーとウォークインの両方がある。通常、できるだけ接触を減らすため、事前にスマホでアンケート形式の診療を受けてから、検査所に行くのだが、急いでいれば、いきなり行って列に並べば検査を受けられる。もちろん無症状でも誰でも受けられる。検査料は二二〇ドルだが、全額、保険がカバーしてくれた。検査の結果はその日のうちにスマホに届く。陰性だった。

一一月二六日

感謝祭。宗教や民族に関係なく、アメリカに住む人々がそれを感謝する日（先住民は怒ってるけど）。この日は日本の盆や正月にあたる「実家に帰省する日」でもあるのだが、今年は一緒に住んでいる者以外とは会わないようにとの州政府からのお達し。特に高齢の両親を危険にさらさないように、と注意喚起されている。こんな事態はリンカーン大統領が感謝祭を国民の祝日に決めて以来じゃないか。

うちは、いつもは娘の同級生のカナちゃんの家（ラズモア家）に招待されて七面鳥をご馳走になるんだが、今年は中止。

その代わりにラズモア家とハイキングに行くことにした。いろんなスポーツが禁止されるなか、ハイキングは許されている。ただ、ピクニックは感染するので禁止。

で、山の上のハイキングコースに行ってみると、まあ、すごい人出。他に行くとこないからしょうがない。でも、この人混みじゃ意味ないいんじゃない？

一二月五日

サンフランシスコにお住まいの野沢直子さんの旦那様ボブさんにZoomでインタビュー。ボブさんはUCSF（カリフォルニア大学サンフランシスコ校）の大学病院で働く看護師さん。ICU（集中治療室）の一つ手前の緊急治療室でこの一年、新型コロナと戦ってきた。いつもボロボロに疲れ果てて家に帰ってきて気絶するように眠ってしまうので、野沢さんも余り話しかけられないと言う。

「コロナは急激に病状が悪化するので、ちょっとお昼を食べるヒマもないんですよ」

ボブさんは元陸軍特殊部隊の衛生兵だったが、まさかアメリカの病院が戦場になると思わなかっただろう。

「今、患者が増えてます。病床の空きがなくなりそうです」

かなり逼迫《ひっぱく》した状況らしい。

「もうすぐワクチン投与が始まります。早くドアのノブが舐められるようになるといいですね」

それは『ピンクフラミンゴ』では？　さすが元パンクロッカー！

一二月九日

新型コロナ第三波はそれまでの第一波、第二波をはるかに超える大きさで、日々の新規感染者数は二〇万人以上、全米の感染者数は一五〇〇万人。死者は累計で三〇万人を超えようとしている。それは第一次世界大戦、朝鮮戦争、ベトナム戦争の戦死者すべての合計よりも多い。

「数字それ自体に意味はありません」

アメリカ政府の感染対策責任者、アンソニー・ファウチ博士は一二月九日、CNNのインタビューで語った。

「一人ひとりの苦難を知ってはじめて、それは現実になるのです」

ファウチ博士自身もそれを知ったという。二八歳の末娘の恋人の兄が新型コロナで亡くなった。まだ三二歳だった。

「健康なスポーツマンでした」

テレビのニュースでは各地の犠牲者が次々に報じられる。

デトロイトに住むエリカ・ベセラさん(三三歳)は、妊娠八カ月目で新型コロナ発症、無事に出産したが、その一八日後、我が子を抱くことなく亡くなった。

テキサスに住むステファニー・リン・スミスさん(二九歳)は、一一月一三日に結婚式を挙げる予定だったが、その一週間前に味を感じなくなり、二日後に重症化して亡くなった。

死者三〇万人はただの数字ではない。一人ひとりが人間なのだ。

一二月一一日
FADはファイザー社が開発したワクチンを認可した。週明けには、ミシガンの工場から全米に向けて出荷される。

続いて、モデルナ社のワクチンも認可されるといわれており、政府は年内に一億人分のワクチンを配布する予定。

最初に接種を受けるのは医療関係者、次に食品や清掃などエッセンシャル（必要不可欠）な仕事に従事する人々、それに高齢者などのリスクの高い人々が優先的にワクチン投与を受ける。自分のような一般人に届くのは春から夏にかけてだと言われる。

その二種類のワクチンの効き目は九五％だが、それで作られた抗体がいつまで持続するのかまだわからない。だから今後、他の会社が開発する様々な種類のワクチンを試し続けることになる。コロナ禍以前の日常に戻れるのは、集団免疫ができた時、つまり全人口の六割以上に抗体ができた時だというが、それはいつのことやら。

一二月二四日

クリスマスイヴ。全米の感染者二五七万人、累計死者三三万人。クリスマスといえばショッピングとパーティだが、街は閑散として、商店街の飾り付けもなく、寒々しい。

教会もミサはリモートで行う。ただ、ケーキ屋さんには行列ができていた。

ファウチ博士は「サンタクロースはコロナに対して先天的免疫があるから大丈夫ですよ」と発表して子どもたちを安心させた。

今年、子どもたちはサンタさんにどんなプレゼントをお願いするのだろう。きっといちばん多いのは「コロナを消してください」だろう。

一二月二九日

トランプ大統領は、下院の民主党が出したコロナ禍の経済救済法案に署名した。その規模は九〇〇〇億ドル（約九四兆円）。

法案の肝は、春の一二〇〇ドルに続く国民全員への一律給付第二弾。前回は一二〇〇ドルだったので、今回も民主党は一二〇〇ドルを要求したが、共和党に支配された上院が半分に減額した。これで年収七万五〇〇〇ドル以下の全国民に六〇〇ドルずつ給付される。子ども二人の夫婦なら合計二四〇〇ドル（約二六万円）になる。失業者に対しては毎週三〇〇ドルが三月まで支給される。また副業の収入が途絶えた人に対しても週一〇〇ドルが追加支給される。

また、倒産や解雇、給与支払停止の対策として、中小企業向け支援に三二五〇億ドル。保育園や託児所に一〇〇億ドル、航空会社に一五〇億ドル、空港関連に二〇億ドル、独立系の映画館や劇場に一五〇億ドルを支援する。

そして、新型コロナの検査、追跡、感染抑制プログラムとして二二四億ドル。ワクチンの調達費として米生物医学先端研究開発局（ＢＡＲＤＡ）に二〇〇億ドル。ワクチンの配布費として九〇億ドル。

さらに一月二〇日に新大統領に就任するジョー・バイデンは、追加支援を約束している。バイデンはトランプと違い、連邦政府による厳しいロックダウンによる新型コロナ抑え込みを提唱しており、それには政府からの休業補償は必至だ。

さて、日本は？

（二〇二〇年一二月三一日）

［経済］

ここまで来たコロナショックドクトリン

松尾　匡

松尾　匡（マツオ・タダス）

一九六四年、石川県生まれ。立命館大学経済学部教授。専門は理論経済学。神戸大学大学院経済学研究科博士課程修了。論文「商人道！」で第三回河上肇賞奨励賞を受賞。著書『この経済政策が民主主義を救う』（大月書店）、『ケインズの逆襲、ハイエクの慧眼』（PHP新書）、『新しい左翼入門』、『左翼の逆襲』（以上、講談社現代新書）、編著に『「反緊縮！」宣言』、共著に『そろそろ左派は〈経済〉を語ろう』（以上、亜紀書房）など多数。

1　再確認──日本の支配層の将来ビジョン

旧来型生産は淘汰して東南アジアで生産

前稿では、コロナ禍をチャンスとして、中小個人事業の淘汰を推進しようとする動きが安倍政権下で見られることを指摘した。本稿ではその後、これが菅政権下で本格化していることを示す。

前稿冒頭に説明した日本の支配層の基本路線をもう一度確認しておく。

財界にとって、人口減少時代に入った日本は、労働力も大衆消費財市場も、将来性が見限られている。大衆的な消費財やそのための生産手段の生産は、日本は「比較優位」を失ったとされ、国内での生産をやめて海外、特に、成長著しい新興国で生産し、海外でもうける時代だとされている。そのために旧来型の生産は淘汰してしまい、国内の労働資源は、一部は「生産性の高い」とされる部門の高付加価値労働に、他の圧倒的多数は、輸入するわけにはいかないサービス産業の非正規低賃金労働に振りわけることになる。

高付加価値部門は、ひとつはたとえば「デジタル化」関連のハイテク産業の開発やデザインの部門などである。こちらは「高プロ」で残業代出さずにこき使って国際競争力をつける。もうひとつは、格差社会に対応した内外の富裕層向けの高級ビジネスである。

他方の国内に残るサービス業の低賃金労働者は、もっと低賃金の国の製品が円高で激安になって輸入されてくるので、低賃金でも食べさせていける。それには都合のいいことに、海外からの利潤送金が今後も着実に増加していくので、長期的に円高圧力がかかりつづける。円高が進めばますます国内での生産が困難になり、淘汰と海外移転はさらに進むだろう。

企業の進出先としては近年東南アジアが急増している。そこでアメリカが入らないTPP（環太平洋パートナーシップ協定）で御山の大将になって、ISDS（投資家対国家の紛争解決）条項で進出企業を守るというわけである。勘ぐれば、究極には実力で「日本人の生命財産を守る」と称して進出企業を危険から守るのが、自衛隊の海外派兵の目標だろう。

円高のために財政緊縮し支出は生産性高める分野に集中

この体制は海外進出企業の激安製品の逆輸入で成り立つので、円高が鍵となる。大衆生活物資を輸入に頼りながら円安になると、生計費がかさむので低賃金で社会の安定を維持することができない。円暴落など元来あり得ないが、政府債務がどんどん増えるのを日銀が買って金利を抑えていたならば、彼らの望む円高が十分実現できないおそれはたしかにある。なので政府債務を抑えるために、財政緊縮と大衆増税を行う。

おまけに社会サービスを削減すれば、民間ビジネスが代わりを供給してもうけられる。それに、緊縮で景気が停滞して失業者が維持され、公的セイフティーネットがケチられて、失職のコストが高まると、労働者の交渉力は弱まって資本の理不尽に屈服せざるをえなくなる。なるほど財政危機論を煽り立てるわけである。

特に、消費税は、十分に円高になれば輸入生活物資の価格が下がるので、多少もっと税率を上げても大衆を生かしていけることになる。しかも消費税は、それ自体が中小個人事業を淘汰する手段になる。中小個人事業にとって経済が停滞する中で消費税の転嫁などできるはずがない。「生産性が低い」とされる業態を淘汰して、一部の富裕層向け業者以外は、スケールメリットのある全国チェーンにしてしまって、激安輸入品を低賃金非正規労働で売って、割高な地場の業者のものを買わなくても大衆が生きていけるようにするのだ。

そして、緊縮した財政は、「ワイズスペンディング（賢い支出）」の名の下に、「生産性を高める」とされる分野に集中的に支出するべきだとされる。当然、その逆に「生産性の低い」とされる分野を支援するための支出はカットして、淘汰されるにまかせることになる。

コロナ禍は、以上のような支配層の路線にとって、絶好のチャンスである。中小個人事業淘汰は、四半世紀前から言われていることであるが、政治家が票を気にすると十分に進めることができなかった。一部官僚にも抵抗があっただろう。今、ショックドクトリンとしてこれに便乗して実現するのでなければ、こんなチャンスは二度とめぐってこないかもしれないのだ！

2 薔薇マークキャンペーンの菅淘汰路線批判声明

コロナショックからこのかんの支配体制側の言動は、このチャンスをとらえた、中小事業淘汰路線にかける不退転の意志を示している。

こうした動きを受けて、筆者が代表をつとめる反緊縮政策提唱運動の「薔薇マークキャンペーン」では、一二月一日に、「コロナ禍を中小企業淘汰のチャンスとする支配層の思惑を許さず、今こそ人びとの所得を増やす対策を」と題した声明を、公式ホームページ上で発表している。その中で、その一連の動きが簡潔にまとめられているので、ここで全文を紹介しておこう。

コロナ禍を中小企業淘汰のチャンスとする支配層の思惑を許さず、今こそ人びとの所得を増やす対策を

はじめに

一一月に入ってから、新型コロナの新規感染者数が毎日のように過去最多を更新し、感染拡大「第三波」到来が鮮明になっています。コロナ禍の収束が見通せないまま、二〇二〇年は終わりに近づいていきます。中小企業・小規模事業者の経営危機はますます深刻さを増すばかりです。厚労省の調べでは、コロナ関連解雇は七万人を超えました。コロナ禍で大幅な減収を余儀なくされた事業者に対する直接支援として、持続化給付金や家賃支援給付金が行われてきました。しかし、これらの給付金は、主要にはこの春の緊急事態宣言の影響による減収を想定しており、七月以降は通常の経済活動に戻っていくことを前提とした制度であったものと思われます。夏の第二波、秋の第三波と続くなかで「持続化給付金や家賃支援給付金はもう使い切ってしまった。このままでは年を越すことができない」という悲痛な声が溢れる状況になっています。

一二月上旬にまとめられる第三次補正予算案では、中小企業・小規模事業者の事業継続を支え、雇用を守るための積極的な支援が必要になるはずです。しかしながら菅政権は、中小企業・小規模事業者への支援の継続・拡充に真剣に取り組もうとしているようには見えません。持続化給付金を打ち切った上で中小企業の業態転換を促す補助金を新設することを検討しているとも報じられています。デジタル化促進などを打ち出し、これに対応できない事業者は支援の対象から外していこうという方向性が鮮明になっています。その背後には、このコロナ禍を中小企業淘汰の絶好のチャンスと位置づけようとする支配層の思惑が存在しているのです。このことを、時系列を振り返りながら見ておくことにしましょう。

時系列で振り返る支配層の中小企業淘汰への決意

三月一七日に、東京財団政策研究所が「新型コロナウイルス対策をどのように進めるか?・」

と題した「経済政策についての共同提言」を発表しました。発起人は小林慶一郎氏、佐藤主光《もと ひろ》氏で、当初からの賛同者として土居丈朗氏、池尾和人氏、伊藤元重氏らの経済学者が名を連ねています。この提言は「雇用を確保する観点からも中小・零細企業の資金繰り支援は当面の間の緊急措置として、やむを得ない」としながらも「中小企業へ支援するのはややもすれば過度な保護になり、新陳代謝を損ないかねない」と述べ、支援の継続よりも、廃業を促進するための制度づくりの方を強調しています。ここで、中小企業を淘汰していこうという基本線が明瞭になりました。

自民党の安藤裕衆院議員は、四月に自民党幹部に粗利補償をしないと企業が潰れると訴えた際に、「これでもたない会社は潰すから」と言われたと証言しています。こうした証言を裏付けるように、五月三日には自民党の逢沢一郎衆院議員が「ゾンビ企業は市場から退場です」とツイートをしています。

五月一二日には、新型コロナ対応のための「基本的対処方針等諮問委員会」に、例の小林慶一郎氏ほか四人の経済学者が加わりました。四人とも財政規律派です。

七月一七日に閣議決定された「成長戦略フォローアップ」(成長戦略の具体策を示すものとして毎年まとめられているもの)からは、これまで掲げてきた「開業率が廃業率を上回る」との表現が削られました。中小企業数維持の目標を放棄するもので、廃業の増加を認める方針への転換が一層鮮明になりました。

八月二八日には安倍首相が辞意表明し、後継を決めるための自民党総裁選挙が行われることになりました。総裁選に立候補した菅義偉氏は、九月六日に、中小企業の統合・再編を促進するために中小企業基本法を見直すと表明しています。これは、菅氏と親しいとされるデービッド・アトキンソン氏の持論の一つです。アトキンソン氏は、日本の生産性が低いのは小規模な企業が多すぎるせいだとして、三六〇万社弱ある中小企業を、二〇〇万社弱に統廃合することを主張しており、その妨げとなっている中小企業基本法が「諸悪の根源」だとしています。アトキンソン氏は、コロナ禍の中でも、政府の対策費の「真水」が少ないことは、財政状況が厳しいからやむを得ないとした上で、「政府による企業支援策の対象が、生産性の低い小規模事業者に偏っている」と批判しています。また、「慢性的な赤字企業は、ただの寄生虫」と題する論考で、「小規模事業者に補助金を出す必要はない」「コロナ危機が日本最後のチャンスだ」と語ってもいます。

このアトキンソン氏は、二〇一六年に、自分が中学生時代に経験したサッチャー改革を礼賛する文章を書いています。

あの時代、まさか今のイギリスのように「欧州第2位」の経済に復活できるとは、ほとんどのイギリス人をはじめ、世界の誰も思っていませんでした。それほどサッチャー首相が断行した改革はすごかったのです。これは、別にイギリス人のお国自慢ではありません。かつて「イギリス病」と言われ、世界から「衰退していく先進国」の代表だと思われたイギリスでも、「やらなくてはいけないことをやる」という改革を断行したことで、よみがえることができたという歴史的事実を知っていただきたいのです。

しかし、サッチャー改革の結果、イギリスは「よみがえることができた」とはとてもいえません。製造業が空洞化して衰退した代わりに金融業が盛えましたが、古くからの金融機関の多くは外資に買収されました。付加価値生産性は上がったものの格差と貧困が拡大し、普通の庶民の生業の場は破壊されてしまったというのが、サッチャー改革がもたらした結果でした。

菅氏は、九月八日の自民党総裁選の立会演説会で、最低賃金の全国的引き上げを主張しました。これも、最低賃金引き上げを中小企業淘汰の手段にしようというアトキンソン氏の持論に影響されたものと思われます。

自民党総裁に選出された菅氏は、九月一六日に首相に就任しますが、その翌々日の一八日には、竹中平蔵氏と懇談しています。菅氏は、小泉内閣の総務相だった竹中氏を副大臣として支えた頃から昵懇《じっこん》の仲だともいわれています。新設された「成長戦略会議」には、アトキンソン氏と竹中氏がメンバーに入り、一〇月一六日に初会合が行われました。

こうした中、一〇月一七日に行われた中曾根康弘元首相の内閣・自民党合同葬での菅首相の弔辞は注目に値します。中曾根氏は体制側にとって重要なことを多く行ったはずなのですが、菅首相の弔辞は、外交については抽象的な美辞麗句で流しつつ、内政についてはもっぱら新自由主義改革のことを、しかも具体的に詳しくあげた上で、「改革の精神を受け継ぎ、国政に全力を傾けることをお誓い申し上げて、お別れの言葉といたします。どうか安らかにお眠りください」との決意表明で締めているのです。この合同葬は、体制の中枢メンバーを集めて、故人の遺志を継ぐという形で新自由主義改革に向けての意思統一を図る決起集会のようなものであったといえます。

一〇月二六日には、財政制度等審議会の歳出改革部会で、中小企業政策について議論されました。同部会の部会長代理は、東京財団提言の賛同者でもある土居丈郎《たけろう》氏で、同提言の発起人の佐藤主光氏、賛同者の池尾和人氏らもメンバーです。この日の議論では「企業の新陳代謝を促進すべきだ」との意見が相次ぎ、持続化給付金について、二〇二一年一月一五日の申請期限をもって予定通り終了すべきだとの声が大勢を占めたと報道されています。土居氏が「期限をずるずると先延ばしすると、本来はよりよく新陳代謝が促される機会が奪われてしまう」と発言し、「事業が振るわない企業の長い延命に懸念する」「人材の流動化やM&A(合併・買収)が阻害され、経済成長につながらない」などの意見が多かったとのことです。

以上のような流れを踏まえれば、コロナ禍というチャンスを逃すともう二度とスムーズに中小企業淘汰を進めることはできないとの危機意識に基づく、支配層の並々ならぬ不退転の決意が存在していることは明らかでしょう。

付け加えるならば、昨年一〇月に消費税率が一〇％へ引き上げられたことも、中小企業・小規模事業者の淘汰の役割を果たしていることを指摘しなければなりません。消費税の増税で、増税分を価格に転嫁するのが困難な事業者ほど大きな打撃を受けました。しかも、消費税はたとえ赤字であっても納税しなければならないので、このままでは多くの事業者が倒産・廃業に追い込まれてしまうことが予想されます。

もうひとつ、コロナ以前に比べて約五円も円高になっているのに放置されていることも重大です。アメリカはじめ各国が巨額の通貨をつくって財政投入している中で、日本だけが手をこまねいていれば円高はさらに進んでいくでしょう。そうなれば、輸入品との競争にさらされる中小企業や農林水産業者だけでなく、輸出向けに軽工業製品や機械、部品を作っている中小企業も直接・間接に大きな影響を受け、倒産・廃業に拍車がかかることが懸念されます。これまで日本で生産してきた様々な製品が、二度と日本で生産できなくなるかもしれません。そのことは将来に禍根を残すことになります。

「反淘汰」の大きな共闘をつくろう

第三波の様相が鮮明になり、コロナ禍の収束が見通せないまま年末・年度末を迎えようとしている中で、支配層は「コロナ禍を中小企業淘汰の「最後のチャンス」（アトキンソン氏）と位置付けて、着実に攻めてきています。持続化給付金や家賃支援給付金の予定通りの終了はそれを象徴するものです。

その行きつく先は、これまで地域の経済やコミュニティを担い、人々の生業の場となってきた中小企業・小規模事業者が、もはや立ち行かなくなって一掃され、低賃金非正規雇用とスケールメリットで全国チェーン店やグローバル大企業ばかりが生き残る、荒涼とした格差社会です。

私たちは、この危険性を直視して、「反淘汰」の大きな共闘をつくっていかなければなりません。いま必要なのは、何よりもまず人々の所得を増やす経済政策です。すべての人への現金給付の拡充と、消費税の停止（ゼロパーセント）、中小事業者への直接支援、学費の免除など、私たちが五月二一日に訴えた真の「コロナ」経済政策は、第3波が到来する下で、ますますその重要さを増していると確信します。

みなさん、一緒にがんばりましょう。

※ https://rosemark.jp/2020/12/01/2020120101/

※ウェブでは逐一典拠のリンクをつけているので、ぜひご覧いただきたい。

3　支配層の意志が如実な淘汰路線提言

経済財政諮問会議での財界代表の報告

この声明文の準備中、もう組織内調整が間に合わず取り上げることのできない段階で、さらに注目すべき動きが見られた。

ひとつは、一一月九日の経済財政諮問会議における、新浪剛史《にいなみたけし》氏の報告である。氏は、サントリーホールディングス社長、経団連審議委員会副議長で、財界を代表して同会議に加わっている。おそらくこの報告は財界の総意であると思われる。

まずもって雇用調整助成金打ち切りを求める次の言葉に、財界の意志が端的に現れている。

雇用調整助成金により雇用維持を図ることで成長分野への労働力の供給が滞れば、生産性の向上に大きくマイナス。成長分野の代表は、まさに政権を挙げて進めているデジタル関連産業であり、ここに必要な人材を供給できなければ成長の大きな足枷となってしまう。

成長分野には、「デジタル」と「グリーン」が挙げられているのだが、その「グリーン」の方で、環境の観点からどの分野を残すかの産業構造転換の基準を、ヨーロッパに作られてしまうことへの強い危機感をあげている。「ここで主導権を握られると日本企業の競争力に大きなマイナスの影響を与えるおそれ」と表現している。

中小企業へのコロナ支援策は打ち切れと

次に見られた注目すべき動きは、新型コロナ感染の第三波がどんどんと高まっている最中の一一月二五日に財政制度等審議会が麻生太郎財務大臣に提出した「令和三年度予算の編成等に関する建議」である。この起草者は、またも土居丈郎・慶應大学教授である。その他常任の委員に佐藤主光・一橋大学教授、臨時委員に小林慶一郎・東京財団政策研究所研究主幹ら、すでに紹介した我々の声明中、名前が何度も出てきたお馴染みのメンバーが名前を揃えている。

この「建議」では、まず、「持続化給付金等の事業者に対する緊急避難的な施策」については、次のように述べている。

「こうした政府の一時的かつ非常時の支援を継続し、常態化させれば、政府の支援への依存を招き、産業構造の変革や新陳代謝の遅れ、モラルハザードを通じて今後の成長の足かせとなりかねない」

「今後は、単なる給付金や一律の『つなぎ』的な措置といった支援から、ウィズコロナ・ポストコロナを見据えた経済の構造変化への対応や生産性の向上に前向きに取り組む主体の支援へと軸足を移していき、未来に向けた日本経済の成長力の強化につなげていくべきである」

あくまで供給サイドで「生産性」をあげろと淘汰策

次いで、日本の総要素生産性や実質労働生産性が他の先進国と比べて「遜色ない」（私見ではむしろ高い）成長をしていることや、潜在成長率の低迷が労働時間減少（私見ではこれは総需要停滞で非正規化や操業短縮が進んだせいである）や資本投入の減少（私見ではこれは不況で設備投資がしばしば更新分にも満たないせいである）のせいであることを正確に記述しておきながら、なぜかやはり日本の生産性が低いというドグマにこだわり、生産性を上げるために付加価値を高めることを提唱する。物的効率が悪くなくて付加価値が低いならば、それは不況で総需要が少ないことの現れのはずなのだが、そうはとらず、産業構造の転換とそれにともなう労働移動の円滑化という、あいも変わらぬ小泉「構造改革」流の供給サイドの処方箋を掲げる。

特に、中小企業政策については、企業規模が小さいことを労働生産性が低い原因にあげ、「規制・制度改革、企業慣行等の見直し」を提唱する一方で、「財政支出を増やせば、持続的な経済成長が起きるといった単純な話ではない」と総需要拡大政策の意義を否定する。そして、「財政支出が必要な場合には、真に経済の自律的成長に寄与する効果的・効率的な支出となるよう、KPI（重要業績評価指標）等の指標も用いながら、選択と集中・ワイズスペンディングの考え方をこれまで以上に徹底すべきである」とする。つまり、「強きを助け弱きをくじく」財政支出ならOKということである。

具体的予算編成の課題の中では、「真に生産性向上に資する効果的な施策・予算となるよう、予算を重点化するとともに、成長力強化のためにグリーン化・デジタル化・DX（デジタル化による企業組織の転換）等に対応する一方、構造変化に対応していない既存施策を大胆に見直し、スクラップ・アンド・ビルドを徹底する」として、中小企業の生産性向上のために、「新陳代謝の促進、補助金の対象の見直し」を掲げ、「雇用調整助成金の特例措置の見直し」を含む「円滑な労働移動の支援」を提言する。

世の中には、本来なら人々のニーズに合った商売をしているが、ただ人々の所得が足りないために利益をあげることのできない中小自営業者はたくさんいるものと思う。ところが、そういう業者も含めてもうからない業者には援助を打ち切って廃業を促し、「生産性が高い」とされる業態が伸びるよう財政的に優遇するというわけである。人々の所得が足りないという需要サイドの問題には手をつけず。

農業については、「農地集約、高収益作物への転換等」による「大規模農業経営体の生産性向上」を掲げる。

大不況下でも財政規律論

また、コロナ危機での政府債務増大を受けて、あいかわらずの財政危機論を煽り、もはや国際的には相手にされていないプライマリーバランスの黒字化目標を依然として掲げ、さらには、「財政健全化に向けた揺るぎない決意と行動を国内外の投資家に示すことの重要性」と、国際金融ブルジョワジーへの忠誠の姿勢を示すことを要求している。そして「現在の異例の金融緩和政策を所与の前提として、財政規律が失われた形で節度のない国債発行を行うようなことはあってはならない」とする。

そして目下のような類例のない大不況のもとにおいてなお、「現時点の経済の落込みを全て公需で埋めるべきといった議論や、公需主体で経済を支え続けなければ今より経済が落ち込むといった誤解を招く議論は適当ではない」と言うのである。

もちろん消費税引き下げなど、「財政悪化の最大の要因は、社会保障給付における受益（給付）と負担のアンバランスである。消費税率の引上げ、消費税収の社会保障財源化を伴う社会保障・税一体改革などにより、こうしたアンバランスを是正する歳入・歳出両面の懸命の努力が続けられているが、未だ道半ばであり、なお受益（給付）と負担の乖離は大きく残っている」というくらいなので、問題にもされない。

「受益と負担のアンバランス」とは、例の高齢者が若者を搾取しているというふうの分断を煽る議論だが、この「建議」では、高齢者が高い所得を得たり資産が多かったりすることを理由にあげて高齢者の医療費負担を高めることを提唱している。資産を持たないロスジェネが高齢者になる時はもうすぐなのに。そのほかにも、介護者の処遇改善を否定したりと、医療・社会保障関係についても庶民に犠牲を強いる提言が盛り沢山なのだが、本稿の直接の主題を離れるので、紙幅の問題もあり省略する。読者にはぜひ直接検討されて批判をお願いしたい。

4　進む淘汰路線

第三波高まる中でコロナ支援打ち切り

さて、実際に姿を見せた二〇二〇年度第三次補正予算と一体の二〇二一年度予算案では、こうしたいろいろな審議会の主張通り、現在のところ、持続化給付金は二〇二一年一月一五日に申請打ち切り、家賃支援給付金も打ち切られる見込みである。雇用調整助成金の特例措置も三月以降縮小されることになった。新型コロナ感染流行の第三波がピークへ向けて高まっていくまさにそのときにである。

打ち切られる支援措置の代替策として、中小企業・小規模事業者への「事業再構築補助金」が創設されることになったが、これは、「新規事業分への進出、新分野への展開、業態転換、事業再編といった思い切った挑戦を支援する」ものとされていて、事業計画を出させて審査するものである。本来いままでどおりの商売でも十分に人々のニーズがあるが、ただ不況とコロナ禍のせいで苦境にあるだけの事業者は、これでは救われない。あくまで支配層の望む「生産性の高い」業態に転換する者だけ救うというのである。

できた予算も追加支出大半は、デジタル化の推進などの成長戦略に使われる。全くこのかん打ち上げられてきた路線のとおりである。

分断の狡智VS反淘汰の連帯へ

感染拡大の原因を作ったと悪評の「Ｇｏ Ｔｏキャンペーン」も、結局、大きな事業所や本来富裕層向けである高級ホテルばかりを救い、庶民向けの付加価値の低い安価なホテルなどを淘汰するために役立った。

菅首相は、スマートフォンが非正規労働者にとっても生活必需品となっていて、通信費が生計を圧迫していることに目をつけて、通信費の引き下げを言い出すなど、非常に狡猾《こうかつ》である。彼らの最低賃金引き上げ論も、中小企業支援策とセットにしない淘汰の手段だが、不用意に反対しにくく、雇用労働者と中小個人事業者との運動の分断を作りやすい。

また、「経済か医療か」とのあれかこれかの図式を作ることでも、医療関係者や高齢世代と、失職の危機に怯える若者世代との分断が作られている。人々のニーズに合わせて適切に労働配分がなされることこそ経済効率性である。コロナと闘った病院がさまざまな負担で損ばかりして、減収でボーナスも出せない逆インセンティブのため、医療関係者が次々退職していく今の状況ほど、経済学的に言って非効率はない。医療機関にも医療関係者にも、その他のエッセンシャルワーカーにも、公に十分な補償をつぎ込んで労働資源を確保することは、暮らしの場からの総需要を作り出して地域経済を潤すことにもなる。

本書のシリーズにはこの先第三弾が予定されているとのことだが、そこでは、支配層の思惑通り、消費税とコロナと円高で、富裕層向けとハイテク関係以外のたくさんの中小個人事業が死に絶えた荒涼としたコロナ後を描写することになるだろうか。それとも、分断をのりこえた広範な反淘汰の連帯した闘いで、この流れを止めた様子を報告することになるだろうか。

（二〇二〇年一二月二六日）

［二〇二一年一月一七日　追記］本文中、持続化給付金と家賃支援給付金について延長されない見込みと書いたが、申請期限当日の一月一五日になって急遽、政府は申請受付を二月一五日まで延長すると発表した。さすがにもたないと判断したのだろうが、これらは新型コロナ流行の第一波に対応したものであり、緊急事態宣言再発令後となっては、すでに一度支給された事業者も再支給・支給期限延長の対象としないと元来意味がない。

〔東アジア〕

コロナ禍と東アジア（ポスト）冷戦 2

――歴史のインデックスと現在時（二〇二〇年後半期篇）

丸川哲史

丸川哲史（マルカワ・テツシ）

一九六三年、和歌山県生まれ。一橋大学大学院言語社会研究科博士号取得。現在、明治大学政治経済学部兼教養デザイン研究科教員。専攻は、日本文学評論、東アジア現代思想史。著書に、『台湾、ポストコロニアルの身体』（青土社）、『リージョナリズム』（岩波書店）、『帝国の亡霊』（青土社）、『竹内好』（河出ブックス）、『台湾ナショナリズム』（講談社選書メチエ）、『中国ナショナリズム』（法律文化社）、『魯迅出門』（インスクリプト）、『思想課題としての現代中国』（平凡社）など。

はじめに――留学生（から）の風景

日本の現在の留学生にかかわる状況は、興味深い段階にある。それは、取り分け大学院に現れている。日本人院生だけでは定員は埋まらず、大陸中国、韓国、台湾など、日本と隣接する国、地域から来ている留学生によって多くの大学院研究科が成り立っている。またその中でも、大陸中国からの留学生が半分以上を占めている。このようなトレンドは、実は二〇～三〇年近く続いているが、その最中において二〇二〇年のコロナ禍が発生した。この新たな事件は、分かりやすいところでは、授業形態にかなりの影響を与えた。

状況を時間軸から説明すると、今年の韓国及び中華圏における春節（一月二四日～二七日）までに、多くの留学生が一時帰国をしていたのだが、その春節明けから、韓国、中華圏の渡航がほぼ遮断されるに至った。私が務める大学院など典型的であるが、彼彼女たちが日本に戻れないことには、特にゼミ形式の授業などがまったく覚束なってしまったのである。そして、周知のように五月からの再開の春学期期間、大学院も含む大学全体としても、授業だけでなく、会議などにおいてもオンライン化が推し進められた。もちろん、大前提として大学側が恐れたのは、一般学生がキャンパスに集まることによるクラスターの発生であったわけだが……。いずれにせよ、多くの留学生が日本戻れなくなってしまった事態への対処もあって、大学側（大学院）は、新学期より授業形態を全面的にオンラインに切り替え、この流れは本稿が執筆されている秋学期の後半にまで食い込んでいる。

これに一つ付け加えると、通常ならば留学準備の期間として、東アジア地域から日本語学校に入ろうとしていた留学生予備軍にも同様の現象が起きている。すなわち、二月半ばより、二〇二〇年度の日本語学校における修学生の集まりが芳しくなく、対面授業において教室が埋まらない状況が報告されている。さらに、夏以降において、それはプッシュ側（中華圏＋韓国）の要因ではなく、むしろ感染拡大が収まらない日本側の問題となっている。実にこの流れが、どの程度、今後の日本の大学（大学院）における風景、留学生のいる風景に変化をもたらすのか――関心がもたれる必要がある。

さて、以上のような観察と感慨を述べたのは、私自身が大学行政の中でも、留学生をめぐる環境を知悉《ちしつ》するセクションにいるからである。さらに、私の以上述べたような観察と感慨を吐露したくなる前提としてあるのは、先に述べたような意味で、日本の大学、特にその最先端の研究を担う大学院が、東アジアからの留学生によって担われているにも関わらず、そのことが日本社会において十分に意識されていない事態がある。これは元より、ずっと潜在化していたものであった。というのも、たとえば大学学部や大学院のパンフレットなどを見て、それらの宣伝において写っている留学生は主に、見るからに欧米系の人物で占められており、またその逆として、日本人学生に勧められている留学先は、主に米国やヨーロッパが写真イメージの主流である（実はそうでもないのだが）。するとまた、私が専門家としてやって来た東アジア領域の歴史的遠景が浮かび上がる。つまり、日本人の意識と無意識を支配する「脱亜入欧」観である。

ただ、本稿が執筆されている一二月の段階では、徐々に東アジアからの人々の入国が緩和されつつある最中である。二〇二〇年秋の現在のコロナ禍において無意識化されつつ、日本社会を規定しているのは、欧米、ラテンアメリカとの対比として、現在の東アジアにおいて（日本以外）は、かなり程度、新型コロナウイルス（以下、新型コロナ）の蔓延が食い止められている、という事実である。ちらほらとクラスターが発生しているとの情報も伝えられているが、概ね日本を除く東アジア地域全体として新型コロナがかなり抑え込まれている。このことは、日本人に有形無形の安心感を与えているはずだが、多くの日本人一般はそのことを意識化せずに日々を送っている。

新型コロナウイルス禍下の米中「新冷戦」——七月二三日ポンペオ演説からの流れ

本稿がカバーする期間において、コロナ禍が世界的規模で持続する中、東アジア地域に影響を与えていた最大の主要矛盾は言うまでもなく、「新冷戦」とも称される米中対立であった。今年三月から一一月までの期間、トランプ・ポンペオ政権は、「武漢《ウーハン》熱」あるいは、「中国ウイルス」といった名称を連呼することで、自陣営の選挙活動に有利をもたらそうと、やっきになっていた。彼らの政治言説は、実のところ東アジアの大状況だけでなく、むしろ小さいところへもその波紋を広げるところとなっていた。たとえば、先に述べた日本と東アジアの間を行き来する留学生たちに対してであるが、このことはまた後で述べたい。

この期間、特に私のような東アジアの専門家を驚かせたのは、以下のことである。コロナ禍が迫る以前の米国政府の中国に対するアプローチを完全に一変させた人物、ポンペオ国務長官の七月二三日の外交方針演説——特に米国政府が採るべき中国への対応を語った、ニクソン記念図書館での演説――に現れた新冷戦言説である。このポンペオ演説は端的に、かつての冷戦ロジックをグロテスクに反復・拡張したものであるが、その実、彼らの潜在的目標は、米国内部の選挙民に対して、政権のコロナ禍対策の失敗の責任を外側へ転嫁することであったように見受けられる。しかして、その中身として具体的に展開されているのは、目下の中国との貿易戦争の激しさを強調し、そのサブテーマとしてある情報戦争において、（主権問題を含みつつ）中国包囲を「国際社会」に呼び掛けることであった。以下は、その演説のダイジェストの一部である（『日経オンライン』七月二四日付のまとめ記事から引用）。

中国は貴重な知的財産や貿易機密を盗んだ。米国からサプライチェーンを吸い取り、奴隷労働の要素を加えた。世界の主要航路は国際通商にとって安全でなくなった。習近平《シーチンピン》総書記は、破綻した全体主義のイデオロギーの真の信奉者だ。中国の共産主義による世界覇権への長年の野望を特徴付けているのはこのイデオロギーだ。我々は、両国間の根本的な政治的、イデオロギーの違いをもはや無視することはできない。（中略）

今週、我々は（テキサス州）ヒューストンの中国領事館を閉鎖した。スパイ活動と知的財産窃盗の拠点だったからだ。南シナ海での中国の国際法順守に関し、八年間の（前政権の）侮辱に甘んじる方針を転換した。国務省はあらゆるレベルで中国側に公正さと互恵主義を要求してきた。（中略）

自由主義諸国が行動するときだ。全ての国々に、米国がしてきたことから始めるよう呼びかける。中国共産党に互恵主義、透明性、説明義務を迫ることだ。現時点では我々と共に立ち上がる勇気がない国もあるのは事実だ。ある北大西洋条約機構（NATO）同盟国は、中国政府が市場へのアクセスを制限することを恐れて香港の自由のために立ち上がらない。（中略）
過去の同じ過ちを繰り返さないようにしよう。中国の挑戦に向き合うには、欧州、アフリカ、南米、とくにインド太平洋地域の民主主義国家の尽力が必要になる。いま行動しなければ、中国共産党はいずれ我々の自由を侵食し、自由な社会が築いてきた規則に基づく秩序を転覆させる。一国でこの難題に取り組むことはできない。国連やNATO、主要七カ国（G7）、二〇カ国・地域（G20）、私たちの経済、外交、軍事の力を適切に組み合わせれば、この脅威に十分対処できる。

以上のような対中国アプローチが今後もそのまま実行されていくのか、あるいは緩和されるのか――この判断はさておき、コロナ禍を抱える中での二〇二〇年後半期、米国の東アジア外交には、並々ならぬアクションが続いていたこと――これを振り返ってみたい。その一つとして、八月九日から一二日までの米国高官（厚生長官）、アザーによる訪台である。アザーは蔡英《ツァイイン》文《ウェン》総統と会談、興味深くも自国の失敗を棚に上げしつつ、台湾の新型コロナ対策の「成功」に言及、そして「台湾社会には透明性と公開性があり、民主主義の価値を示した」と称賛した。このアザー訪台に対し、もう一方の大陸中国各メディアは、コロナ禍を政治利用するもの――「台湾カード」を用い、中国に対抗する行動――として批判の声をあげた。

この米国政府が採ったアクションは、流れとして、やはり先のポンペオ国務長官の演説と連続するものである。その一方、台湾当局側（民進党政権）には、米中対立を利用して、米台関係を強化せんとする狙いがあった、と解釈し得る。しかし結果として、米国政府にとっての真の狙いとは、周知の通り、「武器の市場としての台湾」だったようである。この流れは、この期間において加速していた。

先に述べたように、ここまでの米国政府（トランプ政権）の東アジア秩序に介入する行動パターンを見れば、明らかにコロナ禍による国内の不満を転嫁するための行動であった。しかしながら、このような米国政府（トランプ政権）の外交行動は、単純にかつての冷戦時代に戻るものであろうか、またそれが政権交代後も続くものであろうか。たとえばこの間、米国政府は、台湾の世界保健機構（ＷＨＯ）への加盟は支持する発言を行った。ここで微妙なことは、台湾当局はＷＨＯへの加入を希望しており、米国にその仲介を要請していたが、アザー訪台時の米国自身（トランプ政権）は二〇二一年七月でのＷＨＯからの脱退を通告していたことである。周知の通り、トランプ政権の退場によって、政権が代わった米国政府はＷＨＯへの残留に動くであろう。

以上に述べたような米国政府の行動のチグハグなあり様を再び測定する場となったのが、菅政権発足間もない一〇月六日、東京で為された米日豪印外相会談から発足したところの、潜在的には中国包囲を主要目的とした「インド太平洋構想（戦略）」（ＦＯＩＰ）の立ち上げである。これは、かのポンペオの主導によって推し進められた構想（戦略）であったが、端的にＮＡＴ

O（北大西洋条約機構）の「太平洋・インド洋」版を作ろうとしたもの、と評されている。興味深いのは、奇しくもこのFOIPの立ち上げが差し迫った時期は、トランプ大統領がウイルス感染によって政権最大の危機が囁《ささや》かれていた一〇月二日～五日に当たっていた。

さて、日本外務省の報道発表によれば、このFOIPの立ち上げに際して合意した内容は次の四点とされている。ここでの仮想敵は明らかに中国であるのだが、ここにおいて中国の文字は見当たらない。

1 「自由で開かれたインド太平洋」は地域の平和と繁栄に向けたビジョンであり実現に向け、より多くの国々へ連携を広げていく重要性を確認。

2 海洋安全保障やサイバー、質の高いインフラ整備分野で協力を進める方針を確認。

3 ASEAN主導の地域枠組みに対する強固な支持を再確認し、「インド太平洋に関するASEANアウトルック」への全面的支持を再確認。

4 外相会合を定例化し、二〇二一年の適切なタイミングで次回会合を開催。

ここで整理してみたいのは、かつての冷戦と現在の米中の新冷戦との違いである。今日の世界各国、各地域の結びつき方を金融レベル、経済レベル、政治レベル、軍事レベルの四つに分けて考えてみるならば、かつての東西冷戦はこの四つすべてが緊密につながりつつ、世界が二極に分離している状態にあった。そこで現在においては、米中の間での軍事レベルでの対立は明らかであり、また経済レベルでもお互いのサプライチェーンを切り合う事態がある程度は進行しつつある。しかし、世界的レベルで金融レベルの分離はいまだ想定されていないし、それが冷戦期に戻るような可能性はあまりない。

かつての冷戦期において、先に述べた四つのモメントが敵陣営に対抗して緊密に結びついていたわけだが、今次のものはさほどの緊密さもなく、元よりバラバラになっていた。たとえば、コロナ禍が広がる前まで、中国を牽制するための米軍基地が集中する沖縄本島に中国人観光客が押し寄せ、金を落としていく、さらに米軍基地を観光対象として消費する、といった奇妙な光景が散見されていた。

米国大統領選挙が終わった後の期間（一一月〜一二月）、トランプ・ポンペオ政権は、いわば「駆け込み外交」を行使、東アジア情勢に介入を続けていた。たとえば一一月一三日、ポンペオは国内ラジオ番組で「台湾は中国の一部ではない」と述べ、大陸の人民共和国と国交を結んだ一九七九年の歴史的経緯（台湾の国民政府とは断交に至った）を無視した談話を発していた。こうしたネオ冷戦の志向は今後も続くのであろうか。バイデン政権は、おそらくオバマ政権の段階に戻るであろう。国務長官に予定されている人物は、アントニー・ブリンケンというオバマ政権時代の「リバランス（アジア回帰）」政策を牽引した人物である。

日本では、一一月一二日の菅首相とバイデンとの電話会談の中で、日米安保条約第五条のカバーの範囲として「尖閣諸島」を含むことが語られた、と報道された。しかし、これは既に六〜七年前に領土問題の惹起《じゃっき》に際し、オバマ元大統領が示していたものであった。だが、政権移行チームの公式ホームページには「尖閣諸島」の文字は見当たらない。このあたりの米国の新政権による東アジア政策の方向性は、二〇二〇年度前半に向けて、手探り状態で策定されていくのではないか、と想定される。

情報戦、及び方方『武漢日記』をめぐる熱狂と対立

世界の分割状況を測定するための上記の四つの分離（政治・経済・軍事・金融）に加え、もう一つ、別のモメントも付け加えるべきかもしれない。それは、七月のポンペオ新冷戦演説にも色濃く表れていた、情報レベルでの分離の問題である。近年の中国内部での情報統制も、多分に米中対立と直結するモメントである。中国政府も米国政府も、お互いに自分たちから発せられる機密情報が相手に盗られているのではないか、と警戒し合っている。米国政府からの表現では、それは知的財産の「盗み」として表象される一方で、中国政府にとっては米国の後ろ盾を得た勢力が、中国の核心的利益（香港の主権や、台湾を中国の一部と見なす国是）を脅かそうとしているのではないか、といった疑念に結晶している。こういったことが、私が見ているエリア——大学の中華圏留学生の間において、一つの熱狂現象として跳ね返って来ていた。その一つの焦点として、武漢でのコロナ禍をテーマとして世界に発信（翻訳）され、中国の暗部を暴く勇気ある書き手として持ち上げられた作家・方方《ファンファン》の『武漢《ぶかん》日記』（河出書房新社）をめぐる対立があった。

その『武漢日記』現象から垣間見えたのは、第一に、中国内部のコロナ禍を契機とした精神

的混乱の痕跡というもの、そして第二に、その中国を外側から見る日本や欧米などの地域の観測者が孕《はら》み持つ、「自分たちが見たいようにしか中国を見ない」という、冷戦期から続く対中国バイアスである。

まず、この方方という作家についての情報をまとめておく。彼女は一九五五年生まれで、現在武漢在住である。かつては中国作家協会の湖北省の首席を務めるなど、どちらかと言えば体制内の作家である。ちなみに、その年齢から推察されるように、また二人の兄は大学教授であることなどから、文革期には「下放」などで苦労したインテリ家系であることが推察される。今回の『武漢日記』は、まさに武漢において新型コロナの蔓延と被害が出たことから、武漢の外に武漢の内情を発信する人物として、彼女の書くブログが注目され、編集者に促され、翻訳・書籍化が進むこととなった。本書から感得されるのは、彼女の最大の特徴は、武漢の風土と人間に対して深い入れのある地方人だ、ということである。以下の分析は主に、鈴木将久《まさひさ》・東京大学教授の議論から示唆を受けたものである。

『武漢日記』は、方方が都市封鎖直後の一月二五日から毎日ブログで発表したものが元になっている。鈴木教授によれば、毎日、そのときどきの状況や心境が報告され、その意味で文字通りの「日記」でもあるが、最初からブログで公開するために書かれたものであれば、当初から幾ばくか公共性を意識したものであった。だが、この『武漢日記』は、ブログ形式で発表された時点から、武漢の外側に武漢の内部状況を伝えたという意味で注目を集めると同時に、強い批判も呼び起こした。その批判の波は、おおまかに二回あったと鈴木教授は指摘する。一回目は連載初期の二月に起きたもので、主として方方の記述の真偽が問題となった。二回目は連載終了後の四月に起きたもので、方方『武漢日記』が米国で翻訳・出版されるというニュースが出た後である。

まず、第一回目の批判の波は、彼女の叙述が実は都市封鎖という現実もあり、実際に見て来たことではなく、様々な友人の報告やネット上の情報を整理したものであったこと――これが一つの要因となった。また、彼女のブログが転送されるプロセスで、叙述の内容と一致しない写真(ウイルス禍で亡くなったとされる患者のスマホが山積みとなっている映像)が添付されるなどしたため、ネットが荒れた。つまり、方方は真実を暗い方へと捻じ曲げ不安を煽ったとする批判が湧き起ったのである。さらに、この側面が中国の外の視点へと移されると、勢いとして、方方は反政府的な人物であると見なされた。ここで注意したいのは、方方が展開した、既に周知となっている最初の新型コロナ感染を(正確にはSARSではないかとして)告発した、李文亮《リーウェンリアン》医師を死に追いやったとされる院長、並びに市の当局者への激しい批判である。

しかし、方方は、中央政府とタイアップした武漢市が急遽、火神山医院、雷神山医院などを建設したこと、また武漢市民の防疫活動、食糧物品の調達に挺身《ていしん》するあり様については、賞賛している。すなわち、彼女の批判は、初動の失敗に関する責任に範囲を限定したものだ、と鈴木教授は指摘する。総じて、方方『武漢日記』は、コロナ禍に見舞われた武漢人の感情の発露の一環として、政府に対する異議申し立てがなされたもの、と読み取れる。

しかし、そのような文脈は、たとえば日本語版の出版に際しては、十分に受け止められなかったように見受けられる。ここでは、日本語版『武漢日記』に関するAmazonのブックレビューを一つの典型的な例として挙げてみたい。レビュー欄のトップに記された「著者の勇気には敬意を表したい」との題が付されたもので（九月九日付け）、以下のような叙述がなされている。

……本書は、「中国で、こんなこと発信してもいいんかいな」と人ごとながら、心配になるような内容の本でもある。中国は、近年、一国二制度を標榜しているとはいえ、そもそもが社会主義国家であり、先頃の香港の例でもわかるように、言論の自由がある国ではない。日本などよりはるかに情報が統制され、下手に政府など批判したら、それこそすぐ逮捕されて、拷問さえされかねない〝恐ろしい〟お国柄である。その遅れて来た〝帝国主義国家〟中国で、ここまで政府を批判して、無事でいられるとはまさに驚き以外何物でもない。思うに、コロナによる批判で、中国政府がそれだけ追い込まれていたということだろう。もし著者の方方さんを捕まえるようなことでもあれば、ネットでその情報があっという間に拡散され、国自体が崩壊しかねない危険性があったのだろう。その意味で習近平政権というのは案外脆弱なのかもしれない。

三大話のように「言論の不自由」「中国崩壊」「香港問題」などがセットになっている。全体としてきちんと読んでいない印象が仄見《ほのみ》える。先ほど述べたところの「自分たちが見たいようにしか中国を見ない」の典型である。このレビューは九月九日づけであり、ここに「香港」の文字も見えるように、米中対立の構図で四月以降に問題化した「香港問題」もここに絡んで来ている。

その流れを受けつつ、鈴木教授の、方方『武漢日記』に対して盛り上がった第二の波に対する指摘を見ていこう。二回目の方方への批判の波は、彼女の作品が英語に翻訳されて米国で出版されることが、Amazonの広告などに出てから起きた、ということである。この二回目の批判の特徴を理解するには、やはりコロナ禍によって、トランプ政権の対中国対応が激しく変化したことが大きな背景となる。前回で述べたように、一月二四日時点では、むしろ「習近平は良くやっている」と中国の対応を称讃していたわけだが、ポンペオが中心となって三月には「反中国」へと大きく舵が切られる。さらにトランプ政権は、WHO批判と中国批判をからませ、やがて「WHOは中国の広報機関のようだ」という批判を始める。また四月には、香港で「国家安全法」に関する激しい議論が始まっていた。こうしてこの時期、米中関係が加速度的に悪化していくのである。

さて、方方『武漢日記』の英語版の広告がAmazonに出たのは四月八日であった。この二回目の批判の波においても、一回目と同様に叙述内容への批判もあったが、この二回目の批判の波に付随したのは、むしろ英語版が出されることへの違和感だった、と鈴木教授は指摘する。すなわち極端な例では、米国機関から資金をもらっていたのではないか、といった陰謀論も現れたのである。ここでも根本的な問題というのは、やはり中国の暗黒面を故意に海外に触れ回ることになる、という「不安」であった。

結局、問題の所在は一体どこにあるのか。陰謀の有無にかかわる議論よりも、方方『武漢日記』が国境を越えて、翻訳され「共有」されることに付随する「翻訳の不幸」問題である、と筆者は考えている。先のAmazonの別のレビューにも、一五カ国において翻訳・出版されることを言祝《ことほ》ぐ言葉が多く散見されている。『武漢日記』の冒頭でも、米国で翻訳・出版されることへの筆者の喜びが語られているわけだが、ここで問題となるのが、先に述べたように、国境を越えて享受されることによって、本書が中国以外の世界において一般的に信じられている中国イメージ——人権なき、情報統制された独裁国家——といった方向へと単純化・抽象化されるあり様である。方方の『武漢日記』の基調にあるのは、武漢人として、自分の住む場所で起きた現象、また政府の初期対応の不手際と不正を告発する態度であったが、鈴木教授が指摘するように、これはあくまで国内的文脈において叙述されたものである。これが国外で翻訳される場合にどうなるのかということでは、先にAmazonでの日本語版のレビューのトップに配された文言の方向性がほぼ言い尽くしている。結果として、第二波の方方への批判の中心点は、むしろ国際的な米中対立の文脈に、またその支流としての「香港問題」などにも投影されることとなった。

ただし、国内における方方とその批判者の対立、その対立のパターンに関して言えば、むしろ中国内部の特有の史脈が想定されるもの、と私は考える。論証を抜きに述べてしまうが、筆者が「文革傷痕の未処理問題」と名付けているものである。方方自身も述べているが、『武漢日記』にまつわる論争のあり様を見ていくと、明らかに文革時代の（壁新聞などで争われていた）言葉遣いというもの、その時代の政治的対立における熱狂の「反復」が垣間見える。コロナ禍における混乱が、「文革」の亡霊を呼び起こしたもの、と筆者は見てしまう。中国共産党は、一九八一年のいわゆる「歴史決議」において、徹底的に文革を批判し、「改革開放」に向けた再出発を果たそうとした。さらにこの時期は、国際政治の文脈では、中国は米国と組んでソ連を包囲する側に立っていた。その意味で、日本も含め西側社会の中国イメージは、一九八九年の六・四天安門事件まではすこぶる良かった。中国への好感度は、ちょうど今日の嫌悪度七〇～八〇％前後を裏返すように、同様の数値で推移していた。

しかしその後の結果として見ると、大陸中国全体として、改革開放に向かう「改革派」主導の経済システムの再編とそこから引き起こされた人心の動揺が最大の関心事となり、「文革の傷痕」の問題は、そのためにも未処理となってしまった。その未処理が、事あるごとに、社会的危機において類似する言説パターンとして、文革の影＝亡霊のようにして呼び起こされてしまう。すなわち、多様で複雑な社会矛盾を、狭い政治カテゴリーに切り縮めて処理すること、また論争相手を政治的にねじ伏せんとする手法が暴走してしまう、ということである。このことは、中国内部の問題であるのだが、難しいことに外部から中国を認識せんとする際にも、一つの大きな認識の「壁」ともなっている。

さらに八〇年代後半のことを付け加える。端的に、一九八九年の六・四天安門事件の最大の引き金は、「改革派」の採った経済政策の破綻による経済混乱であった。この六・四事件とその二～三年後に鄧小平《トンシャオピン》が企てた「南巡講話」を起点とする第二次「改革開放」によって、今日の「中国の台頭」とそれとは裏腹な巨大な格差社会が出現したわけである。これら一九八九年～一九九二年の期間に関する分析と評価は、別の機会に詳述したいと考える。

まとめに代えて――新型コロナウイルス禍における不安と安心

米国大統領選挙が終わり、米国政府は再び新たな体勢に移行する中で、改めてコロナ禍への対策の再構築に向かうはずだが、中国との関係をどのような方向に引っ張るのか――現在では未知数である。筆者は先に述べたように、米中関係はオバマ政権時代の方針（リバランス政策）をベースにしたレベルへと戻るもの、と考えている。そこで考慮しなければならない与件としてあるのは、コロナ禍によって、世界貿易における中国への依存度はむしろ高まっている現実である。そこで米中対立の中の、貿易「不均衡」問題に関しては膠着状態の程度で推移すると予想するが、先端技術にかかわる開発と独占をめぐる情報戦の強度はむしろ高まり、それを受けての多国間協調による中国「包囲」への志向は続いていくもの、と筆者は判断する。

いずれにしても、地政的にも、また経済的にも、この二つの超大国の間にある日本政府と日本人は、デリケートな選択を迫られていくことになるだろう。筆者は、国際政治を論じる専門家でもなく、関心事としてあるのは、先の『武漢日記』現象を通じて垣間見られるように、東アジアとその外の世界で渦巻く、激しい情動の揺れを注視することである。

端的に、このように言えるのではないか。たとえば、方方は武漢人として、また中国人としてコロナ禍において中国人に「安心」を与えようとした。しかし結果として、それはむしろ「不安」を煽るものとの批判も受けた。しかし今回の問題は、それがさらに中国の外側と繋がり、米中対立に接続されてしまった。総じて、中国を内部的に観察することと外部から観察することとの齟齬《そご》を、改めて明るみに出したと言える。それを凝縮して表現するなら、先ほど述べたように、誰かにとっての「安心」は、別の誰かにとっての「不安」となってしまう――そのような東アジアにおけるポスト冷戦期の厄介な情動の問題である。この厄介な問題が拡大されると、それはまた、中国の台頭についての内外の評価や感覚のズレとしてさらに大きく顕在化する。

その焦点となるのが、たとえば、「香港問題」である（そしてまた「台湾問題」である）。香港における普通選挙の実現を目的とした「民主化」運動は、そこからの暴走として「香港独立」の主張を招来することになった。ここにおいても、「中国の主権下にある香港」は、あるアプローチからは不安の種であり、また別の角度からは安心の基盤となっている。そこで冒頭の話に戻るのだが、実は日本の中にある中華圏の留学生会において、そのような「不安」が渦巻く情動の激流が私の携わる範囲において見て取れていた。それはたとえば、都内の大学で催された「香港の民主化」をめぐるシンポジウムの席において、香港出身の留学生と、そして「香港問題」に関心を寄せる大陸出身の留学生の間で緊張が走る場面がしばしば散見されていたことである。次いでこの流れは、SNSの領域に広がり、そこに台湾出身の留学生も加わって、一時期、お互いを罵り合うような激しい「熱狂」がネット上で散見されるようになっていた。加えて、大陸中国政府への対抗関係から、香港人や台湾人の留学生会の主流は、この間において、トランプ政権の対中国強硬政策を支持する傾向に入っていた。結果として、コロナ禍は、東アジア地域（日本も含む）において、中国の周辺部に潜在していた問題を過激化させる方へと引っ張った。

コロナ禍がもたらす東アジア内部、あるいはその外側との間で揺れ動く「力学」の中に入り込みつつ、そこで冷静な議論を展開するにはどうすればよいのか——これが本稿の目指すところであった。続きはまた半年後、ということになる。

（二〇二〇年一二月二五日）

＊本稿の方方『武漢日記』に関する分析については、東京大学の鈴木将久教授による講演「社会の傷痕の語り方——方方『武漢日記』とその周辺——」（明治大学大学院教養デザイン研究科主催特別講義、二〇二〇年一〇月二三日）に大きな示唆を受けた。ここにその名を記し、感謝申し上げる。また、上記講演を要約した評論は、既にネット上（『ウェブ論座』朝日新聞社）にある。
https://webronza.asahi.com/politics/articles/2020112500001.html

〔日本社会〕

コロナ禍は社会の性能を示す

オルタ・テックの可能性

宮台真司

宮台真司（ミヤダイ・シンジ）

一九五九年宮城県生まれ。社会学者。映画批評家。東京都立大学教授。公共政策プラットフォーム研究評議員。東京大学大学院人文科学研究科博士課程修了。社会学博士。権力論、国家論、宗教論、性愛論、犯罪論、教育論、外交論、文化論などの分野で言論活動を展開。著書多数。

第一部　現実編（日本で何が起こっているか）

天気予報よろしく

昨年（二〇二〇年）の流行開始時もそうでしたが、今でも昼過ぎのワイドショーでは「速報です！　今日の東京の感染者数は一三〇〇人でした」と報じます。でも検査数が増えれば感染者数が増えるのは当然で、検査数を示さない無意味な数字を天気予報のように垂れ流すマスコミや一喜一憂するコメンテーターの変わらない愚昧《ぐまい》ぶりには、膝の力が抜ける毎日です。

無症候感染者が多く、発症前日に最大のウイルス放出量となるＣＯＶＩＤ19は、全数検査ないし疫学的標本調査をしない限り感染者数を摑めず、一三〇〇人は実態を相当下回るはずです。疑似専門家がまき散らす弱毒化仮説も、宿主を殺す前にウイルスをまき散らすＣＯＶＩＤ19には、宿主の死によるデメリットが（たとえ人類が半減しても）存在しないので、無意味です。

重症者数も定義に依存して変わるので、辛うじて実態の各国比較に役立つのは単位人口当たりの死者数（以下、死者数）ですが、周知の通り最近に至るまでの日本を含む東アジアの死者数は欧米の一〇〇分の一。ファクターＸの実態は未だ不明ですが、日本政府（自治体を含む）のＣＯＶＩＤ19対策の有効性は、東アジア各国間の比較によってだけ明らかになります。

それによると、日本の単位人口当たり死者数は、韓国の一・五倍、中国の三・七倍、台湾の四一倍で（二〇二一年一月現在）、第三波の感染爆発で医療逼迫《ひっぱく》しているのは東アジアでは日本だけ。それによって米国の一〇〇分の一だった死者数は三〇分の一のオーダーまで上がりました（二〇二一年一月現在）。安倍晋三前首相や麻生太郎財務相が言う「日本モデル」の非有効性は如実になりつつあります。

無症候感染者からも感染し、発症前日が最大放出量という特性ゆえに、昨年春が終わるまでに、ＰＣＲを含めた抗原検査を可能な限り増やすことだけが実態把握に有効であることが、国際的認識になりましたが、未だ日本では、クラスターと濃厚接触者を見つけて隔離するという愚昧《ぐまい》な非対策に拘泥《こうでい》したままです。東アジアで日本だけが圧倒的な「負け組」である所以です。

でもそれゆえの病床逼迫だとは言えない。日本の単位人口当たりの病床数は世界一なのに全国一五〇万病床中ＣＯＶＩＤ19患者の使用割合は二％。患者受け容れは民間病院数で二割以下で公立・公的病院は八割以上が受け容れている（公的とは済生会や日赤など公的非行政団体が経営するもの）。病床の二割が精神科で病床転換しずらい馬鹿げた事態もありますが、真の理由は病院数八割が民間病院で、大半が規模が小さくＣＯＶＩＤ19対策ができないこと。

日本でも直ぐにできる「はず」だったことは、ＣＯＶＩＤ19対応を公立・公的・民間の大病院に集中させ、他を中小民間病院に振り分ける役割分担と医師の配置転換です。それより少し時間が掛かってもできる「はず」だったことは、都内を含めて廃校だらけなので建物を国が借り上げてＣＯＶＩＤ19専門病床にし、他分野の医者を多額のインセンティブを付けて貼り付けることです。昨年夏の第二波から1シーズンの時間的余裕があったのに、無策でした。

どの国でもできる「はず」のことができないのは、行政命令でこれらを可能にする医療法改正が、阻まれているからです。阻んでいるのは、行政から指令を受けるどころか行政に指令してきた巨大権益団体である医師会です。こうした実態を国民が知らない。知らない理由は、マスコミ自体が記者会を通じて政府や行政のケツをなめる権益団体だからです。

かつて「脱原発都民投票条例の制定を求める住民直接請求」の請求代表人の一人を務め、法定署名数の達成で条例案の都議会上程に漕ぎ着けましたが、一〇年前に原子力村界隈で見てきた政府・行政・権益団体と、同じ構造です。違いは、COVID19が各国を平等に襲ったので、各国の政治システムの遂行能力の落差が歴然となったこと。これをマスコミが報じません。

緊急事態宣言と特措法の出鱈目

今年（二〇二一年）の二度目の緊急事態宣言で二〇時閉店の時短要請が飲食店に出され、応じない飲食店の名前を公表する方針が打ち出されました。一度目の宣言では「夜の街」でのクラスター追跡に集中した為に「夜の街」が主要感染場所だとの錯覚が蔓延《まんえん》したのと同様、今回もクラスター追跡の仕組みゆえに飲食店が主要感染場所だとの錯覚が蔓延しています。

クラスター追跡では保健所が濃厚接触の疑いがある人にマスクをしていたか尋ね、外していたら濃厚接触者に認定します。人が共通にマスクを外すのは家庭と飲食店だけ。濃厚接触者が飲食店から多数発生したと認定され、主要感染場所として数えられる次第。しかも家庭内感染より遙かに割合が低く、感染源不明が七割に及ぶ。ただの「やってる感」です。

時短に応じると店舗当たり六万円が給付されますが、営業利益がそれを大きく超えない小規模店舗が進んで応じる一方、遙かに超える店舗は大きな損害を被ります。欧州各国では税務処理が全てIT化され、全店舗が会計士を通して行政と接続されるので、前年同期の営業利益の六〜八割が、手間なしに極く短期間で支給されます。まさに天地の差です。

単身者世帯や疑似単身者世帯が増えつつあるので、中小飲食店は重要な地域インフラです。理不尽な愚策で悪者扱いすれば、多数の中小飲食店が廃業して重要なインフラが傷つきます。

Go To トラベル／イートも、お得感が大きい高級ホテルやレストランと、利用する比較的豊かな層だけが、専らの利益を享受するだけの愚策でしたが、また同じ轍《てつ》を踏んでいます。

特措法（新型インフルエンザ等対策特別措置法）も「やってる感」の出鱈目《でたらめ》です。改正原案には自宅待機勧告への違反に罰金（一〇〇万円以下）と懲役（一年以下）が含まれます。無症候を含めた感染者にもその接触範囲にも様々な特性があります。青少年や幼児には普通のコロナ風邪以上の問題を生じません。必要なのは高齢者・持病持ちとのゾーニングだけです。

PCR検査は保健所による捕捉で法の網にかかって一律強制されますが、昨今は薬局でPCRの七〇％とほぼ同じ感度の抗原検査キットが販売されているので、これを使って高齢者や、高齢者と接触する者から、自己隔離する方が合理的です。だから、PCR検査を受ける人が減って、行政による実態把握が阻まれ、有効な対策を打てなくなることが確実な、愚策です。

ワクチンに望みを託す向きもありますが、欧米や日本を除く多くの国では昨年一二月から接種されているのに、日本は今年二月下旬以降。各国は職場や学校を医者が回って接種する共同体ハブ方式が採るのに、日本では自治体に丸投げ。治験期間が極端に短く、一部に死者も報告される現状では、「受けに行く」人は少数に留まり、ワクチン策も各国に比べて失敗するでしょう。

ＧｏＴｏから二度目の緊急事態宣言と特措法改正までの愚策の連発は、官邸や行政の頭の悪さに起因する部分もありますが、政策的な日本式ネオリベ化である事実にも注意が必要です。ちなみに市場原理主義による普遍主義的な優勝劣敗化が、ネオリベ化だとすると、日本的ネオリベ化とは、時代遅れの巨大既得権益を保護する非普遍主義のことです。

原子力村ないし地域独占電力事業者と経済産業省の界隈と、各地ならびに全国の医師会と厚生労働省の界隈だけではありません。後述しますが、例えば営業利益に応じた休業補償を欠いた愚策は、生産性は低いけれどストックがある事業者を残し、生産性が高くてもストックがなくてフロー依存の事業者を潰す帰結になるので、標準的なネオリベでさえありません。

沈みかけた舟の座席争いの加速

この数年くり返してきた通り、盛れない経済指標は惨憺《さんたん》たるもの。第二次安倍内閣が誇った盛れる経済データは株価と失業率。失業率改善は非正規雇用増加によるもので、非正規雇用者の僅《わず》かな賃金増も、浮いた固定費によります。日銀とＧＰＩＦ（年金積立金管理運用独立行政法人）の買入れ続行が公的に約束された株式に外人投資家が乗って高値になっていて、経済実態を反映しません。

経済実態を反映した経済指標では、ＣＯＶＩＤ19以前から一人当たりＧＤＰはアメリカの三分の二以下で、二〇一八年に韓国に抜かれました。最低賃金は欧州や米国の高い州の半分。平均賃金は昨年末に韓国に抜かれました。実質賃金はOECD（経済協力開発機構）加盟国では日本だけが一九九七年をピークに下落し続けています。IT企業や自然エネルギー企業のランクに日本企業は入りません。

理由は簡単。金融緩和（アベノミクス第一の矢）と積極財政（第二の矢）はできても産業構造改革（第三の矢）ができないから。第一と第二の矢は「沈みかけた舟の座席争いで良い座席の者を優遇する」類《たぐい》で、第三の矢にあたる「舟の作り替え」ができません。非正規雇用増も移民増も女性活躍も、既得権益者を身軽にするための駆り立てに過ぎません。

「規制改革」は所詮は既得権益者のためのつまみ食い。産業構造改革を遂げるには既得権益者を保護する制度をやめない限り不可能です。発送電を完全分離して固定価格買取制度を敷かない限り地域独占型電力会社から地域分散型エナジー会社にシフトできず、私的懇話会の記者クラブ相手にだけ政官が記者会見するのをやめないと報道活性化はありません。

政府ケツナメを排する報道活性化がない限り既得権益界隈のお友達クラブは永続します。一度目の緊急事態宣言時に竹中平蔵がかつて理事長だった東京財団政策研究所の提言が象徴的です。曰く「災害毎の中小企業支援は過保護だからやめる」「企業退出による新陳代謝が不可欠」「財政出動は採算性の高い分野に限る」「所得急減者に限って生活支援給付する」云々《うんぬん》。

ネオリベと異なる日本式ネオリベの本質が現れています。規制改革のつまみ食いや特区制度の依怙贔屓《えこひいき》で、先進国なら潰れている既得権益が身軽にされます。それ以外は廃業に追い込まれますが、失職した勤労者が非正規雇用されて既得権益がさらに身軽にされます。この悪循環を政策的に回すのが日本式ネオリベ。これがＣＯＶＩＤ19禍を利用しようとします。

ＣＯＶＩＤ19禍に誕生した菅政権下でも審議会では「支援措置の早期打ち切り」が繰り返し提言され、第三波の最近まで持続化給付金の申請も今年一月半ばに打ち切られる手筈《てはず》でした。非常事態に乗じて足手纏《まと》いの弱者を切り捨てろとの主張を「ショック・ドクトリン」と呼びますが、災害時に弱者を切り捨てる卑怯な政策はネオリベと異なる日本式の劣等性です。

この日本式ネオリベが二〇〇五年の小泉純一郎内閣以来の経済を失速させた元凶ですが、失速でさらに日本式が加速して経済の失速が加速します。その理由はネオリベと共通します。「社会の穴を経済で埋める」ネオリベはやがて「社会の穴を放置して経済を回す」を経て「社会の穴をさらに拡げて経済に盛る」に至りますが、長期には「社会が回らないと経済も回らない」のです。

なぜなら、社会から経済には、教育を通じた優秀な人材の供給という入力や、感情的安全の保障を通じたストレス（による短見）の緩和や、育ち上がりの環境の豊かさによる公的動機付けの醸成という入力があるからです。今の例と同じ入力が、社会から政治にもあります。そのことは産業革命初期・フランス革命以前の段階で学問的に自覚されています。

アダム・スミスは『諸国民の富』（一七七六年）で、人々が同感能力（他人の苦を自分の苦と感じる能力）を持つ場合にだけ市場が「見えざる手」を働かせると言います。ジャン・Ｊ・ルソーは『社会契約論』（一七六二年）で、人々がピティエ（政治の決定で各人がどんな異なる影響を被るかを想像でき、気に掛ける能力）を持つ場合にだけ民主政が機能すると言いました。

日本は本企画の「前半」で記した通り、八〇年代の新住民化＝土地にゆかり無き者の多数者化を通じた共同体空洞化を、インターネット化と日本式ネオリベ策が加速した御蔭《おかげ》で、社会指標（社会の健全さを示す数値）が滅茶苦茶になった結果、社会からの経済への入力も政治への入力も滞るようになって、どの先進国よりも貧弱な経済と政治を誇るようになったのでした。

前回の論考で示した社会指標を再掲します（一部更新）。青少年研究所の二〇一四年高校生調査では「どんなことをしても親を世話したい」割合は中国八八％、米国五二％、日本三八％。「親をとても尊敬している」割合は米国七一％、中国六〇％、日本三八％。「家族との生活に満足している」割合は中国五一％、米国五〇％、日本三九％。家族が空洞化し切っているのが分かります。

それが自意識に強い影響を与えます。二〇一一年の同調査では「自分に価値がある」とする割合は米国五七％、中国四二％、日本八％。「自分を肯定的に評価できる」割合は米国四一％、中国三八％、日本六％。「自分をダメな人間だと思うことがある」は米国四五％、中国三五％、日本七三％。ＵＮＩＣＥＦ（国連児童基金）が昨年（二〇二〇年）公表した幸福度調査では、先進国で下から二番目です。経済指標と社会指標の低さを見れば、日本は先進国ではありません。

記憶欠落としてのネオリベ

日本の出鱈目の背後には支配層（後述）の「沈みかけた舟の座席争い」に於ける「自分が死

ぬまで舟が沈まなければいい」という構えがあります。ここに社会心理学者の山岸俊男が国際比較で実証した「集団主義の不在」があります。集団主義と見えるものは「所属集団内の座席争いによる迎合」。全集団を支える共通財への関わり（公共精神）はどこよりも希薄です。

前回の論考で指摘した以上の点に加え、社会的想像力の欠如もあります。短期では「社会の穴を拡げて経済を回せ」でも、長期では「社会が回らないと経済も回らない」。ＣＯＶＩＤ19関連では、低所得層は、テレワークが不可能な現場仕事に就きがちなので危険な現場の改善が進まず、それで感染率が上昇しても賃金格差が医療格差を来し、全体の感染終息を阻みます。

先に指摘したように日本の医師会は、権益保持ゆえに病床転換や配置転換を阻み、世界一の病床割合を誇り且つファクターＸに助けられているのに病床逼迫を帰結しています。対照的に米国の医師会は、昨年初頭に前段落後半で述べた命題を声明で告知し、政府に警告しました。危険な現場仕事に就く医師であれば経験を通じて直ちに想像できるからです。

欧州首脳は例外なく、低所得や仕事内容ゆえに、社会から外せない危険な現場に臨まざるを得ない人々（エッセンシャルワーカー）への想像力を訴えています。政治家の呼び掛けはこうした危機でこそ機能します。第一に、焦りで想像力を失いがちな国民に学びの機会をもたらし、第二に、政治家へのリスペクトによるミメーシス（摸倣）をもたらします。

ところで、意外かもしれませんが、ここまでの批判的記述は楽天的なものです。社会的想像力を失う理由はＣＯＶＩＤ19による焦りだけでしょうか。欧州では政治家が機能するのに日本で機能しないのは日本人の劣等性（公共精神を欠いたヒラメとキョロメ）だけが理由でしょうか。

欧米と日本に共通して低所得者リスクが増大しているのは、ネオリベ（社会の穴を経済で埋める）という「誤った思想」のせいでしょうか。僕の考えでは、違うのです。

人の感情的劣化を近代社会の趨勢《すうせい》として予言したのがマックス・ウェーバーです。近代化とは合理化です。合理化とは計算可能化です。計算可能化とは手続主義化＝行政官僚制化です。行政官僚制化は役所を超え拡がります。学校も病院も会社もＮＰＯも党派も行政官僚制化します。最終的には行政官僚制の外がなくなります。鉄の檻《おり》と言います。

予言通り何もかも行政官僚制化したのは旧西側社会も旧東側社会も同じでした。行政官僚制化とはマニュアル通り役割を演じられれば誰でも良いという入替可能化です。当初は行政官僚制化した界隈には外がありましたが、外もまた行政官僚制化に組み込まれて行くことで、人は二四時間入替可能なボットになります。ウェーバーは鉄の檻化による没《ぼつ》人格化だと言います。

だから最後に残る「べき」没人格ではない存在として政治家を挙げました。人々を守るべくイザとなれば自らが血祭りになるのを承知で法を破る覚悟を持つ存在たる政治家を。これは市民社会だけでは統合があり得ないので全体性を担保する国家を持ちだしたヘーゲルと抽象的には同型の図式ですが、ヘーゲルやマルクスと違うのは市場ならぬ手続主義を持ち出したことです。

手続主義の要諦《ようてい》は、文脈無関連化としての没人格化（誰でも良い）だから、没人格化した市場取引（コンビニ的なもの）を含みます。狭い意味での行政官僚制化の特徴は、合法枠内での予算と人事の最適化です。広い意味で考えれば、「言葉の自動機械・法の奴隷・損得マシーン」化です。それが特定界隈での「なりすまし」を超えて人格に及んだ自体が、僕が言う「クズ」です。

それを含めてウェーバーにおいて曖昧《あいまい》だった諸概念を整理して掲げると、市場に及ぶ手続主義化＝広い意味での行政官僚制化を「システム化」と呼び、それによって外が消える事態を「汎システム化＝クソ社会化」と呼び、さらにそれによって人格の感情的劣化が生じる事態を「クズ化」と呼びます。クソ社会化とクズ化は論理的に相即する事態になります。

彼はヘーゲル影響下で近代社会は国民化を要するとします。国民化とは、自らが市民社会化＝損得マシーン化しても、経済ゲームのプラットフォームを担保すべく、損得マシーン化していない政治家を選ぶ能力を持つこと。英仏と違って国民化が未然のプロイセンには、偶々《たまたま》優れた独裁的行政官ビスマルクがいるが、その間に国民化を遂げようと呼び掛けます。

でもヘーゲルからニーチェの影響下に移行した後年の彼は、近代化＝手続主義化が加速する「条件プログラム化（if-then文化）によってヴィルトゥ（内からの力＝目的プログラム）が失われる」という初期ギリシャが嫌悪した動きを、留め得るものはなく、やがてヴィルトゥある政治家を選ぶ能力も、かかる政治家が育つ土壌も、消えると考えました。

ニクラス・ルーマン曰く手続主義化とは文脈無関連化ですから、汎システム化＝外の消去で、どの国もいずれは似たり寄ったりになります。例えば縄文時代から一貫して共同体従属規範はあるものの共同体存続規範を欠く日本では（後述）、トゥギャザであるべき事実的な条件を失えば何の抵抗もなく汎システム化します。それが前回紹介した八〇年代の「新住民化」です。

でもウェーバー予言を踏まえるなら、汎システム化を日本の脆弱《ぜいじゃく》さに帰属させるのは甘い。実際どの国でも、九〇年代半ば以降のテック化＝インターネット化による「いいとこ取り（見たいものだけを見、接触したい人にだけ接触）」フィルターバブルで、意見が違っても事実的にトゥギャザであらざるを得ないがゆえの人格的信頼が消失し、価値を共有できるアジェンダが激減しつつあります。

　昨今の米国が象徴的です。価値を共有できるアジェンダがなくなるとは、価値観が違っても共有財たるプラットフォームを保持しようとの構えが消えること。それゆえ過剰な敵味方図式が蔓延《はびこ》ります。過剰とは、プラットフォーム保全を言うと利敵行為だと見做《みな》される事態を指します。プラットフォームの空洞化は不安による疑心暗鬼と陰謀論を生みます（後述）。

　プラットフォームの保全もデザインも「古き良きものの記憶」と表裏一体で、「トゥギャザネスの記憶」が消えればプラットフォームも消えます。そこに出てくるのが市場原理主義としてのネオリベ。マルクスの言い方に倣《なら》えばこれは思想ではなく自然過程です。保守主義もリベラリズムも「古き良きものの記憶」に依存するので、汎システム化で記憶が消えれば自動的にネオリベ化するのです。

　八〇年代以降の、汎システム化がもたらした自動的なネオリベ化に抗って、（古き良きものの）記憶が場所（ナチスが言う「土」）に結びつく事実を喝破したのが、人類史を参照するイーフー・トゥアンとベアード・キャリコットでした。共に空間spaceと場所placeを区別しますが、場所は量子力学の場fieldと同じで、全域が質的なもので充溢《じゅういつ》すると見做されています。そこにあるのは、反機能主義や脱機能主義にこそ機能を見出す多視座性です。

第二部　処方箋編（エロスの脱落をどう補うか）

マルクス&ウェーバーに連なるハイデガー

さて、資本主義的市場の暴走を疎外または物象化の視角から問題にしたのがマルクスで、行政官僚制の暴走を鉄の檻または没人格化の視角から問題にしたのがウェーバーだとすると、技術の暴走を人または物の自動的な駆り立ての視角から問題にしたのがマルティン・ハイデガーです。マルクス⇓ウェーバー⇓ハイデガーなるドイツ思想史的な継承性があります。

言葉の説明ですが、資本主義とは市場で取引できる財に労働力と土地を算入した体制です。そこには市場取引してはならぬものを取引しているとの批判的眼差しがあります。今日なら加えて水や空気の如き公共財を含めた自然環境を問題にできます。他方、技術には、共同体的自給自足の枠に留まる技芸と、関係の全体を見渡せないテクノロジーを区別できます。

マルクスとウェーバーに共通して〈閉ざされ〉への批判的感覚がありますが、初期ハイデガーにはありません。道具性論に見る通り、世界は構えによって与えられ、構えは世界によって与えられるとの脱人間主義的循環（世界が世界する by 廣松渉《わたる》）に止目するだけですが、ナチス翼賛を批判されて以降の後期にはテクノロジーへの〈閉ざされ〉を問題化しています。

ハイデガーがナチス翼賛を反省しなかったとの批判が続いています。初期マルクスに従えば、文脈次第で愚昧な体制の翼賛に使える思考は、文脈ならぬ思考自体に問題があります（聖家族

／ドイツイデオロギー）。同じドイツ思想の系列なのでハイデガーが知らぬはずがありません。思想家であれば謝って済むものではなく、思想を刷新する他ない。それが彼の応答です。

僕の師匠の一人、廣松渉の協働連関論と物象化論は、マルクスよりもハイデガーを継承しています。それは〈閉ざされ〉を選択肢の消去＝受苦として問題化する視角に見られます。別の可視的な選択肢を選べなくなることではなく、別様の可能性群が想像不可能になること。つまり、受苦＝別様の選択肢群の想像可能性からの疎外＝受苦的疎外（山之内靖）です。

過去三〇年間使ってきた比喩を挙げます。僕らは三択問題のどれを答えても良いことを自由だと考えがちですが、なぜその三択問題に答えねばならないのかを考えません。なぜその三択問題に答えるべきかを想像不可能になる事態が物象化＝受苦的疎外です。この視角からマルクスを読み直すのも可能ですが、明示的起点は後期ハイデガーの駆り立て論です。

ハイデガーの例では木こり。かつては共同体的自給自足の全体を見渡せましたが近代では違う。木こりは製材所に駆り立てられて木を切ります。製材所は製紙業者に駆り立てられて製材を卸します。製紙業者は出版社や文具会社に駆り立てられてパルプを紙に加工します。出版社や文具会社は本や雑誌や文具を需要する消費者に駆り立てられて製品を作ります。

そこには駆り立て連鎖＝総駆り立てがあります。木こりや製材所や製紙業者や出版社や消費者には若干の選択肢があるものの、所詮は三択問題です。ちなみに消費者でさえ起点にはなり得ません。本や雑誌から情報を得ないと仕事ができず或いは息抜きできないという意味で駆り立てられていて、仕事や息抜きもまた別のものに駆り立てられています。

総駆り立て論における駆り立て主体は歴史的に形成された技術聯関《れんかん》です。分業体系とも呼べますが、その場合分業形成の主体が人間ではないことに注意する必要があります。従ってこの後期ハイデガーの視角は、単に脱人間主義的というに留まらず、〈閉ざされ〉の機制の究明に於て、マルクスとウェーバーの〈閉ざされ〉の思考を継承して包摂するものになります。

そこでは人も物も等価な「関係の結節点」になります。COVID19に駆り立てられて講義はZoom使用になります。Zoomへの閉ざされに駆り立てられて新入生は身体性と同感能力を失います。そうした新入生が長じてテック（ハイテクノロジー）のデザイナーになってユーザーを駆り立てます。終わりなき駆り立て連鎖はループやジャンプを含んだ非線形です。

この発想は、九〇年代半ば以降の思想界を席巻した存在論的転回の、起点となったブルーノ・ラトゥールのアクターネットワーク論やダン・スペルベルの表象感染論に、継承されます。だから僕は後期ハイデガーを第一次存在論的転回、昨今のそれを第二次と呼びます。存在論とは「世界はそもそもどうなっているか」という思考ですが、存在論的転回とは「人間によってはどうにもならない世界が人間の外側にある」という思考への転回です。

ハーバマスによる新たな問題設定

こうした思考の流れを踏まえると、僕らが与えられている（＝駆り立てられている）問題設定とは、「市場による〈閉ざされ〉∩手続主義による〈閉ざされ〉∩総駆り立てによる〈閉ざされ〉を自覚した上での妥当な実践はどうあるべきか？」と命題化できます。この命題化には実践を呼び掛けるという意味で主体化が含まれるので、元々はパラドクスをなします。

それを問題にしたのが一九七〇年のハーバマス対ルーマン論争と、それに続くハーバマスのバージョンアップです。ユルゲン・ハーバマスはウェーバーの系譜に連なる欧州マルクス主義（市場を行政官僚制に置き換えても疎外は永久に止まらないとするトロツキズム＝反スターリニズム）の流れにある批判理論にあって、マルクーゼ（後述）と並ぶ極く例外的な楽天家です。

彼の楽天性は、〈閉ざされ〉を主題化するウェーバーや後期ハイデガーと違い、〈閉ざされ〉の外があるとする点です。市場による〈閉ざされ〉、手続主義（広義の行政官僚制）による〈閉ざされ〉、テクノロジーの総駆り立てによる〈閉ざされ〉が、まだ及ばない領域があるとして、〈閉ざされ〉た界隈であるシステムと、〈閉ざされ〉未然の生活世界を、分割します。

ルーマンは、鉄の檻のウェーバーと総駆り立てのハイデガーの系譜にあって、「システムに外はない」「生活世界はシステムへの〈閉ざされ〉が投映した内部表現だ」とします。システムは動態で、一瞬は外だと見えたものも次の瞬間には内部化します。それはマルクス主義や生活世界を賞揚する本も、市場で買われない限りどうにもならないのを思えば明らかです。

「全ては夢ならば、全ては夢だと思うのも夢だ」とする夢のパラドクスと同じで、論理的な解決はありません。でも「全クレタ人は嘘つきだと或るクレタ人が言った」というタルスキのパラドクスと同じで、意味論的（体験的）には「本当だとすると嘘で、嘘だとすると本当で、本当だとすると……」と真偽が時間的に振動します。ならばそれで充分……。

この思考が、僕が大澤真幸と共に翻訳したG・スペンサー＝ブラウンの原始代数を応用した、ルーマンの「脱パラドクス化（パラドクスはコミュニケーションを接続する）」の概念です。少しも新しくはなく、六〇年代半ばのフーコー対サルトル論争で、ジャン・ポール・サルトルの「全ての言説が体系の産物だとする貴兄の言説も体系の産物か」という問いにミシェル・フーコーが「イエス」と応答したことに先取りされます。

彼の応答は影踏みの比喩で語れます。影を踏もうとすると影は前に逃げる。それを踏もうとするとさらに前に逃げる。逃げ続けるものを追いかけ続ける時間的営為（を支える美学的構え）が批判だと。ルーマンとの論争では素朴だったハーバマスは、フーコー＝ルーマンを受容し、「生活世界を生きることは不可能だが、それを論じることは可能」と転じます。

このバージョンアップで彼は、システム内でシステム外を思考する自覚的な時間的営為（思考されたシステム外も実はシステム内だから、その外を思考するが、それまたシステム内だから、その外を……）という動態として生活世界（一般的にはシステムの外）の概念を位置づけ直します。これは五〇年代後期ヴィトゲンシュタインの言語ゲーム論の成果だとも言えます。

かかる構えを受容しても、実践的にはクァンタン・メイヤスーが批判する相関主義にならず、むしろ「世界はそもそもそういうものだ」という存在論を強化できます。相関主義にも相関主義が適用できるという夢のパラドクス「というものが存在せざるを得ない」というのも存在論ですが、ここで言いたいのはそれではなく、別のことなので簡単に紹介します。

システム外もシステム内だとする内部表現論は、内部表現論自体が内部表現でも（現にそうですが）脱パラドクス化の機制でシステムを作動を促します。この逐次的な動態において、内部の視座と、内部の視座を発見する視座は、いつもズレます。このズレの可能性を絶えず、存在する何か――ファクターX――が方向づけると考えれば良いのです。このファクターXを「やってくる何か」（郡司ペギオ幸夫）「世界からの訪れ」（宮台）と表現することもできるでしょう。
だから、内部表現論を受容しても、水を電気分解すると二モルの水素と一モルの酸素になるという結果を覆せません。やってくる何かに否定されるからです。同じく、僕らが何をどう感じるかということの一部は、内部表現論を受容しても覆せません。例えば、僕らがどんな社会をクズと感じるかということはゲノム的に方向づけられているので、たとえ内部表現論を受容しても変えられません。やはり、やってくる何かに否定されるからです。

だから僕が「言葉の自動機械・法の奴隷・損得マシン」に〈閉ざされ〉た人間をクズと呼ぶのは僕の視座に相関する主観ではないかもしれません。アリストテレスは『ニコマコス倫理学』で「罰への恐れで殺人がない社会」と「人を殺したくないと皆が思うから殺人がない社会」を区別して後者がいいと言いますが、これもアリストテレスの主観ではありません。

イエスの言説戦略が巧妙に問題を炙《あぶ》り出します。強盗に襲われて路傍に倒れた者を、ラビ（聖職者）やレビ人（祭式部族）は戒律にないとの理由で放置したが、サマリア人（被差別民）の男が思わず駆け寄って宿屋までかつぎ、あり金はたいて亭主に「面倒を見てやってくれ、足りなければ来週また来る」と言った。あなたが隣人としたいのはどちらか。

これは利己的な利他から端的な利他を区別して擁護した逸話として知られますが、その前提は僕らの感情の普遍的な働きです。三年前にある女子校で高校生全員に「損得に敏感な男と、正しさに敏感な男と、どちらを彼氏にしたいか」と尋ねたら一〇〇%が後者に軍配を挙げました。今日では進化生物学的に達成されたと考えられるゲノム的基盤が見出されています。

フィリッパ・フットの発案を使ったマーク・ハウザーは、暴走トロッコの回避に於ける五人を殺すか一人を殺すかという選択で、遠くからレバーを引くだけなら一人を殺せるが、その一人が隣に近接する場合はその一人を殺せない傾向が、人種や民族文化や老若に拘らず一定であるという実証データから、ゲノムを基盤とする、感情の越えられない壁を見出します。

自分が実験やリサーチをしてもそうなると信じる場合には（後述）、これら実験やリサーチから見出された結果からの推定を、単に主観に相関する事実だと相対化できません。相対化してはダメという規範の問題ではなく、相対化できる人が事実としていない。これは主観によってはどうにもならない事柄が世界にはある、という存在論的事実を示してくれます。

マルクーゼの処方箋

存在論的な方向づけを踏まえたハイデガーの、直弟子ヘルベルト・マルクーゼは、テクノロジーによる存在論的な方向付け（物による条件依存的［if-then 文的］働き）がある事実を梃子《てこ》に、〈閉ざされ〉をもたらした——別様の選択肢群の想像可能性を奪うだけの——従来的テクノロジーとは別の、オルタテクノロジーによる〈開かれ〉の可能性に望みを託しました。

具体的には、人がウェーバーが言う合理性＝計算可能性に〈閉ざされ〉ることで一次元的人間＝没人格＝「言葉の自動機械・法の奴隷・損得マシン」になるのを、推進するテクノロジーとは別に、人をそうした〈閉ざされ〉の外に解放することで一次元的人間ならぬエロス的人間であることを可能にする、オルタ・テクノロジーがあるはずだと考えました。

この主張への本質的誤解が二つあります。第一は、彼が米国に移住して見出したテクノロジー化された生活世界に、夢を託したアメリカニズムだとする誤解。第二は、旧枢軸国にありがちな子宮回帰願望——『エヴァンゲリオン』シリーズでの人類補完計画的なもの——に、夢を託した脱主体化志向だとする誤解です（拙著『システムの社会理論』参照）。

第一の誤解は、彼の主観にそのイメージはないとして退けられます。米国生活は単に想像力の起点に過ぎません。第二の誤解は、彼がそうイメージしていた時期があるにせよ、彼の想像力の可能性の限界はそこには留まらないと退けられます。批判する際には可能性の限界まで格上げしたものを対象にせよとは、師匠の廣松渉と小室直樹から学んだ思考です。

ついでに言うと彼の議論には誤解ではない限界があります。ローレンス・レッシグがいう意味での、テック（ハイテクノロジー）の不透明性ゆえに生まれる、階級ならぬ支配層＝テクノクラート（構想と実行の分離に於いて構想する階層）への依存を、六〇年代後半に花開いた新左翼運動＝反スターリニズム運動（前述）の延長上で克服可能だとしていたことです。

いわば階層を超えたフュージョン（溶融）の可能性ですが、その限界は既に人の感情的劣化（前述）が蔓延する今日では瞭然《りょうぜん》です。テックの社会的実装は政治的（＝集合的決定としての）投票ならぬ市場での投票（＝市民の個別的決定としての購買）以外に正当化しようがありません。どのテクノ・エリートが正しいのかを先験的には言えないからです。

第二の誤解を明らかにしたのがジェームズ・G・バラードのSF小説。初期の彼はマルクーゼの「エロス」を子宮回帰願望の線で表現しましたが、精神科医だったバラードはフロイトのエロスが本来無定型ないし多型倒錯的なことから、僕らからはカオスに見えるようなエロス的営みをテクノロジーが支えるテクノロジカル・ランズケープと称して表現し始めます。

教員の薦めで中二の夏にエーリッヒ・フロム『自由からの逃走』を読みましたが、バラードを読んでいた僕にSF研の先輩が勧めてくれたのが縁で中三でマルクーゼに耽溺《たんでき》します。当時は中高紛争の狂騒のただ中で、後に日本赤軍スポークスマンとして中東に移住する足立正生《まさお》の子宮回帰的映画に耽溺していたのもあり、マルクーゼのエロスを子宮回帰だと解釈しました。

でも高校進学してバラードの転態――『ヴァーミリオン・サンズ』や『結晶世界』から、『クラッシュ』や『ハイ・ライズ』へ――を追いかけることで、マルクーゼの読みがそれに留まるべきではないと知りました。そこではテックに支えられた不可視のインフラの上で、多型倒錯的な営みに淫《いん》する市民たちが、かつての変態的なローマ貴族の如く肯定的に描かれます。

ミドル・ティーン時代のこの影響が、二五歳から一一年間の様々なプレイに彩られた「祭りのセックス」的ナンパ実践に繋がるのですが、やがて感情がフラットになった結果、この試行錯誤は失敗だったと意識されるようになり、「愛のセックス」ないしそれを前提とする限りでの「祭りのセックス」へとシフトして現在に至ります（拙著共著『希望の恋愛学』『どうしたら愛しあえるの？』）。そこで得た教訓があります。

バラードによるマルクーゼ的エロスの読みは正しいが、僕らが何を至高のエロスとして享受できるかは育ち上がりの記憶に基づかざるを得ないこと。様々な性的嗜好を示す男女をよく観察すると、彼らの家族関係を核とする成育環境に紐付《ひもづ》けられている圧倒的事実を学べます（前掲書）。この学びから、制度ならぬ「技術による社会変革」の方向性を思考できます。

即ちオルタ・テックによるエロスの回復は、さしあたって、汎システム化で失われた直前のシステム外を——記憶された外部の一部を——回復する以外ありません。ただし三〇〇年後の人にとってのオルタ・テックによるエロスの回復は、僕らにとってのオルタ・テックによるエロスの回復とは内容が違うので、僕らは批判の可能性に開かれ続ける必要があります。

その事実をバラードが弁《わきま》えて言います。SFの大半は三〇〇年後の未来を舞台に、現在の感受性を前提にして疎外を描いて、未来を批判したつもりになるが、馬鹿げている。テクノロジカル・ランズケープが大きく変化した未来では、人間の感受性も今とは大きく異なる、と。これは批判の不可能性を述べたものではなく、フーコー的な批判の可能性を述べたものです。

別言すると、マルクス的な疎外・物象化やウェーバー的な鉄の檻やハイデガー的な総駆り立てに於て問題とされている「消去された外部」は、本質論的なものというより時間被拘束的なものとして表象されざるを得ず、それら表象に対する批判もまた時間被拘束的たらざるを得ないということです。その意味で、批判への〈閉ざされ〉の回避が大切だという話になります。

ならば僕らにとっての処方箋は？

以上の次第で、僕らにとっての処方箋は、汎システム化で毀損《きそん》された生活世界の回復である他ありません。二五〇年前にスミスが述べたように、資本主義的市場経済では、その適切な出力を支える同感能力や仲間感覚を毀損する資本化は許されず、ルソーが述べたように、近代民主政では、その適切な出力を支えるピティエを毀損する大規模化・複雑化は許されません。

スミスは「資本主義の資本主義以前的な前提」を確保すべく資本化の制約を提唱し、ルソーは「民主政の民主政以前的な前提」を確保すべく民主政がカバーする社会の複雑性の制約を提唱しました。ちなみに経済学に対する社会学の必要を弁証したエミール・デュルケムは「契約の契約以前的前提」を確保しないと市場経済を支える自由契約が成立しないとしました。

こうした一九世紀末のデュルケム的思考はスミスとルソーの系譜上にある抽象化です。その抽象化から、先の大切な真理を確認できます。「〇〇の〇〇以前的な前提」が不変ないし普遍だとは考えられない以上、時間被拘束性への敏感さが要求されることです。逆に言えば、僕らは、〝僕らの時代の「〇〇の〇〇以前的な前提」〟を、考え抜く他ないのです。

二五〇年前にスミスとルソーが各々経済と政治について述べた命題を、さらに抽象化すると「資本市場と民主政からなる近代は社会的人格を要する」、つまり「近代の社会システムは一定の人格システム（心理システム）を環境とする」です。問題は人格システムも社会システムを環境として適応的に形成されること。そこにある循環が変化を駆動するのです。

しかし翻《ひるがえ》ってみると、二五〇年前のスミスとルソーが賞揚した感情的前提――経済に於ける同感能力と政治に於けるピティエ――が、今の僕らにとっても同意可能だという事実は、二〇〇年後の未来になっても、「〇〇の〇〇以前的な前提」が実はさして変わらない可能性を、事実的に示唆します。相対主義に脅えて右往左往をする必要はさほどないとも言えます。

なので、マルクスの疎外・物象化、ウェーバーの没人格化、ハイデガーの総駆り立て、の諸概念に含まれる懸念の共通項を、さしあたってマルクーゼのエロス概念に纏めあげて実践的な橋《きょう》頭《とう》堡《ほ》とすることには意味があります。過去一〇年間の性愛ワークショップと親業ワークショップの体験をベースに、以下のような二項図式を参照点とすることを提案します。

非エロス――エロス
クズ――マトモ
コントロール系――フュージョン系
フェチ系――ダイヴ系
法――法外の掟
美――美学
交換――贈与
バランス――過剰
快楽（比較可能）――享楽（比較不能）

各二項図式の意味は、三冊の映画批評本（まもなく四冊目）に人類学を参照しつつ詳述したので譲りますが、マルクーゼ的エロスは、さしあたって共同的な記憶の参照可能性を橋頭堡としてデザインすべきであり、従って、さしあたって多型倒錯的（後期バラード）というより子宮回帰的（前期バラード）な方向性に、傾斜しておくべきことになります。

こうした抽象的な視座を確保した上で、改めて現実編の最後に述べたことを再確認することが必要です。そのことで、僕らの社会で何が起こっていて、それにどう対処できるのか、具体的な実践をどう構想すべきなのかを、揺るぎない視座から思考できるようになるでしょう。紙幅の都合で、第一部の重要な部分を再掲するので読み直してください。

昨今の米国が象徴的です。価値を共有できるアジェンダがなくなるとは、価値観が違っても共有財たるプラットフォームを保持しようとの構えが消えること。それゆえ過剰な敵味方図式が蔓延ります。過剰とは、プラットフォーム保全を言うと利敵行為だと見做される事態を指します。プラットフォームの空洞化は不安による疑心暗鬼と陰謀論を生みます。

プラットフォームの保全もデザインも「古き良きものの記憶」と表裏一体で、「トゥギャザネスの記憶」が消えればプラットフォームも消えます。そこに出てくるのが市場原理主義としてのネオリベ。マルクスの言い方に倣えばこれは思想ではなく自然過程です。保守主義もリベラリズムも「古き良きものの記憶」に依存するので、汎システム化で記憶が消えれば自動的にネオリベ化するのです。

第三部　応用編（米国で何が起こっているか）

COVID19は存在しない——地球平面論者

米国ではトランピズムの席巻《せっけん》で公道や公共交通や公共の場でマスクをしない人が大量に出現しています。COVID19問題の終息（しばらくあり得ない）ならぬ収束（社会的安定）を構想する場合、現実編と処方箋編で得た知見をさしあたってどんな優先順位で何に適用するかを考えるべきです。そこで「〇〇は存在しない」が極度に席巻しまくっている米国を論じます。

この五年、「フラット・アース・セオリー」つまり「地球平面説」を唱える運動が米国を中心にて大盛況です。天動説を飛び越えてプラトンの宇宙モデルに遡る。地球平面説の支持団体の会員数が膨れあがっています。彼らは「我々は地球が丸いのを確かめていない。複雑な仮説を立てれば、地動説が説明できる現象を地球平面説でも説明できる」と言います。

ここには科学史上の微妙な問題があります。天動説から地動説に変わったのは「地球は太陽を回る」のを体験できたからではありません。惑星の不可解な動きを説明する際、天動説よりも地動説の方が簡略な数式群で説明できるからです。科学はこの三〇〇年、「何かを説明する際、直感に反しても、シンプルな仮説であるほど真実に近い」となりました。

地球平面論者はそれを否定します。単純な数式に還元できればというのが誤りで、現実はむしろ複雑だと。彼らの理屈よりも興味深いのはこれが信頼に関わる問題であること。地球平面論者とトランピストは相当重なりますが、思えばCOVID19も目に見えないという意味で体験できません。自分で体験できないことを信じないならCOVID19も存在しません。

自分で体験していないことを何十億人が真実だと思い込むのは、信仰を除けば、過去二〇〇年の現象で、サピエンス史二〇万年を思えば異常です。〝信仰を除けば〟がキモで、地球平面論者は科学を信仰だと考えます。彼らのテック依存の生活を思えばいいとこ取りの御都合主義ですが、言っても仕方ありません（Netflix「ビハインド・ザ・カーブ」を参照）。

Amazonで数多の地球平面説グッズが売れる事実が示唆的です。ネットの向こう側に仲間が居ると「見てもいないのに信じる」。サピエンス史二〇万年に鑑《かんが》みた異常さは、産業革命後期の都市化で見ず知らずの他人と共在するようになった事実に関連します。実際、知らない人が運転する乗り物に乗り、知らない人が作る御飯を外食するようになりました。

これらが異常なのは、知らない人を大規模に信頼するしかなくなった産業革命後期の、ロンドンを席巻した都市伝説（スウィニー・トッド伝説）に瞭然です。「床屋が髭剃り時に殺した客を滑り台で裏のミートパイ屋の地下倉庫に送り、その人肉が……」。床屋とミートパイ屋は実在しましたが、そこに僕らはQアノン的陰謀説との共通性を見るべきです（後述）。

都市生活の延長上で、知らない人の体験を自分の体験のように見做す。そんな知らない人への信頼が複雑な近代社会を可能にしたとニクラス・ルーマンが言います。それが崩れ始めたという意味で画期的な時代が始まりました。不安や抑鬱に訴える釣りが「見たいものだけ見る」ネットで加速されて「ポスト真実」に結びつく事実も重要ですが、もっと根が深い問題です。

近代を含めた大規模定住社会は多かれ少なかれ知らない人を信頼しないと成り立ちません。それゆえ分厚いフィクションの共有が文明には不可欠だとユヴァル・ノア・ハラリが言います。なのに文明の必須前提を深いところで疑う人たちが出てきた。背景には、単なる不安と抑鬱を超えた強烈な被害感情に基づく陰謀説があります。陰謀説の更なる背景が問題です。

周辺を固めます。先の大統領選で言うと、共和党支持の田舎＝レッド・ステイツと、民主党支持の都市＆郊外＝ブルー・ステイツに分かれて四〇年（レーガン以降）。今や共和党支持者の一部がこう考えても不思議はない。なぜ俺たちが都会に住む奴らと同じ世界観を持たなきゃいけないのか。近傍《きんぼう》の生活リアリティへの固執は、実は分断の自覚を前提にしています。

初学者のために言うと、建国の伝統はタウンシップ（トクヴィル）。俺達の事は俺達が決める。でも産業化が進むと都市＆郊外では伝統維持は不可能（サンデル）。それでも当初はトゥギャザにメディア接触する事実が極端な受け取り方を排した（クラッパー）。ところがテックがトゥギャザを破壊し、「見たいものしか見ない」フィルターバブルで分断が加速された（サンスティーン）。

ヴィトゲンシュタインの言い方だと「生活形式が違うのに同じ言語ゲームを強制されている、という言語ゲーム」が拡がりました。言語ゲーム論の影響を受けたH・L・A・ハートの法理学に遡ると、似た事態が原初的法から高次の法に転態した際に生じました。高次の法＝僕らが知る法ゲームは、この新事態に対応した追加的ゲームで、それもヒントになります。

アメリカン・イノセンティズムからの示唆

陰謀説の例として、大統領選挙を巡る最近のQアノン（ユダヤと中国の陰謀説）騒動に触れます。内外で今回の陰謀説の発生理由について最近でも「不可解による不安の埋め合わせ」とする学問的語り（辻隆太郎など）があります。妥当ですが、さらに語りの学問的ルーツを究《きわ》めないと、処方箋の方向を見失います。第一に不可解とは何か。第二に不安とは何か。一瞥《いちべつ》してみます。

第一については二〇世紀半ばに活動したヨアヒム・リッターの埋め合わせ理論が役立ちます。第二については同時代に活動を始めたフロイト左派＝批判理論（フランクフルト学派）が役立ちます。共通して社会心理学や社会学が問題化する切断操作と帰属処理という共同体的な構築に関わります。リッターの鍵概念は自明性。批判理論の鍵概念は劣等感です。

第一から。ヘーゲル研究者リッターは正反合の弁証法図式で問題を把《とら》えます。まず自明なので概念化されていない何かがある。次に新奇な事態に直面する。さらにそれを理解可能にすべく概念化されていなかった何かを概念化する。典型は「自然」や「人間」の概念です。この概念化に恣意（他であり得る可能性）が忍び込みます。極めて重要な知見です。

次に第二。フロイトによると神経症とは不安の埋め合わせとしての反復ですが、ポイントは不安と関係ないものによる埋め合わせ。元栓閉めの反復で埋め合わせられる不安は、実は元栓ならぬ死の不安だ……と。当事者が意識する不安が、別の根源的（＝対処困難な）不安のスリ替えだと示唆します。これまた重要です。双方の視座から問題を抽象化します。

第一の視座から解読できるのが米国のイノセンティズムです。いま反知性主義と呼ばれる否定的ラベルは元はイノセンティズムに与えられた肯定的ラベルでした。事ほどさよう、文芸やホーボー的実践に見られた世界初の「反・汎システム化」の運動です。即ち資本化（マルクス）・手続主義化（ウェーバー）・技術化（ハイデガー）に対する反動です。これは一九世紀末の人民党の人民主義（ポピュリズムという言葉が肯定的に使われていた）に於いて表現されました。

次に先のサンデル的分岐が生まれます。ヘーゲルに倣って市場を見ると、田舎的生活形式に於いては「市場参入者の制約」が（＝共和党的伝統）、都市&郊外的生活形式においては「市場取引物と取引ルールの制約」が（＝民主党的伝統）、提唱されます。前者は人種差別や排外主義を、後者は再配分主義を帰結します。そこにリッター的恣意性があります。

抽象的には双方に共通する機能的焦点があります。資本化がもたらす不安の解消です。それは意識されています。共和党的伝統は「参入者の制約」を、民主党的伝統は「参入者を制約しない再配分」を主張します。前者は人種差別を帰結しますが、「自明性な差別」は「共同体を守る差別」へと変異しています。そこに新たな概念化と恣意（リッター）があります。

後者（民主党的伝統）はグローバリズムに親和します。知られていませんが、南部連合は自明性ゆえに黒人奴隷を使いましたが、経済思想はグローバリズムでした。だから南北戦争以前から連続しています。ちなみに九〇年代以降に現実化したグローバル化を背景に、民主党が都市&郊外の労働者に約束した再配分がしょぼくなったのが、トランプ現象の背景です。

ここにグローバリズムとグローバル化の差異がありますが、そこは掘らずに、「資本化がもたらす不安」を「人の制約」でも「再配分」でもない仕方で解消する方法はないでしょうか。

そこで、資本概念の原義（労働力と土地の市場化）に戻り、資本化されてはいけない物やサービスの範囲を拡張せよと主張するのが、斉藤幸平『人新世の資本論』です。有力な思考ですが、難点は資本化の制約に富裕者を含めた人々が合意する可能性があるかという「経路問題」です。

ちなみにトランピズムの一角をなす新反動主義者は、民主党的な「制度による社会変革」への依存を民主政の劣化を理由に一掃し、ゲームやドラッグを用いた「テックによる社会変革」と、キリスト教的倫理（隣人愛＝チャリティ）に基づいて富裕層が非富裕層に贈与する「内発性」に任せろと言います。でも、一方に、テックが与える多幸感と、記憶を要件とする幸せとが、果たして同じなのかという倫理的問題があり、他方に、グローバル化を背景に実際そうした贈与が例外を除けばなかったという厳然たる事実があります。

ビル・ゲイツやウォーレン・バフェットの如き贈与は現実には極く一部に留まりました。だとしてもアイディアの無効性「だけ」では問題を処理できません。新反動主義者の一角をなす加速主義者が「制度による社会変革」ならぬ「テックによる社会変革」を主張する背景に、内発性と自治を守れとするイノセンティズムの太い共和党的流れがあり、他方にイノセンティズムの民主党的流れが約束を果たせなかったという歴史的事実があるからです。

「血」に紐付けられた人々、「土」に紐付けられた人々

続いて、先ほど「第二に」と述べた、劣等感を鍵概念とする批判理論的な埋め合わせ概念で、Qアノン現象を解読します。そこでは僕が関わった「料理の人類学」プロジェクト（注1）で

触れた、ナチスの「土が血を育てる」の背後にある「血への劣等感」と「土への固執」をお話しした上で、ある抽象水準では「土への固執」を処方箋として回避できないことを弁証します。二〇年ほど前から激増した僕のゼミの中国人留学生らに、来日したばかりの時点で尋ねてきました。田辺元的、和辻哲郎的、イーフー・トゥアン的、J・ベアード・キャリコット的な、風景や風土への固執をリアルに実感できるか。むろん全員ノー。仮にユダヤ人留学生らがいたとしたら、恐らく全員ノー。でもしばらく日本にいると「分かってきた」となります。

彼らの答えの背景にあるのは極度に強固な血縁主義です。中国人もユダヤ人も——ここは国家概念を外す（後述）——ジェノサイド（全殺戮）とディアスポラ（民族離散）の苦渋を舐めてきました。土地や財産は奪われるから当てにならない。最終的には距離を超えてリソースをシェアし合えるネットワークが大切だ——そうして生き残って来た人々です。

日本人は世界のどこより非血縁的で（柳田国男）「去る者日々に疎し（距離が離れると縁が消える）」。だから極めて対極的ですが、ユダヤ人と中国人に比べれば他の人々は似たり寄ったりの地縁共同体。違いがあるのは、先に述べた共同体存続規範があるか否か。山だらけの中に散在する小さな沖積平野を生きたので縄文人は狩猟採集段階から定住でしたが、同じ地政学的条件がジェノサイドを抑止し、共同体存続規範を免除したのです。

強固な血縁主義のユダヤ人と中国人は昔も今も国家に〈閉ざされ〉ていません。それが生存戦略です。彼らと僕らの違いを記憶（前述）をベースに見ます。僕らは良きものの記憶を場所に紐付けます。だから場所が破壊されると尊厳を失います（キャリコット）。他方ユダヤ人と中国人は良きものの記憶を人（血縁者）に紐付けます。これは重大な違いです。

ナチスの生態学的平等主義――エコロジーの起源はナチス――に倣い、尊厳を「土」に紐付けるか「血」に紐付けるかと圧縮表現します。「血」に紐付ける存在は悲劇を千年単位で伝承します。トーラーや史書への執りもその派生物です。「土」に紐付ける存在は三代を超えると悲劇を忘れます。だから千年単位の「生存戦略の伝承」はあり得ません。

ユダヤの人々は、夕食時には祖父からその祖父（六代前）の話を伺い、シナゴーグに行けば必ず仲間と出会えます。中国の人々は、古くから世界中にチャイナタウンを作り（日本でいえば中華街）そこに行けば必ず仲間と出会えます。そうした持続的な生活形式は、地縁的（血縁主義に見えても所詮は地縁の内側の）人々から眺めると、全く異様に見えるのです。

血縁主義のユダヤや中国の人々は元服《げんぷく》時に親族が大規模に集合してリソースをシェアします。政治家になりたいならこの人、法律家になりたいならこの人、芸術家になりたいならこの人……と場合によっては国境を越えてリソース・シェアリングをします。彼らは、他の人々と違って「異国に単身乗り込む」営みはありません。行く先々に仲間がいるからです。

ただし地縁的共同性の絆《きずな》が薄いという話ではありません。師匠の一人、小室直樹は母子家庭に育ち、地縁の人々のお金で会津高校に進学、京都大学理学部数学科を経てハーバード大やMITに留学、サミュエルソンやパーソンズに学びました。だから郷土と国にリターンを返す強い動機を持ちます。彼は昔の帝大生や帝国官僚もそうだったとよく語りました。

既にお分かりでしょう。血縁主義と地縁主義は等価な機能を果たし得ますが、決定的違いは流動性への耐性（免疫力）にあります。グローバル化（人・物・カネの自由化）で過剰流動的になれば多かれ少なかれ場所が破壊されますが——場所は空間に変じますが（トゥアン）——、それで絆を失う地縁集団と違い、血縁集団は絆を失うことがありません。

東日本大震災直後に繰り返しました。日本人は劣化したので、災害で生き残るためには絆が必要だなどと損得で考えますが、社会学的にはそれは絆ではない。絆とは、贈与の動機づけを自分が持つかどうかで決まると。贈与の動機づけを互いに持つ場合にのみ、そこには損得で従う「法」を超えた内発性で従う「掟《おきて》」があり、「掟」は「法」を超えます。

地縁集団の「掟」は国家を超えられないのに対し、血縁集団の「掟」は国家をやすやす超えます。ここで多視座的に「なりきり」ましょう。血縁集団にとっては、国家の「法」を超えるのは陰謀でも何でもなく、マルクスがいう自然過程です。他方、地縁集団にとっては、国家の「法」を超えた「掟」に従うのは陰謀に見えます。これまた自然過程です。

フリーメイソンだイルミナティだといった陰謀説はこうした自然過程の相互関係から理解できます。実際こうした自然過程ゆえに米国のアメリカ銀行（旧）はユダヤ金融だし、FRB（連邦準備制度理事会）の構成銀行の大半がユダヤ金融です。一九世紀の米国で金利をとる銀行家が如何に差別されていたかを思えば、彼らが血縁ネットワークでリソースをシェアするのもまったく当たり前です。

金融有力者の大半がユダヤ・ネットワーク上にあれば、歴代商務長官などの多くがユダヤ人なのも自然過程です。大金が必要な大統領候補者がユダヤ・ネットワークを味方につけようと思うのも自然過程です。明治来の日本や戦後日本に多額の投資があったのも、最近の中国に多額の投資があるのも、資本の増殖が期待できるからという自然過程です。歴史とそれゆえの生存戦略を知らないと自然過程から陰謀論が湧きます。

似たことはどこでも反復します。各所で述べたように在特会やチーム関西は新住民運動です。新住民とは土地のゆかりなき者のことですが、定義により「一つ屋根の下のアカの他人」的に育った旧住民子女も新住民。歴史的経緯ゆえに設けられた特別措置が、記憶ある者にとっては自然過程に見えて、記憶なき者にとっては陰謀説的な解釈対象になります。

話を戻すと、二面でフロイト左派＝批判理論的な陰謀説解釈を導入できます。第一にかつてのワイマールを含め、過剰流動性は「血」に紐付けられた者を不安にしないのに「土」に紐付けられた者を自動的に不安にします。第二に九〇年代半ば以降のグローバル化以前から、自然過程ゆえに国際金融ネットワークでは「血」に紐付けられたユダヤが優位で、「土」に紐付けられた者は劣等意識に〈閉ざされ〉やすかった分、陰謀説に釣られたのです。

Qアノン・Jアノン騒動から得られる学び

そこから学びを得られます。「土」に紐付けられた人は、過剰流動性で場所を失うと――場所が空間になると――紐付けを失った不安で右往左往の挙げ句、流動性に国家を超えたリソース・シェアリングゆえにビクともしない「血」に紐付けられた人を、陰謀説で貶め自己満足に浸ります。劣等感の淵源を、場所の破壊という自業自得に求めるべきです。

世界広しといえどもQアノンに連帯する人々が大量発生したのは日本だけ。ドナルド・トランプに似た振る舞いで、劣等感に駆られた不安な人々を糾合していた安倍晋三の、跡を菅義偉が継いでくれないという「安倍ロス」がトランピズムを召還した（古谷経衡）のは確かでしょう。僕らが注目すべきは、劣等感に駆られた不安な人々がなぜ増殖し続けるのかという点です。

共同体存続規範の欠落ゆえにどこよりも早く八〇年代から場所の空洞化——場所から空間へ——を被った日本の姿が浮かび上がります（前回）。かつてあったはずの尊厳を失った人々は、誰かが奪ったという被害妄想に駆られ、「血」に紐付けられた人々だけでなく、「政治的に正しい」人々をも、その誰かとして数えます。始末の悪いことに「政治的に正しい」人々にも「誰かが奪ったという被害妄想」に駆られる人々が増殖しつつあります。日米共通です。

でも残念ながら、かつて「土」に紐付けられていた人々が、失った紐付けをマクロに回復する経路を想像できません。日本の場合、手当てのタイミングを三〇年は逸しているからです。他の国々はだいぶマシですが、米国のように既にタイミングを逸した国もあるし、その他の国々もやがて、人を入替可能にする従来的なテック化によって、紐付けを失っていくのは確実です。

第三部はオルタ・テックの喫緊の適用先を絞り込む応用編でした。昨今レクチャーの相手とすることが多いテック・デザイナーを想定して三つの指針を示します。COVID19禍は各国の「社会の」性能を示してくれました。これを奇貨とし、極めて性能が低い日本の社会で「社会という荒野を仲間と生きる」ために必要なエロス（前述）を提供していただきたく思います。

①第一に、僅かに残った「土」との紐付けを保存する共同体を、国境を越えて繋げてリソース・シェアリングできるテック。
②第二に、不全感を言葉にできない人々のできるだけ多くを、自然過程を通じて紐付け問題に覚醒させて行動に促すテック。
③第三に、結果的に実在世界ではどうにもならない人々に、「良き記憶と結びついた場所」の等価物を仮想的に提供するテック。

（二〇二一年一月二五日）

注

1　好奇心の森ダーウィンルーム・トークイベント「料理の人類学第九回：料理を通じて倫理を回復する」二〇二〇年五月三〇日。文字起こしは以下。
前編　http://www.miyadai.com/index.php?itemid=1110
中編　http://www.miyadai.com/index.php?itemid=1111
後編　http://www.miyadai.com/index.php?itemid=1112

［日本社会］

私たちはずるずると泥道を滑り落ちている

森　達也

森 達也（もり・たつや）

一九五六年、広島県呉市生まれ。映画監督、作家、明治大学特任教授。テレビ番組制作会社を経て独立。九八年、オウム真理教を描いたドキュメンタリー映画『A』を公開。二〇〇一年、続編『A2』が山形国際ドキュメンタリー映画祭で特別賞・市民賞を受賞。佐村河内守のゴーストライター問題を追った一六年の映画『FAKE』、「東京新聞」の記者・望月衣塑子を密着取材した一九年の映画『ｉ－新聞記者ドキュメント－』が話題に。一〇年に刊行した『A3』（集英社文庫）で講談社ノンフィクション賞。著書に、『放送禁止歌』（光文社知恵の森文庫）、『「A」マスコミが報道しなかったオウムの素顔』、『職業欄はエスパー』（角川文庫）、『A2』（現代書館）、『ご臨終メディア』（集英社）、『死刑』（朝日出版社）、『東京スタンピード』（毎日新聞社）、『マジョガリガリ』（エフエム東京）、『神さまってなに?』（河出書房新社）、『虐殺のスイッチ』（出版芸術社）、『フェイクニュースがあふれる世界に生きる君たちへ』（ミツイパブリッシング）、『U 相模原に現れた世界の憂鬱な断面』（講談社現代新書）など多数。

安倍政権下における緊急事態宣言から一カ月強が過ぎた二〇二〇年五月、家にこもり続けることに疲弊しかけた僕は数週間ぶりに駅前の大型スーパーに行き、薄暗い店内と出歩く人の少なさ、さらに多くのテナントがクローズしている光景を見ながら、二〇一一年東日本大震災直後の感覚を思い出した。それを言葉にすればサバイバーズギルト。生き残ったがゆえの罪責感。あるいは原罪に近い感覚への回帰。『定点観測 新型コロナウイルスと私たちの社会 二〇二〇年前半』(以下、『定点観測1』)の原稿はそこから始まった。

補足するが、僕が暮らしているエリアは東京都下ではなく、東京近郊の県の小都市だ。いや小が付いたとしても都市とは言えないか。駅前に大型スーパーはあっても、家の周囲は広々と続く畑と田んぼ。夏ならばヒートアイランドで蒸されたような都心から夜に帰ってきて駅舎から外に出ると同時に、外気が涼しいことに驚く。明らかに都会とは別世界だ。

『定点観測1』を執筆した五月から半年以上が過ぎた一二月下旬、駅前の同じスーパーに行った。人はやっぱり少ない。五月にクローズしていたテナントのほとんどは再開している。ただしすべてではない。一時休業ではなく完全にクローズしたテナントもある。スーパーを出て駅周囲を歩き、思わず足を止める。時おり揚げたてのコロッケを買っていた惣菜《そうざい》屋が、いつの間にか閉店している。閉じられたシャッターに貼られた紙には、「長いあいだありがとうございました」とマジックの手書きで記されている。

二カ月くらい前にこの道を通ったとき、惣菜屋は店を開けていたし、出歩く人はもっと多かったはずだ。でもその後にコロナ第三波が押し寄せてきて、最後の体力が尽きたように店が消えた。

生きものの進化における根本的なメカニズムである自然淘汰《とうた》説（ダーウィニズム）は、環境の変化に適応できる生きもの（遺伝子）は生き残り、適応できない遺伝子は滅びると説明する。つまり惣菜屋は、コロノ禍という環境に適応できない遺伝子として淘汰された。

シャッターが下りた店の前で考える。揚げたてのコロッケやきんぴらごぼうは不要不急の存在なのか。一面的にはそうだ。でも大型恐竜が繁栄していた時代ならともかく、現在の人類（ホモサピエンス）を取り巻く環境因子の由来のほとんどは、都市部と郊外で気温が違うように決して自然一〇〇%ではなく、（都市部と郊外で気温が違うように）人為的な目論見によって設定されている。つまり惣菜屋が消えた理由は、自然淘汰ではなく社会淘汰なのだと言うこともできる。

世界中でこうした変化が可視化されつつある。『定点観測1』で上野千鶴子は自らの論考の助走として、「目の前で起きていることは次のふたつだ。第一は非常時には平時の矛盾や問題点が拡大・増幅してあらわれるということ。第二は、すでに起きていた変化が、危機によって加速するということ」と書いているが、これはまさしくコロナ禍の社会における本質を言い当てていると同時に、定点で観測することの意義と必然性をも示している。社会の淘汰圧が働いているのなら、その社会を構成する一人ひとりが、その圧の正当性や副作用について必死に熟考することが何よりも重要だ。

しかし可視化されつつある変化に対して、日本に暮らす多くの人たちは、立ち止まったり吐《と》息《いき》をついたり首を傾げたりする傾向（つまり現状に対する摩擦係数）が、あまりに低すぎると思うのだ。

自発的隷従と同調圧力、無自覚な自粛と自主規制

九月から一一月にかけて、日本はＧｏ Ｔｏキャンペーンで賑わっていた。僕もその恩恵を受けた一人だ。この時期に限れば、大阪や名古屋や山口などに仕事で何度か足を運んだ。ローカル線を乗り継いで四国の高松にも行った。新幹線はけっこう混雑していた。ホテルのロビーや飲食店にも観光客と思われる人は多かった。多くの人が国内で移動していた。明らかにＧｏ Ｔｏ効果だ。

自分も同じように動いていたのだから、この時期に移動していた人たちについて批判などできない。でも違和感はあった。特に九月の四連休中、日本各地の観光地は大混雑で高速道路は大渋滞。多くの人が外に出る。行楽地はクラスターどころではない。京都など観光地は外国人観光客がほぼいないのに、コロナ前を上回るほどの人出となっている。テレビの画面に映る嵐山の渡月橋《とげつきょう》の上は、通勤ラッシュの電車内のように混雑していた。テレビの取材クルーからマイクを向けられた年配の男性が、ずっと我慢していたからねえ、と嬉しそうに笑う。

ニュースを観ながら考えた。この移動と混雑で感染率は上がる。第三波が始まる。誰だってそう思うはずだ。そして現実にそうなった。緊急事態宣言が発出される。ちなみに四月の緊急事態宣言の際には、多くのメディアは「発令」という言葉を使っていた。でも今回は「発出」

をよく目にする。「副作用」という言葉がいつのまにか「副反応」になっているように、それなりの理由はあるのだと思う。調べればわかる。でも変化の過程において、多くの人はいちいち立ち止まらない。だって周囲の動きに取り残される。とにかくみんなで動く。同じ方向に。同じ速度で。しばらくの自粛期間が過ぎれば、また政府が観光や消費を呼びかける。ＧｏＴｏ再開。そのたびに人々は従順に動く。そのくりかえし。

　つまり誰も自分で考えていない。行動の規範は下される指示（要請）と周囲の動き。ひたすらこれに同調する。ところが要請する政府の側も、支持率が下がればあわててＧｏＴｏ停止を発表した菅首相が端的に示すように、やっぱり誰一人深く考えていない。

　今のところこの国の政府の要請に、他国のような強制力はない。でもほとんどの国民が従う。無理やりではない。建付けとしてはあくまでも自由意志。だから補償や給付という発想が貧困になる。その不満や鬱憤が無意識な領域で飽和して、スケープゴードが欲しくなる。僕が住んでいる田舎の町ですら、近くに誰もいないのにマスクを着用して歩かないと遠くからの視線が気になる。明らかに突き刺さる。相互監視の空気が強くて、全体と同じ動きをしない誰かを攻撃する。

　もしも罰則規定が具体化されるなら、（論理的には保証や給付が先行すべきと思うが）今後はラベリングがさらに加速する。最近の世論調査では、感染症対策で個人の自由を制限することに八〇％以上の人が賛同している。罰則を受ける人は国の指示や要請に従わない人。つまり非国民だ。もしも自由と安全の二者択一を迫られたら、人は躊躇なく安全を選ぶ。こうして雪崩《なだれ》を打つように自由からの逃避が始まる。共通するキーワードは、自発的隷従であり同調圧力であり無自覚な自粛や自主規制だ。

破滅というものの一つの姿

九月から一一月にかけてのコロナ感染者の数は、八月の第二波時に比べれば確かに減少はしていたけれど、決して劇的に減ったわけではない。ヨーロッパなど他国では厳しい状況がこの時期も続いていたし、何よりもコロナは感染症だ。ならば気など抜けるはずがない。ＧｏＴｏトラベルにＧｏ Ｔｏ イートト。外出自粛と休業要請で疲弊した景気と経済を再興させることを目的とした経済政策。それはわかる。でも違和感を拭えない。経済を再興させるために消費は重要だ。それもわかる。でもやっぱり何かが引っかかる。

たぶんこれでは終わらない。また感染は広がる。でも足は止まらない。そしてまた自粛の時期に入る。ルールに従わないならば罰を与えなければいけない。そうした気持ちが強くなる。それはほぼ予想できる。でも足は止まらない。こうして人は過ちを犯す。取り返しのつかない事態を迎える。

今からおよそ一〇〇年前、学校からの帰り道に梶井基次郎は、雨上がりの崖を歩いて降りようとしていた。近道だからだ。でも泥は滑る。このままでは崖から落ちるかもしれない。意識のどこかでそう思いながら、なぜか梶井の足は止まらない。そして案の定、崖を降り始めてすぐに、靴はずるずると下に滑り始める。

しかし自分はまだ引返そうともしなかったし、立留って考えてみようともしなかった。泥に塗《まみ》れたまままた危い一歩を踏み出そうとした。とっさの思いつきで、今度はスキーのようにして滑り下りてみようと思った。身体の重心さえ失わなかったら滑り切れるだろうと思った。鋲《びょう》の打ってない靴の底はずるずる赤土の上を滑りはじめた。二間余りの間である。しかしその二間余りが尽きてしまった所は高い石崖の鼻であった。その下がテニスコートの平地になっている。崖は二間、それくらいであった。もし止まる余裕がなかったら惰力で自分は石垣から飛び下りなければならなかった。しかし飛び下りるあたりに石があるか、材木があるか、それはその石垣の出っ鼻まで行かねば知ることができなかった。非常な速さでその危険が頭に映じた。

石垣の鼻のザラザラした肌で靴は自然に止った。それはなにかが止めてくれたという感じであった。全く自力を施す術《すべ》はどこにもなかった。いくら危険を感じていても、滑るに任せ止まるに任せる外はなかったのだった。

飛び下りる心構えをしていた脛《すね》はその緊張を弛《ゆる》めた。石垣の下にはコートのローラーが転がされてあった。自分はきょとんとした。

どこかで見ていた人はなかったかと、また自分は見廻して見た。垂れ下った曇空の下に大きな邸《やしき》の屋根が並んでいた。しかし廓寥《かくりょう》として人影はなかった。あっけない気がした。嘲《あざ》笑《わら》っていてもいい、誰かが自分の今為《し》したことを見ていてくれたらと思った。一瞬間前の鋭い心構えが悲しいものに思い返せるのであった。

どうして引返そうとはしなかったのか。魅せられたように滑って来た自分が恐ろしかった。――破滅というものの一つの姿を見たような気がした。なるほどこんなにして滑って来るのだと思った。

（梶井基次郎「路上」）

福田村の虐殺を劇映画化

一一月に四国の高松に行った理由は、次に制作する映画のシナハン（シナリオ作成のための現地調査）だった。その前に滞在していた大阪からローカル線で高松に向かう。現地で東京から（Go Toを使って）空路で来たスタッフたちと合流する。この作品のプロデューサーを務める荒井晴彦と井上淳一、小林三四郎、そして脚本を担当する佐伯俊道《としみち》の四人だ。念のため書くがドキュメンタリーではない。僕にとっては第一作となる劇映画だ。

そもそもの発端は、昨年（二〇一九年）のキネマ旬報ベスト一〇の授賞式の控室で始まった。自らの脚本を監督した『火口《かこう》のふたり』でこの年の日本映画作品賞ベスト1を受賞した荒井晴彦が、『i―新聞記者ドキュメント―』で文化映画作品賞ベスト1を受賞した僕のすぐそばに座っている。映画業界では大先輩というだけではない。数々の受賞歴を持つと同時に強面《こわもて》でも知られている巨匠だ。緊張して初対面の挨拶をする僕に、「福田村事件の映画化を考えていると聞いたのだけど」と荒井は言った。

「考えています」

「俺たちもだよ」

俺たちとは誰だろう。そう考える僕に、一緒にやらないか、と荒井は言った。

以下は後で知ったことだけど、中川五郎の歌「一九二三年福田村の虐殺」で福田村事件について知った荒井は、これは映画にすべきだと考えた。そして中川が「一九二三年福田村の虐殺」を作詞作曲したきっかけは、この事件について二〇年近く前に僕が書いた文章を読んだからだ。どんな事件なのか。どのような虐殺なのか。僕が書いた文章の一部を以下に引用する。


大正一二年九月六日、関東大震災から六日過ぎたこの日、千葉県葛飾郡福田村（現・野田市）で事件は起きた。大八車に日用品を積んだ一五人の行商人の一行がこの地を通りかかった。福田村三ツ堀の利根川の渡し場に近い香取神社に彼らが着いたのは午前一〇時ごろ。

この行商人の一行は五家族で構成されていた。一人が渡し場で渡し賃の交渉をする間、足の不自由な若い夫婦と一歳の乳児など六人は鳥居の脇で涼をとり、一五メートルほど離れた雑貨屋の前で、二十歳台の夫婦二組と二歳から六歳までの子供が三人、二四歳と二八歳の青年が床机に腰を下ろしていた。交渉が始まってすぐに、渡し場が殺気だった。「言葉が変だ」と船頭が叫ぶ。突然半鐘が鳴らされ、駐在所の巡査を先頭に、竹やりや鳶口、日本刀や猟銃などを手にした数十人の村の自警団が、あっというまに現地に集まった。

「日本人か？」

「日本人じゃ」

「言葉が変だ」
「四国から来たんじゃ」
そんな会話があったと生存者は証言している。命じられるままに君が代を唄わされたが、それでも殺気だった男たちは納得しない。巡査が本庁の指示を仰ぐために現場を離れたとき、突然男たちは行商人の一行に襲いかかった。乳飲み子を抱いて命乞いをする母親は竹やりで全身を突かれ、男は鳶口で頭を割られ、泳いで逃げようとした者は小船で追われて日本刀で膾《なます》切《ぎ》りにされた。

（拙著『世界はもっと豊かだし、人はもっと優しい』ちくま文庫）

惨劇はしばらく続き、雑貨屋の前にいた九人は全員殺された。そのうち一人は妊婦だ。鳥居の側で茫然と事態を見つめるしかなかった六人は、針金や縄で後手に縛られ、川べりに引き立てられた。殺気立った自警団の男たちが縛りあげられたままの六人を川に投げ込もうとしたとき、馬で駆けつけた野田署の警官が事態を止めた。しかし遅すぎた。この時点で河原には、女子供を含む九つの惨殺死体が転がっていた（死体は川に投げ込まれていたという説もある）。

殺戮の現場は福田村だったが、襲撃したのは同村と隣の田中村（現柏市）の自警団だった。数十人いたと見られる自警団のうち、八人だけが殺人罪で逮捕されるが、昭和天皇即位に伴う恩赦ですぐに全員釈放される。取り調べの検事（念を押すが弁護士じゃない）が、「加害者たちに悪意はない」と新聞に語り、弁護費用は村費で負担され、残された家族には見舞金もあてがわれた。主犯格の一人は出所後に村長に選ばれ、村が合併後は市議にも選ばれた。福田村で襲撃された行商の一行は朝鮮人ではなかった。日本人だ。全員が香川県三豊《みとよ》郡内の被差別部落の出身者だ。仕事を制限される彼らにとって、行商は大事な生業だった。

震災直後の混乱期に関東各地で朝鮮人が虐殺されたが、多くの加害者は事後に沈黙した。ただし福田村や田中村でだけではなく、被害者の地元の香川でも遺族たちが沈黙した理由は、自分たちが社会的に差別される存在であるとの認識と無縁ではないはずだ。

ある脚本家の『鬼滅の刃』評

事件を知ったころにテレビ・ディレクターだった僕は、テレビ・ドキュメンタリーを想定して企画書を書いたが、朝鮮人虐殺に被差別部落差別が重なる企画に対するハードルの高さは予想をはるかに超えていた。プロデューサーたちからは断られ続け、テレビでは形にできないまま時間ばかりが過ぎた。その後に肩書に映画監督が加わり、ここ数年はドキュメンタリーではなく劇映画としてのプランを模索していた。同じころにこの事件の映画化を考えた荒井は、井上淳一と小林三四郎に声をかけ、脚本にはベテランの佐伯俊道を指名した。これが「俺たち」だ。

こうして授賞式の控室で点と線がつながった。ただしそれから一年近くが過ぎてからようやくシナハンという状況が示すように、コロナの影響で全体の進行は大幅に遅れている。そもそも映画を製作するうえで大前提となる出資先も、まだまったく見つかっていない（やはりこの企画に対するハードルはすさまじく高い）。

ただし公開の時期は決まっている。今から二年後の二〇二三年九月。だって関東大震災から一〇〇年という節目の年だ。周年的なこだわりは僕自身にはほとんどないが、公開の大義はあるにこしたことはない。

これがもしもアメリカで起きた事件なら、ハリウッドはとっくに何本も映画を作っているはずだよな。授賞式の控室で、荒井は僕にそう言った。強く同意する。特に安倍政権以降、この国は自分の過ちから目を背ける傾向が強くなった。だから歴史認識が歪《ゆが》む。同じ過ちを際限なく繰り返す。当たり前だ。記憶しないのだから。あなたは家の前で転んだ。突起に躓《つまず》いたのだ。普通は同じ突起に躓くことはない。あってももう一回くらい。でも失敗を記憶しないのなら、あなたは際限なく転び続ける。

情報解禁という言葉が示すように、映画業界においては、ぎりぎりまで内容を伏せることが常道だ。でもこの映画においては、その戦略はとらないことにした。だって多くの人が目をそむける事件なのだ。普通にやっていたら出資先が集まらない。アドバルーンが必要だ。クラウドファンディングも欠かせない。だから情報は出し惜しみしない。できるだけ開示する。シナハンには地元の瀬戸内放送の取材クルーと朝日新聞高松総局の多知川節子記者が同行して、それぞれのニュース特集と記事が一二月中旬に公開された。つまり実質的な情報解禁だ。ネットではそれなりの反響があった。もちろん賛同ばかりではない。旭日旗をアイコンに使う人たちの多くは、『鬼滅の刃』のようなヒット作を出せない三流パヨク映画人たちが集まって何を作るのやら（笑）みたいな揶揄《やゆ》を書き込んでいた。

世の中がＧｏＴｏで帯電したように熱っぽくなっていた時期に、『鬼滅の刃』は空前の大ヒットとしてニュースになっていた。自分も観なければいけないかな、と考える僕に、劇場に足を運んだ井上淳一が無理に観ることはないよ、とメールしてきた。メインのポジションはプロデューサーではなく脚本家である井上はとにかく勉強家で、圧倒的な数の映画を観ている。以下は井上のFacebookからの引用だ。少し長い。でも削れない。だってむちゃくちゃ面白い。

最初に観たのは映画。そこからAmazon primeビデオでテレビシリーズを二六話。映画が面白かったからではなく、鬼というのがどうしても分からなくて。

一九五〇年代六〇年代のハリウッド映画の宇宙人やゾンビは明らかに共産主義のメタファーだった。レッドパージやベトナム戦争を経て、怖いのは宇宙人やゾンビではなく、恐怖に囚われ疑心暗鬼になった人間たちだと気づき、描き方を変えていく。ジョージ・A・ロメロなんて、一九六八年のゾンビ映画第一作の『ナイト・オブ・ザ・リビングデッド』からすでにそれをやっている。唯一生き残った黒人がゾンビと間違えられてアッサリ殺されるラスト。一九六八年という時代を考えれば、当然か。それは『ウォーキング・デッド』の今日まで続いている。

そういう映画を経て作られた鬼退治モノだから、当然『鬼滅の刃』は鬼に何かを仮託していると思ったのだ。コロナで自粛警察の国だから尚更。しかし残念ながら、鬼は鬼だった。唯一あるとすれば、鬼は自分の中にある欲望やトラウマやコンプレックスに負けた人がなった者ということか。鬼殺隊という主人公が属する鬼退治側はそれらを自分の中に仕舞い込んだ人たち。もうそれだけでなんか説教くさいでしょ？　しかも、主人公に至っては、鬼にされた妹を人間に戻したいというモチベーションだけで、人間としての欲望は皆無。映画の中で、心の中を覗き込まれるシーンがあるのだが、そこには果てしなく続く青空が広がっているだけ。何、それ？　そんな人間いる？　いたとして魅力ある？　とにかく、その主人公をはじめ、脇の人物、鬼たちまで、思っていることが全部心の声として語られる。もう全集中ではなく全説明で全説教大会。「強き者は弱き者を助けなければ」というワンテーマ。それ自体は悪くないが、結局は戦って、鬼を殺す。なんかそれって、愛する人のために死にます的な特攻の思想みたいに感じるのは僕だけ？　主人公は鬼を殺し、その鬼の痛みを感じ取る。しかし、それでも鬼殺しは仕方ないと折り合いをつける。それは鬼が人を殺しているから。でも、それも結局は因果応報、死刑肯定論じゃないの？

3・11の頃に放送されていたアニメ『魔法少女まどか☆マギカ』。魔法少女が魔女と戦って世界を守るという話だが、魔法少女は魔女を殺す度に魔女に近づいていく。要するに、魔女は魔女をたくさん殺した魔法少女のなれの果てで、それが分かっていながら魔法少女は世界のために戦わなければならない。正義のための暴力でも、それを行使し続ければやがて悪になってしまう。それでも人は戦うのか？　一〇年前にこんな深いアニメをやっていたのに、『鬼滅の刃』は圧倒的な退化ではないだろうか。

『鬼滅の刃』には脚本家がいない。「脚本制作」のクレジットで制作会社の名前があるだけ。

そこには説明を極力廃するというシナリオ作法はない。『鬼滅の刃』は説明説明説明を確信犯的に解禁した。そして、より強い敵を倒すというスポ根の変型に過ぎないアニメが、社会現象となって歴代興行収入一位、という大勝利を手にした。これからはこれが、アニメのみならずドラマや映画のスタンダードになっていくのだろうか。客や視聴者から考える余白を奪い、こうやって観るんだ、受け取るんだというガイドラインのようなコンテンツが溢れるのだろうか。その先に待っている世界は本当に幸せなのだろうか。

禰豆子《ねずこ》がかわいいなどと言っている場合ではない。これでは、ますます邦画と世界の映画との差が開いていく。全集中で乗り切らないと。って、スガか。映画も政治もスカスカ。この国民にこの映画、この政権ありだ。

井上が指摘するように、この国の多くの人たちは今、わかりやすい説明を求めている。数年前に劇作家の鴻上尚史が、「最近は観客の反応が変わってきた」とぼやいていたことがあった。どのように変わったのかと訊ねれば、「終わってから説明を求めるんだよ」と鴻上は答えた。

「悪いのは結局誰なのですか、って」

集団は指示を求める。わかりやすくて単純化された情報を好む。だってみんなで一緒に動きたいから。誰かが動けば私も動く。誰かが止まれば私も止まる。世界で最もベストセラーが生まれやすい国と聞いたことがある。みんなが読むから私も読む。みんなが観るから僕も観る。一極集中に付和雷同。その傾向がとても強い。

もちろん、群れて生きることを選択したホモサピエンスはすべて、周囲の動きに自分を合わせようとする属性が与えられている。つまり社会性。ただし東アジアはその傾向が強い。集団と相性が良いのだ。特に日本は、その傾向に加えて個が弱い。同調圧力が強い。指示に従属しやすい。自粛しましょうと言われれば自粛する。しない誰かに対しては話を乱すとしてみんなで罵声を浴びせる。

統治しやすい国に風が吹く

あらためて思う。この国はいつも強い風に吹かれている。その風は自分たちが起こしている。でもその自覚はない。そして風に抗わない。誰かが走る。つられてみんなも走る。メディアがこれを伝える。不逞《ふてい》鮮人が井戸に毒を投げ込んでいる。ならば退治せよ。天誅だ。暴支膺懲《ぼうしようちょう》。みんなで武器を持て。鬼畜米英。鬼は滅ぼせ。あれは敗退ではなく転進。これは全滅ではなく玉砕。自己責任だ。オウム信者に人権はない。やがて神風が吹く。一億玉砕。……こうして風はより強くなる。

ドイツのコロナ死者数が過去最多の五九〇〇人(一日あたり)を記録した一二月九日、連邦議会において行われたスピーチでメルケル首相は国民に、クリスマスシーズンになるけれど生活を自粛してくださいと訴えた。どちらかといえば感情を表に出すタイプではないメルケルが、顔をゆがめて拳を何度も突き出しながら、「私は一日五九〇〇人の死を受け入れることができない」と訴える場面はとても印象深かった。

コロナの死者数が増える可能性について彼女が触れたとき、「まったく証明されていない」「戦時中のプロパガンダそのままだ」「国民を恐怖に陥れている」などと極右政党「ドイツのための選択肢」（AfD）の議員たちからヤジが飛んだ。数秒だけ沈黙してからメルケルは、「私は啓蒙の力を信じている」と言い返した。

啓蒙という言葉が的確かどうかはちょっと自信がない。日本語の啓蒙は、何となくポリティカルコレクトで上から目線的なニュアンスがある。その後に彼女が口にした「科学的知見」のほうが的確だと思う。物理学者でもあるメルケルは東ドイツの出身だ。世界中で称賛された三月の国民向けのスピーチで彼女は、東ドイツ出身であるからこそ移動の自由は安易に制限されるべきではないと私は知っている、と言いながら、「しかしそれは今、命を救うために不可欠なのです」と国民に訴えた。

そのときも、そしてコロナ禍が始まってから一年が過ぎる今回も、彼女の言葉は国民の胸に深く届く。そのメルケルの渾身のスピーチから二日後、東京の感染者数が初めて六〇〇〇人を超えた一二月一一日、菅義偉首相は「ニコニコ動画」の生放送に出演して国民に向けての第一声で、「こんにちは、ガースーです」と言ってからニヤニヤと笑った。

ニヤニヤと書くかニコニコと描写するか。同じ笑いでも、書く側がどちらを選ぶかで印象はまったく変わる。でもこのときパソコンの画面を見ながら、僕はニヤニヤしか思いつけなかった。ジョークが滑ったとかそんなレベルではなく、本気で人間性を疑う。メルケルが国民向けのスピーチで最初に、「こんにちは、ケルメルです」と言ってからニヤニヤ笑うシーンを想像してほしい。ドイツ国民は即座にメルケルを辞任させるはずだ。あなたには国民の代表の位置につく資質も気構えも知性もないと。でも日本では「こんにちは、ガースーです」について、ネットで一部の人が嘆息するくらいで、基本的には問題視されることはない。

ところがＧｏ Ｔｏトラベルの全国一斉停止を発表した一四日夜に菅首相が五人以上（八人らしい）と高級ステーキレストランで会食をしていたことについては、急に火がついたようにテレビなど多くのメディアが問題視して報道を始める。結果的にこれが大きな要因となって支持率は大きく下落し、菅首相はＧｏ Ｔｏトラベルの一時停止を発表する。

もちろん問題視することは当然だ。首相なのだからその動向は公開される。それを承知で、しかもＧｏ Ｔｏトラベルの全国一斉停止と自粛の呼びかけを発表したその直後に、なぜ迷う気配もなく高級レストランに行けるのか。さらにそれほどの信念があるのなら、なぜ支持率が下がったことで停止するのか。事態を甘く見ているならリーダーとしての資質に欠けるし、このくらいは問題視されないだろうと思っていたなら国民をなめている。

高級ステーキレストラン「ひらやま」の一人の会費が六～七万円と報道されたころ、大阪で数カ月前に餓死していた母娘二人の遺体が見つかった、とのニュースも報道された。日本の貧困率の高さはアメリカに次いでＧ７中ワースト二位。ひとり親世帯ではＯＥＣＤ加盟国三五カ国中ワースト一位。餓死予備軍はまだまだいる。助けを求める声が出ないほどに衰弱している人もたくさんいる。コロナ禍で多くの人たちは喘いでいる。救いの声をあげている。でもあなたたちは高級レストラン。もしも僕が大手メディアの記者ならば、シャトーブリアンと最高級ワインの組み合わせは美味しかったですか、と会見の場で質問する。国民のために働く内閣。確かにあなたは言ったよね、と何度も確認したくなる。

政治リーダーの顔かたちや言葉の拙《つたな》さをあげつらうつもりはない。能力は別だ。でもコロナという未曾有の事態を迎えたとき、二代続けて国民に届く言葉を発することができない首相がいたことは事実だし、この国の不幸だ。しかし暴動は起きない。下落したとはいえ、いまだに三〇％以上の人たちが政権を支持している。為政者の側からすればとても統治しやすい国だ。だからこそ与党政治家に緊張感が薄い。

最悪の事態を迎えつつあるこの時期、国会で議論がないことに唖然とする。自発的隷従と自由からの逃避。この国民だからこそこの政権。この政権だからこそこのコロナ対策。ここは泥道だ。ずるずると破滅の方向に泥道を滑り落ちている。加速している。それはわかっているのに足は止まらない。だってみんなが一緒なのだ。

こうして過ちの歴史が更新される。いや上書きだ。この国の幼年期はこれからも続く。

（二〇二〇年一二月二五日）

［日本社会］

コロナ禍のヘイトを考える

安田浩一

安田浩一（ヤスダ・コウイチ）

一九六四年、静岡県生まれ。「週刊宝石」「サンデー毎日」記者などを経てフリージャーナリストに。事件・社会問題を主なテーマに執筆活動を続ける。ヘイトスピーチの問題について警鐘を鳴らした『ネットと愛国』（講談社）で二〇一二年の講談社ノンフィクション賞を受賞。一五年、「ルポ 外国人『隷属』労働者」（「G2」Vol・17）で第四六回大宅壮一ノンフィクション賞雑誌部門受賞。著書に『「右翼」の戦後史』（講談社現代新書）、『ルポ 差別と貧困の外国人労働者』（光文社新書）、『ヘイトスピーチ』（文春新書）、『団地と移民』（KADOKAWA）など多数。

これもまた、コロナ禍における日本の風景の一つだった。

悪意と敵意をたっぷり含んだ怒声が街路の空気を震わせる。

「多くの人を殺したのは他でもない、ここにいる〝支那人〟なんですよ」

政治団体「日本第一党」党首・桜井誠の〝第一声〟だった。

二〇二〇年六月一八日、都知事選告示日である。同選挙に立候補した桜井が最初の街頭演説先として選んだのは中国大使館前（東京都港区）だった。

中国人の蔑称である「支那人」を連呼し、さらには新型コロナウイルス（以下、新型コロナ）による肺炎を「武漢肺炎」と言い換え、聞くに堪えないヘイト街宣は続く。

特定の地域や民族に対する偏見を防ぐために、世界保健機関（WHO）がウイルスの呼称に国名や地名などを付けることは避けるといったガイドラインを定めていることなど、彼にとってはどうでもよいのだろう。

そもそも──かつては差別者集団「在日特権を許さない市民の会」（在特会）を足場に、ヘイトスピーチを繰り返してきた人物だ。〇七年、桜井を中心に設立された在特会は、その名称通り、在日外国人が日本人以上に優越的権利を有しているとのデタラメを主張しながら、各地でヘイトデモや街宣を繰り返してきた。

「殺してやるから出てこい」「皆殺しにしてやる」と在日コリアンの集住地域や朝鮮大学の門前で声を張り上げる彼の姿を、私は幾度も直接目にしている。さんざん殺戮を煽ってきた桜井だからこそ、外国人に向けた悪罵《あくば》や差別扇動に、何の躊躇もあるわけがない。

一四年に在特会を〝引退〟し、あらたに日本第一党を立ち上げたが、差別体質は何も変わらなかった。もちろん、この日も。

「〝支那人〟は一〇万円を渡したら簡単に人を殺すんです」と根拠不明な持論を叫び、大使館から出てきた公用車に「〝支那人〟のそこのねえちゃん、答えてみいや」と怒鳴りつける。話題が「尖閣問題」に移ると、なぜか沖縄県の玉城《たまき》デニー知事がやり玉に挙げられた。

「〝支那〟が送り込んだ工作員」

民族差別。女性に対する侮蔑。デマと偏見。中国大使館前での街宣には、ヘイトスピーチを構成するに不可欠な要素がほとんど詰まっていた。

支援者が撮影した当日の動画は、「日本第一党」の公式サイトをはじめ、動画共有サイトでも公開されている。多くの人が目にしたことだろう。

「六一分の一」の恐怖

そしてこの桜井に、東京都の有権者のうち約一八万人が票を投じたのである。

桜井は前回の都知事選（一六年）にも立候補し、約一一万票を獲得して世間を驚かせた。しかし今回の得票数は前回の一・五倍にも伸びている。

「恐怖でしかない」

私の周囲では、在日コリアンの多くがそう口を揃えた。

これまで外国籍住民の排除や殺害を公然と口にしてきた人物に、これだけの支持が集まったのだ。ヘイトの矛先を向けられる被差別当事者が「恐怖」を感じるのは当然だろう。ヘイトスピーチは人間の尊厳、存在を否定し、地域や社会をも破壊していくものだ。当事者ならずとも、刃物で体の一部を撫でられるような戦慄にじわじわと襲われる。

もちろん桜井の得票は、約三六六万票を獲得し、二期連続当選を果たした小池百合子には遠く及ばない。過去の極右候補と比較しても、たとえば一四年の都知事選で田母神《たもがみ》俊雄・元航空幕僚長が集めた約六〇万票を大きく下回る。そうしたことから、桜井に批判的なスタンスを取る人たちのなかからも、〝躍進〟を過大に評価すべきではないといった見方を唱える者が少なくなかったことも事実だ。

だが、ここはヘイトの被害者の立場から想像してほしい。

一八万票なる数字は、東京都の有権者数(約一一〇〇万人)の六一人に一人を集めたことになる。東京都心部で環状運転を行っているJR山手線を例にしよう。同線車両の一両につき備え付けられた座席は六〇ちょうどだ。つまり、電車に乗って座席がすべて埋まっていたとすれば、そのうちの一人は桜井氏に投票したと考えてもおかしくない。ラッシュ時ともなれば、その数は二倍、三倍にも増える。

ソーシャルディスタンスを保つこともできない空間に、レイシストが潜んでいるかもしれない、いや、レイシストに囲まれているかもしれないという「恐怖」。ただの苦痛や嫌悪とは違う。「殺戮」に賛同しているかもしれない相手を想像することが、どれほどまでに戦慄を呼び起こすものなのか、脅威を与えるものなのか、そして社会に深い亀裂を強いるものなのか。日常の風景から色彩を奪い取られる怖さは、だれであっても理解できよう。

桜井氏に違和感を持たない都民の存在

都知事選を終えた直後、私は国内外のいくつかのメディアから「一八万票」についてのコメントを求められた。

様々な事象が複雑に絡み合う選挙戦について、誰もがはたと膝を打ち、瞬時に疑問が解けるような分析は、私にはできない。これまで取材を重ねてきた差別の風景ばかりがよみがえり、事実の重たさを前にして、口ごもってしまうばかりだった。

だが「一八万票」を導いた、いくつかの要素を挙げることはできる。

今回、桜井は「都民税ゼロ」の主張を前面に掲げ、表向き、排外主義的主張は抑制した。政見放送でも「武漢肺炎」なる文言を繰り返しつつ、コロナ禍における不安や不満に焦点を当てた。これによって、桜井が何者であるかを知らず、新手の〝改革者〟だと受け止めただけの人がいたことも確かだろう。

実際、冒頭に記したようなヘイト街宣は、告示日以外はほとんどおこなわれていない。選挙戦は感染への配慮を理由に、ネットを舞台におこなわれた。桜井はこれを「バーチャル街宣」と呼称し、演説を収めた動画を配信した。

主要候補者のみにスポットを当てるマスコミ報道に懐疑的な一部ネットユーザーなどが（たとえ桜井のすべてに共感しなくとも）、反マスコミの意思表示として一票を投じたことも考えられる。

とはいえ、どれほど新型コロナに先行きの不安を感じ、「都民税ゼロ」に共感したところで、「支那人」「武漢肺炎」を連呼する桜井氏に違和感を持たなかったとすれば、レイシストへの加担を指摘されても仕方あるまい。

洋の東西を問わず、レイシスト政治家はレイシズムだけを主張して支持を広げ、議席を獲得してきたわけではない。ときに貧困政策を訴え、ときに労働者階級のために雇用問題に言及し、そして〝外敵〟の存在を示唆して脅威を煽りながら、社会にナショナルな空気と排外主義を充塡してきた。ときに「リベラル」を自称する側をも取り込み、「一点突破全面展開」や「改革」の幻想を与え続けてきた。

朝鮮人虐殺犠牲者と小池百合子

様々な形で排他と同調圧力を炙《あぶ》り出しているコロナ禍において、桜井の訴えが、より広範囲に受け入れられたのは間違いないだろう。

当の桜井も選挙後、供託金没収の枠内にとどまっても、「メディアの鼻を明かした」「さまあみさらせ。とことん笑ってやる」と〝敗戦〟に落ち込む様子は見せなかった。むしろ「一八万票」は彼にとって成功体験として記憶されることになろう。

レイシズムに対して正面から全否定できない社会の一部の脆弱さが露呈したともいえる。

だからこそこれまで取材でヘイトの現場を目の当たりにしてきた私は悔しいし、憤りを感じているし、この先の流れを警戒している。

実際、地方議会では「日本第一党」党員が議席を有すケースもあれば、同党所属でなくとも、排外主義の扇動者が議員となる事例も見られる。

差別の本質は「対立」や「分断」ではなく、「加害と被害」だ。被害者を量産していくような動きに対し、断固たる「NO」を突き付けていく必要があると私は思っている。

一方、都知事選の「問題」は桜井氏の票数に収斂《しゅうれん》されるわけではない。排外主義に絞っていえば、実は私が「一八万票」と同じくらい恐怖に感じたのは、小池百合子氏の「三六六万票」である。

これまで私が小池氏に対して言及してきたのは、毎年、東京都墨田区の横網町公園で営まれてきた朝鮮人虐殺犠牲者の追悼式典に、一七年以降、追悼文送付を取りやめたという問題だ。一九七〇年代から歴代都知事が送付してきた追悼文の送付（「三国人発言」なる差別発言で知られる元知事の石原慎太郎氏でさえ送付してきた！）は、小池氏によって断ち切られた。

小池氏はこれまで送付取りやめについて次のように述べてきた。

「（関東大震災という）大きな災害があり、それに付随した形で、国籍を問わずお亡くなりになった」

「関東大震災で亡くなったすべての方々に哀悼の意を表したい。特別な形での追悼文を提出するということは控えさせていただく」

震災の被害者を追悼するのは当然だ。一方、虐殺の犠牲者は「震災の被害者」ではない。震災を生き延びたにもかかわらず、人の手によって殺《あや》められた人々だ。まるで事情が違う。「すべての方々」というのは、なんとも粗雑な括り方ではないか。

しかも「付随」なる表現で、朝鮮人虐殺をまるで震災と抱き合わせであるかのように論じているのだ。たとえ震災の混乱下で起きたこととはいえ、朝鮮人虐殺は天災死に従属させてよいものではない。まさに人災を天災のなかに閉じ込めようとしたものだ。

都知事選において、この問題は必ずしも大きな争点とはならなかった。

だが、マイノリティ虐殺という忌まわしき史実をまるでなかったことであるかのように、あるいは極度に軽視した物言いは、レイシズムと通底する。

小池氏が心底、虐殺否定の論調に同意しているのか、それとも排外的な空気を読んだうえでの戦略なのかは不明だ。しかしどちらにしても深刻な被害がネグレクトされた事実は変わらない。

これは首長の姿勢として大問題ではないのか。許されるのか。

そして――こうした小池氏が圧倒的な「強さ」を誇るのが東京という都市なのである。

断ち切られた追悼

その九月一日。関東大震災から九七年目を迎えたその日。例年通り、「朝鮮人犠牲者追悼式典」が横網町公園(東京都墨田区)でおこなわれた。

かつては旧日本陸軍の被服廠《ひふくしょう》があった場所だ。九八年前、ここを公園に整備するための工事が行われているさなか、震災が発生した。公園として機能する前のただの空き地に、震災の火の手から逃げてきた人々が殺到した。避難場所として、多くの人がそこが適地であると判断したのも当然だ。

しかし、それはさらなる悲劇の始まりとなった。強風で煽られた炎は巨大な竜巻となって、避難民の衣服や持ち込んだ家財道具に飛び火した。四方から襲った火煙に、人々が飲み込まれた。だれもが避難場所だと信じた空き地は、たちまち阿鼻叫喚《あびきょうかん》の様を呈した。

ここで約三万八〇〇〇人が命を落としたという。

以来、横網町公園は慰霊の地となった。亡くなった被災者の霊を供養するための慰霊堂がつくられ、毎年、震災が発生した九月一日には同所で都慰霊協会主催の大法要が営まれている。

そして一九七四年からは、同公園内の慰霊堂に近接した一角で、もうひとつの「法要」がおこなわれるようになった。

それが前述した「関東大震災朝鮮人犠牲者追悼式典」だ。文字どおり、震災直後に虐殺された朝鮮人を追悼するものである。

震災直後、関東各地で「朝鮮人が井戸に毒を投げ入れた」「暴動を起こした」といったデマが流布《るふ》された。デマを信じた人々によって多くの朝鮮人が殺された。震災がもたらしたもうひとつの「惨事」である。

この朝鮮人虐殺について、内閣府の中央防災会議は、二〇〇九年にまとめた報告書の中で、震災の全死者（約一〇万五〇〇〇人）のうち、「一～数％」、つまり一〇〇〇～数千人の朝鮮人が虐殺されたと推定した。また、震災直後に調査した朝鮮人団体は、犠牲者の数を約六〇〇〇人としている。

状況からしても正確な人数を弾き出すことはことは不可能だが、政府も認める虐殺の事実を否定する歴史家はいないだろう。

そうしたことにより、一九七三年に横網町公園内に朝鮮人犠牲者の追悼碑が建立され、その翌年から各種市民団体などの共催により追悼式典が行われるようになった。第一回目の式典には、当時の美濃部亮吉知事が「五一年前のむごい行為は、いまなお私たちの良心を鋭く刺します」と追悼のメッセージを寄せた。以来、歴代都知事は、この追悼式典に追悼文を送り続けたのである。

小池知事は、その流れを断ち切ったのだ。

今年、新型コロナの影響で、一般参列者の入場は制限され、式典の模様はネットで生中継されることとなった。

それでも当日、小池知事の〝歴史否定〟と〝民族差別〟に抗議する人たちが、最寄り駅であるJR両国駅近くに集まった。

「私は追悼します」――。集まった人々が手にしたプラカードには、そう記されていた。多くは、ただプラカードを黙って掲げているだけだった。微動だにしない。何かを訴えるわけでもなく、同意を求めるわけでもなく、誰もが張り詰めた表情で、そこにいた。

人々のまっすぐな視線は静かに、穏やかに「追悼」の意を示しながら、しかし、小さな「覚悟」が見て取れた。

悼むこと。悲しむこと。そして思いを寄せること。ただそれだけのことにも、私たちは、わずかな緊張を覚えなければならない。

そんな時代を生きている。そんな空気を強いられている。

ちなみにこの日、公園内の慰霊堂で開かれた「都主催」の大法要では、次のような小池知事のメッセージが披露された。

「災害の記憶を風化させることのないよう、次の世代に語り継いでいく」（武市敬副知事による代読）

虐殺犠牲者については一言も触れていない。天災の中に人災を閉じ込めることで「哀悼」をも合理化した。「歴史には様々な見方がある」として虐殺の事実を認めようとしない小池知事らしいメッセージだった。

公園の一角、朝鮮人虐殺慰霊碑の前では、追悼式が粛々と進められた。

花を手向け、手を合わせる。蛮行は繰り返さない、繰り返させない、絶対に許さない。参列者は九六年前の荒涼とした風景を想像しながら、静かに誓う。

「震災直後、流言飛語を信じた自警団や軍隊、警察により朝鮮人や中国人が虐殺された。この消しようのない事実を忘れさせようという動きがある。数多くの尊い命が奪われたことを忘れてはならない」

宮川泰彦・実行委員長は、そうあいさつした。

虐殺を歴史から消そうとする人々

しかし「消しようのない事実」から目をそらし、いや、事実そのものを改ざんしようとする者たちの動きを、今年もまた許してしまった。

「虐殺はなかった」とする差別者集団による集会が、これまた例年通り、追悼式会場からわずか二〇メートル離れた場所で開催されたのである。

在特会とも共闘してきた「そよ風」なるグループの主催する「真実の関東大震災・石原町犠牲者慰霊祭」は、小池知事が追悼文送付を取りやめた二〇一七年から、都知事の意思と歩調を合わせるかのように続けられてきた。

昨年の慰霊祭では「虐殺は嘘。不逞《ふてい》朝鮮人が略奪、強姦などをした」といった発言が飛び出し、さすがの都もこれを問題視。「そよ風」側の発言が都の人権尊重条例に違反する、「ヘイトスピーチ」だと認定している。

その〝効果〟も多少はあったのか、スピーカーの音量を下げ、「不逞鮮人」などの露骨でわかりやすい文言こそ飛び出すことはなかったが、それでも「そよ風」の慰霊祭では「朝鮮人犠牲者追悼式」を挑発、攻撃するような言葉が飛び交った。

「都からヘイト認定された。まあ、よかったと思いますよ」

「虐殺を捏造し、日本人に対するヘイトスピーチがおこなわれている」

「(虐殺犠牲者の)追悼碑なんて存在理由がない」

こうして追悼式を貶《おとし》めるだけでなく、なかにはあからさまに在日コリアンなど外国籍住民への差別を煽る者もいた。

「外国人の犯罪が多いのは地域への愛情が足りないから」

「（在日コリアンは）本国に帰れと言われても帰らない。居場所がないから〝六〇〇〇人が虐殺された〟というデマを流している」

ちなみに「そよ風」は公園のある地域の名を冠して「石原町慰霊祭」としているが、参列者の発言の中で「石原町」に触れたものはほとんどない。もちろん地域を代表して発言した者もいない。まさに虐殺否定を訴えたいがためだけに開催された、地域の犠牲とは無縁の〝ニセ慰霊祭〟と言ってもよいだろう。

実際、地域の町会（石原町の四町会と、横網町町会）それぞれの町会長は、私の取材に対して次のように答えている。

「『そよ風』の集会には協力していない。協力を要請されたこともない」

「地域の名前が勝手に使われている。少なくとも地域の同意を得たものではない」

つまり「石原町犠牲者慰霊祭」は、町名だけを借用しながらも、地元の意向を確認もせずに行われているのだ。これこそまさに、地元を無視しながら地元名称だけを用いた「政治利用」そのものではないのか。

もちろん慰霊の自由はある。当事者でない人間が追悼してはいけないという決まりがあるわけでもない。

だが、わざわざ「石原町」の名称を用いながら、そこに深く関わるわけでもなく、地元の同意を集めるでもなく、慰霊祭の名のもとに「虐殺否定」ばかりをぶち上げるのは、震災犠牲者をまさに「冒瀆《ぼうとく》」するものだ。

そう、これは「朝鮮人犠牲者追悼式」に対する嫌がらせ以外の何ものでもない。

「慰霊祭」を主催した者たちの目的は、おそらく朝鮮人犠牲者追悼碑の撤去と、虐殺の事実を歴史から消し去ることであろう。

今年もまた、差別と偏見が歴史の書き換えに手を貸した。主導したのは草の根のネトウヨじゃない。

煽ったのは都知事である。「上」の判断にに「下」が呼応する形で、ヘイトは生まれる。

そして――鎮魂の場が、醜悪な動機で汚された。

ヘイトスピーチは終わらない

振り返ってみれば、二〇二〇年も差別とヘイトに明け暮れた一年だった。

新型コロナを理由とした外国人差別が煽られたことは本企画の前半期編で触れた。

それ以外にも、BLM（Black Lives Matter）運動に共感を示したテニスプレイヤー・大坂なおみが日本のネットユーザーからバッシングされ、在日コリアンの女性の苦悩を描いたNIKEのCMが「日本人への配慮欠いている」と非難、中傷され、NHKはネット上で露骨な朝鮮人差別を垂れ流した（ひろしまタイムライン事件）。

年末、またもや世間に衝撃を与えたのは、いや、世間の一部を怒りに導いたのは、大手化粧品会社「DHC」（ディー・エイチ・シー）の吉田嘉明《よしあき》会長による「差別書き込み」である。

同社の公式ホームページにおいて、競合他社であるサントリーを批判する文脈で、会長自らが露骨な書き込みをおこなったのだ。

他社のCMで起用されているタレントが「ほぼ全員コリアン系日本人」としたうえで、朝鮮人に対する蔑称を用いて中傷。そのうえで「DHCは起用タレントを始め、すべてが純粋な日本人です」と記した。

おそろしく稚拙で醜悪な文章は、とても大手企業の代表者が書いたものとは思えない。在日コリアンへの差別感に満ち満ちている。

ちなみに吉田会長はかつて、同じような差別観を、やはり同社公式ホームページで以下のような文言を用いて披露したことがある。

〈日本に驚くほどの数の在日が住んでいます〉〈似非《えせ》日本人、なんちゃって日本人です〉〈母国に帰っていただきましょう〉（二〇一六年二月一二日付「会長メッセージ」。現在は削除されている）

いったい、二〇一六年に施行されたヘイトスピーチ解消法は何だったのか。政府や行政を始め、みなでヘイトスピーチの解消に努めるはずではなかったのか。

いつか新型コロナは収束するだろう。だが、ヘイトの感染は止まらない。差別と偏見は社会のいたるところで猛威を振るっている。

異なる他者を貶めることに鈍感な国で、政府は凝りもせずに五輪を画策しているのだ。

そんな資格があるのかと、私はこれからも言い続ける。

（敬称略）

（二〇二〇年一二月二九日）

［難民］

「人権」が絵空事にならないために

安田菜津紀

安田菜津紀（ヤスダ・ナツキ）

一九八七年、神奈川県生まれ。ＮＰＯ法人Dialogue for People（ダイアローグフォーピープル／Ｄ４Ｐ）所属フォトジャーナリスト。同団体の副代表。上智大学卒。一六歳のとき、「国境なき子どもたち」友情のレポーターとしてカンボジアで貧困にさらされる子どもたちを取材。現在、東南アジア、中東、アフリカ、日本国内で難民や貧困、災害の取材を進める。東日本大震災以降は陸前高田市を中心に、被災地を記録し続けている。著書に『写真で伝える仕事－世界の子どもたちと向き合って－』（日本写真企画）ほか。現在、ＴＢＳテレビ『サンデーモーニング』にコメンテーターとして出演中。

一枚の写真

皆さんは覚えているだろうか。二〇一五年九月二日、トルコの海岸に小さな男の子の遺体が打ち上げられ、その写真が衝撃をもって世界中に拡散されていった。中東シリアでの戦乱から逃れようと、当時は多くの難民が、危険を冒して地中海を渡り、ヨーロッパを目指していた。悪天候のなか、定員をはるかに超えた人々を乗せるゴムボートが転覆することも少なくなく、男の子は冷たい海で犠牲になった一人だった。彼の兄と母も、岸まで泳ぎ着くことはできなかった。家族で唯一生き残ったのは、父のアブドゥッラー・クルディさんだけだった。彼はいま、シリアの隣国、イラク北部クルド自治区で暮らしている。

私はあの写真が世界中を駆け巡ってから、ずっと気がかりだったことがあった。メディアやネット上で何万とその写真が量産されていく様子は、生き残った父の心をさらにえぐるものなのではないか、と。二〇二〇年六月、縁あってアブドゥッラーさんとつながることができたものの、すでにコロナ禍にあり、現地へ直接会いに行くことは困難となっていた。止むをえずスクリーン越しに、アブドゥッラーさんにインタビューさせてもらうことになった。

画面の向こうのアブドゥッラーさんは、室内でもマスクと手袋を装着していた。クルド自治区でも、新型コロナウイルス（以下、新型コロナ）は猛威をふるい、一時は治安部隊が出動、厳しく移動を禁じる「ロックダウン」状態が続いていた。過激派勢力「イスラム国」（以下、ＩＳ）との大規模な戦闘がようやく収まり、復興を遂げようという最中のコロナ禍は、経済にとっても大きな痛手となった。イラクのクルド自治区には、アブドゥッラーさんをはじめ隣国シリアからも多くの難民が逃れてきている。経済が止まれば、真っ先にあおりを受けるのは彼ら、彼女たちだ。なかには「コロナの状況はシリアのほうがましだ」と、国境を越えて戦禍と隣り合わせの故郷に戻り始める人々もいた。

「世界中のメディアで息子が〝アイラン・クルディ〟という名で報じられてきましたが、本当の名前はアラン・クルディなんです」と、アブドゥッラーさんは話す。トルコの海岸で発見された少年の遺体を写した写真は、トルコ語の発音である〝アイラン〟という名と共に、瞬く間に世界中でシェアされてしまったのだ。「悲しみが癒えることはないが、せめてアランと呼んでくれるとうれしい」と、アブドゥッラーさんは静かに語った。

冷たい闇夜の荒波に消えた命

二〇一四年九月、シリア北部コバニ（アラビア語の地名はアイン・アル＝アラブ）は、戦争の混乱の最中、急速に勢力を拡大してきたＩＳにより包囲され、激しい戦火と共に占領の危機にさらされていた。コバニをはじめ、シリア北部地域には、アブドゥッラーさん一家をはじめ、少数民族であるクルド人が多く暮らしている。アメリカ軍の空爆による後押しもあり、クルド人部隊が数カ月に及ぶ激戦を経て、ＩＳをかろうじて撃退した。それまで拡大する一方だったＩＳが、徐々に衰退していく契機ともなった戦いといわれているが、あまりに多くの犠牲を伴った戦闘だった。

アブドゥッラーさんが家族と共にトルコ側へと避難したのは、ＩＳとクルド人部隊との激しい衝突が起きる直前だった。「包囲される前のコバニは、ごく平和な街でした。ところがISの戦闘員たちが近くまで迫ってきていると耳にし、急いで隣国へと逃れることにしたのです」。

陸路で国境を越えて避難し、差し迫るISの脅威から家族を遠ざけることはできた。ところがトルコで難民申請が受理されず、先行きの見えない生活を余儀なくされてしまった。親族を頼ってカナダまで渡ろうと、まずはヨーロッパを目指し、密航業者と接触し、出国を試みた。

「密航業者は〝快適なボート〟だと話していましたが、いざ海岸に到着してみると、薄っぺらな五〜六人乗りの小さなゴムボートがそこに浮かんでいるだけでした。そのボートに、ほかの難民たちを含め一五〜一六人で乗り込むように言われたのです」。明らかな重量オーバーだったものの、アブドゥッラーさんたちにもはや選択肢はなかった。トルコでは難民たちの弱みに付け込み、高額な費用を要求しておきながら、粗末なボートや偽のライフジャケットしか用意しない業者が暗躍していた。

深夜二時、沿岸警備隊の目を避けるため、闇に紛れて海へと漕ぎだした。目指すエーゲ海の島、ギリシャのコス島までは、フェリーで移動すれば一時間半ほどの距離でしかない。ゴムボートに乗っても、潮の流れを上手くつかむことができれば、数時間で着くはずだった。けれども、漕ぎだして五分も立たないうちに、ゴムボートはみるみる沈み始めたのだ。「穏やかに見えた海でしたが、沖に出ると波が高くなってきたのです」。

二月の冷たい闇夜の荒波に、妻のリハンさん、五才だった長男のガリプ君、そして三歳だったアラン君が投げ出され、あっという間に波に呑まれていった。翌朝、トルコ側の浜辺に打ち上げられたアラン君の写真が、のちに世界中のメディアで報じられていくことになる。けれどもそれは、アブドゥッラーさんにとって、さらなる苦痛を伴うものだった。

「今でもその写真を目にするのは辛いことです。もちろん、多くの方が善意のもとにその写真を拡散していることは理解できます。私にとってはつらい記憶でしかありませんが、せめてアランの死から、多くの方がメッセージを受け取ってくれたらといまは思っています」

現在アブドゥッラーさんは再婚し、二〇一九年には、新しい命が家族に加わった。アブドゥッラーさんはその子どもに、同じアランという名前をつけた。もともとはイラク北部の山岳地帯に由来する名前で、美しい風景が広がっているのだと、アブドゥッラーさんは目を細めた。「この子には、平和な場所で育って欲しいと願っています。多くを望みはしません。他の多くの子のように、普通に学校に行って、平和な毎日を過ごしてもらえたら、それだけで私は満足です」。

アブドゥッラーさんは、イラク北部クルド自治区に逃れてきたシリア難民の子どもたちの支援を続けてきたが、ロックダウンでその活動も中断せざるを得ない状況だった。可能であれば私も現地に行き、直接彼の元に生まれた新たな命と向き合い、そして彼の続けてきたその活動にも触れたかった。オンラインで取材をしても、五感の大半が削がれてしまうのが、もどかしい。

国家と新型コロナに引き裂かれる人々

けれども、私が取材に赴けないこと以上に、深刻な事態が続いている。感染拡大を防ぐための移動制限が、紛争や迫害から逃れようとする人々の避難路さえ封じてしまっているのだ。UNHCR（国連難民高等弁務官事務所）によると、二〇二〇年は近年でもっとも、難民の第三国定住が少ない年になる見込みだという。二〇一九年は九月までに、約五万人の難民が世界中で再定住できていた。ところが新型コロナの影響で、今年は同期間で約一万五〇〇〇人のみとなっている。

シリア国内の状況も厳しい。新型コロナの影響に加え、米国は二〇二〇年六月、「シーザー法」と呼ばれる新たな制裁法をシリア政府に対して発動、シリア国内の物価は急激に上昇している。その負の影響は、ガソリンや食品など、生活必需品を直撃した。打撃を受けているのは政権ではなく市民の生活だと、シリア出身の友人は強調した。「これで政権が倒れるわけではないんです。何も食べず、空腹のまま眠りにつくのはアサド大統領ではなく子どもたちなんです。政治ゲームに市民を巻き込むような、意味のない行動はやめてほしい。せめてこれを〝シリア人のためだ〟とは言わないでほしいんです」。

その中東情勢にも多大な影響をもたらすのが、米国の大統領選の行方だった。二〇二〇年一一月、米国のみならず、日本のメディアも連日、その報道で持ち切りだった。トランプ陣営は、選挙戦中に大統領自らが新型コロナ感染となり、混乱を極めた。

この間、日本でもネット上で、「トランプ大統領は一度も戦争をしない、平和な大統領だった」という言説がまことしやかに飛び交った。その言葉は、私が観てきた現場の実態とは重ならないものだった。

新型コロナがまだ世界的に蔓延する前、二〇一九年一〇月九日、トランプ大統領が突如、シリア北部地域からの米軍撤退を宣言する。それを待ち構えていたかのように、シリア北部、主にクルド人が暮らす地域へ、トルコ軍が「平和の泉作戦」と名付けた軍事作戦を開始した。国連の発表によると、この攻撃の直後に家を追われた人々は二一万五〇〇〇人にのぼり、うち約八万七〇〇〇人が子どもとされている。

ここでクルド人の置かれた状況を改めて振り返っておきたい。クルド人が直面する問題を語るとき、必ず「国を持たない世界最大の民族」という枕詞がつく。主にイラク、イラン、シリア、トルコにまたがって暮らし、その人数は三〇〇〇万人ほどといわれている。オスマン帝国の崩壊後、クルド人の暮らしていた地域は大国の思惑によって引き裂かれ、国を持つこともできず、世界情勢や他国に翻弄される歴史をたどってきた。

内戦前のシリアの全人口約二二〇〇万人に対し、クルド人の人口は一〇%前後を占めていた。アラン君の父、アブドゥッラーさんも、その一人だ。主にシリア北東部や北西部を中心に居住していたものの、一九六〇年代には数十万人のクルド人たちが〝トルコから流入してきた者〟と見なされ、国籍をはく奪された。同時期に、トルコ国境沿いの〝アラブ化〟が国主導で行われ、クルド人たちの農地は奪われ、強制移住させられる事態となった。クルド人であるということを理由とした迫害も、国際機関から度々指摘をされてきた。

二〇一一年以降、シリア国内各地で戦闘が勃発するようになると、北部のクルド人居住地域では人民防衛隊（ＹＰＧ）が結成された。ＹＰＧは他の反政府武装勢力と異なり、政府軍との全面的な交戦は避け、クルド勢力による事実上の自治拡大のため、主にＩＳ（過激派勢力「イスラム国」）との戦闘に従事してきた。米国がＩＳ掃討作戦の中で連携したのも、このＹＰＧだった。ところがトルコはこの動きに猛反発してきた。トルコは国内でテロ組織として非合法化されているクルディスタン労働者党（ＰＫＫ）とＹＰＧが同系の組織だとしており、その勢力の拡大を恐れていたのだ。

実はトルコのこうした軍事作戦は初めてのことではなかった。二〇一八年一月、クルド支配下に置かれた街の中でも、飛び地のように位置しているシリア北西部アフリンに向け、トルコとその支援を受けた民兵組織が侵攻し、三月には街の中心地が包囲、制圧された。その後、トルコ側はたびたび、次の攻撃の可能性を示唆していた。駐留する米軍の存在は、その動きに歯止めをかけてきたとされている。けれどもそうした緊迫した状況が変わらないまま、「われわれはシリアでＩＳを打倒した。これ（ＩＳの存在）は私にとって、トランプ政権下で（米軍が）そこに駐留する唯一の理由だった」と、トランプ大統領は米軍撤退を一方的に宣言したのだ。

誤解を与えないよう付け加えると、私は米軍が駐留している状況を肯定したいのではない。ただ、それぞれの勢力が緊張の糸をぴんと張ったような状況で対峙するなか、突発的な撤退宣言は、新たな火種を生み、結果として市民たちを戦禍にさらすことになってしまうのだ。二〇一九年一〇月のトルコの侵攻を受け、「クルドは使い捨てなのか?」「アメリカは私たちをトルコに売り渡した!」という声が、現地の知人たちからも相次いで届いた。

気がかりなのはシリアや、クルドの人々のことだけに留まらない。二〇二〇年に入り、ＵＡ

E（アラブ首長国連邦）、カタールのそれぞれとイスラエルの国交正常化を仲介したことを、トランプ大統領は「外交成果」として誇っていた。けれどもパレスチナの人々の意思は、変わらず置き去りになったままだった。

パレスチナ自治政府側は、将来的にパレスチナ国家を樹立した際の首都を、聖地でもある東エルサレムにすると主張してきた。これに対しイスラエル側は、エルサレムは自国の不可分な首都だという見方を崩してこなかった。エルサレムの位置づけは深刻な争点であるからこそ、多くの国が在イスラエル大使館をテルアビブに置いてきたのだ。ところが二〇一八年、トランプ政権は米国大使館を、テルアビブからエルサレムに移転させた。この年の五月一四日、パレスチナ・ガザ地区では、この移転に対し大規模な抗議デモが起こった。そしてイスラエル軍の発砲などにより、犠牲者は六〇人以上、負傷者も二七〇〇人と、二〇一四年のガザ侵攻以来、最悪の犠牲者数となってしまった。

そんな犠牲をよそに、米国大使館移転はイスラエルの政権からだけではなく、自国アメリカの支持者からも、さぞ喜ばれたことだろう。こうしてトランプ大統領は、過激な言葉で人々の関心を集め、「岩盤支持層」といわれる人々が気に入るような政策を進めてきた。けれども集まってきた支持は、他国で虐げられてきた人々、恣意的な外交・軍事政策で奪われてきた命の上に築かれたものだったことを忘れてはならない。

新型コロナがアメリカで感染を拡げていた当初、トランプ大統領は科学的知見を無視し、その影響を軽視していた。深刻な状況が見えてきてもなお、これは「中国のせいだ」と自身の初動の遅れを認めなかった。投票者の半数近くがトランプ氏に投票した状況ではあったものの、大統領選は結局、バイデン氏に軍配が上がった。今後、新政権となり、米国の中東政策がどう変化するのかに注目したい。

コロナ禍における在日クルド人の窮状

ただ、ことクルド人の問題に関していえば、日本の政策も深刻な状況を生み出してきた。日本にも、主にトルコ出身のクルド人たちが多く暮らし、難民申請をしている人々も少なくない。トルコでの人権侵害や政治的迫害、兵役、さらには過激派勢力の手から逃れてきたなど、事情は様々だ。そもそも日本での難民申請者には、難民認定率〇・四%という、認定に至るまでの分厚い壁が立ちはだかる。

加えて法務省は、難民の条件を備えた外国人であっても、「友好国」の国民の場合は慎重な姿勢を崩さない。難民として認定するということは、その当該国の政府や社会に欠陥があると指摘することになる恐れがあるからだろう。その「友好国」への「忖度《そんたく》」から、難民認定を拒絶され続けてきたとみられるのが、トルコ出身のクルド人たちだ。

彼らが難民認定を受けられずにいることで、「偽装難民」「トルコで迫害なんてないだろう」という心ない言葉がネット上でも散見される。ところが二〇一八年のトルコ出身者の難民認定率を他国と比較していくと、カナダが八九・四%、トランプ政権下の米国でも七四・五%にものぼる。日本の〇%が異様であることが、具体的な数字からも分かる。国の態度次第では、事実に基づかないマイノリティへの差別や誹謗中傷が横行してしまう。それは「官製ヘイト」と言わざるを得ないものではないだろうか。

こうして制度から排除されるクルドの人々のなかには、「非正規滞在者」として不安定な立場にいる人たちが多く、コロナ禍による特別定額給付金の支給からも除外されており、経済が落ち込むなか、より一層深刻な状況に置かれている。

埼玉県川口市や蕨《わらび》市には、約一五〇〇人のクルド人が暮らしているとされている。コロナ禍で困窮を極めている彼らの命を守ろうと、二〇二〇年一一月、複数の支援団体が共同で、JR川口駅前にブースを並べ、大規模な相談会を開催し、一日で三〇〇人もが訪れた。私が話を聴かせてもらった男性は、まだ子どもが幼く、親類を頼ろうにも皆何かしらのあおりを感染拡大から受けており、内輪の助け合いだけでは限界にきていた。

相談ブースには、家賃の支払いに悩む人々の声も寄せられていた。たとえば日本で生まれ、日本で暮らしていても、私たちには「居住権」（法律上の用語ではなく、「生存権」を根拠とした居住の権利）があり、一～二カ月程度家賃を払えなかったからといって、家主側、不動産会社側が無理やり追い出してはならないということを、多くの人が知らないのではないだろうか。まして言葉の壁が立ちはだかる彼ら、彼女たちにとって、その情報に自力でたどり着くことは困難だろう。

管理と監視の対象としての外国人

制度の壁に阻まれてきたのは、彼らのように在留資格のない人々ばかりではない。日本政府は、コロナ禍が急激に拡大しつつあった二〇二〇年四月から、在留外国人に対する再入国規制を導入してきた。例えばAという地域から、日本国籍者の帰国は認めても、A地域から再入国しようとする外国籍者は、たとえ「永住者」の資格を有していたとしても、生活の基盤が日本であったとしても、原則帰国は認められなかった。彼らは短期の観光客とは違う、日本での生活者だ。それにも関わらず、科学的な理由ではなく、日本国籍の有無という線引きで、厳しい規制が敷かれてきたのだ。

二〇二〇年八月二八日、茂木敏充《もてぎとしみつ》外務大臣は記者会見のなかで、ジャパンタイムズの記者にこのことを問われている。下記がそのやりとりだ（内容は発言のまま書き起こし）。

記者：二点お伺いします。入国規制が、外国人を対象にした入国規制が緩和される方向であるというふうに伺っているんですけれども、その方向性の中には、在留外国人は日本人と同じような、それに似たような条件で入国が認めるようになるかというその方向について。それは一点で、二点目はそもそも論として、この在留外国人を含めた規制は、特に在留外国人を対象にした入国規制は、どういった、その背景になった科学的な根拠を具体的に教えてください。

茂木：まずこういう在留資格を持つ方々、いま、日本にいらっしゃる、もしくは在留資格を持っていったん海外に出られている方、そういった方々の入国もしくはその再入国を認める方向で、いま、最終調整をしているところであります。そしてこれは、日本に限らずあらゆる国が、いま、新型コロナウイルスの中で、水際措置、これをとっている状況であります。それぞれの国によりましてやり方は違ってくるわけでありますけれども、まさにそれは各国の感染症対策であったりとか主権に関わる問題でありまして、各国がとっている措置、日本としても適正な措置をとっていると考えております。

記者：すみません、科学的な根拠について……。

茂木：What do you mean by scientific?

記者：日本語でいいです。そんなに馬鹿にしなくても大丈夫です。

茂木：馬鹿にしてないです。いや、馬鹿にしてないです。まったく馬鹿にしてないです。

記者：日本語で話しているなら、日本語でお答えください。科学的な根拠の、同じ地域から日本国へ、日本国籍の方が外国籍の方と一緒に戻られて、全く別の条件が設けられ、その中には例えば事前検査だったり、同じ地域に住んでいるところから、全く別の条件で入って、入国が完全に認められないケースもあったんですね。それに関しては、その背景に至ったその違い、区別を設ける、その別の条件を設ける背景になった、背景にある科学的な根拠をお聞きしています。

茂木：出入国管理の問題ですから、出入国管理庁にお尋ねください。お分かりいただけましたか。日本語、分かっていただけましたか。

こうして、日本語で質問する記者になぜか英語で返答をしたり、答えをはぐらかしたりした末に、「日本語、分かっていただけましたか」と高圧的に、まるで記者の日本語能力を不当に貶《おとし》めるかのような態度をとった。結局、大臣の言う「適正な措置」の根拠は示されないままだった。それが抜け落ちたまま、単なる国籍での選別が続けば、これは事実上、出自による差別だろう。

この入国制限は二〇二〇年一〇月から一部緩和され、観光目的ではない中長期の滞在者であれば、全世界からの入国が認められることとなった。けれども日本で暮らす外国籍者がその家族を呼び寄せようとしても、なかなか許可がおりない実態が報じられた。そのハードルとなっていたのは、日本政府が課している「誓約書」の存在だった。この「誓約書」は、入国しようとする外国人に感染防止のための細かなルールを課したものだ。ただ、サインする当事者は外国籍者本人ではない。日本での受け入れ先となる、大学や企業に求められているものなのだ。

さらに、当事者が家族を日本に呼び寄せようとする場合は、その家族の行動の保証も含めて求められてくるのだ。「マスク着用」「手指消毒の徹底」「『三密』を避ける」などのルールを、在籍する外国籍者だけではなく、その家族にも守らせる責任を大学や企業が負うことになる。くわえて違反した場合は、「企業・団体名の公表」「今後、当企業・団体の招へいする者に対し、入国が認められないことがある」など、ペナルティまで決められていた。日本政府が海外出身者を、生活の主体、人権を守るべき存在としてではなく、「管理」「監視」の対象として見ていることが透けてみえるような政策だった。

日本の入管は国際人権規約に反している

ただ、この半年間で見受けられたのは、必ずしも「後退」したことばかりではなかった。二〇一九年一〇月に設置された法務大臣の私的懇談会、「収容・送還に関する専門部会」は、難民申請中であったり、日本に生活の基盤のほぼ全てがあったりと、帰国できない事情を抱えた外国人が送還を拒んだ場合、罰則の対象にする「送還忌避罪」などを提言していた。法改正され、導入されれば、事実上の難民条約からの離脱ともいえる深刻な事態となる。

この罰則を含めた法改正の議論は、二〇二〇年秋の臨時国会で為されるはずだったが、政府はそれを見送った。有識者や各地の弁護士会から相次いで反対意見が示されたため、菅義偉《すがよしひで》政権となったばかりの政府としては、物議を醸すような話題は避けたかったのかもしれない。もちろん、次の国会で再び議題にあがってくる可能性はあるものの、この間にも懸念を示す声明を発表する市民団体や弁護士会は増え続けている。

また、二〇二〇年一〇月、国連人権理事会の「恣意的拘禁国連部会」が、トルコ国籍のクルド人であるデニズさん、イラン国籍のサファリ・ディマン・ヘイダーさんの訴えを受けて、日本の入管当局の対応を「国際人権規約に反する」とした見解をまとめたことが日本でも報じられた。二人とも難民申請中であり、精神疾患や著しい体調不良を訴えてきたにも関わらず、入管は長期にわたって繰り返し二人を収容してきた。在留資格がないなどの理由で外国人を無期限に収容する日本の方針は、これまでも国連から再三「拷問にあたる」等の指摘を受けてきたが、今回の見解はさらに踏み込んだものといえる。

この見解が出る以前に、ネット番組を通してデニズさんにお話を伺ったことがあった。収容を解かれても、デニズさんに強いられている状況は過酷なものだった。難民認定が受けられず、日本人の女性と結婚しても在留資格は得られていない。「仮放免」では労働することも許されず、常に不安定な立場にあった。「ぜひ、働きたいんです。働いて自分のお金で奥さんにプレゼントしてみたい」というのが、〝ごく普通の生活〟さえ阻まれるデニズさんの切実な思いだった。

新型コロナの影響で延期となった東京五輪が来年に控えている。いまの政府の見解では、何がなんでも開催するようだ。大会では紛争などで母国を離れた難民で結成する「難民選手団」を受け入れることが声高に掲げられている。もちろん、選手それぞれが大会に向けて重ねてきた努力は、否定されるものではない。

けれども足元では外国人に対する人権蹂躙《じゅうりん》を繰り返し、五輪という舞台でのみ「難民受入」を誇るその姿勢は、あまりに都合が良すぎるのではないだろうか。国連から示された見解に、日本政府はこれからどう応答していくのか。その姿勢こそが、日本が「人権国家」であるかどうかの鍵を握っている。

（二〇二〇年一二月二五日）

「新型コロナウイルスと私たちの社会」関連年表（二〇二〇年六月〜一一月）

2020年

6月

1日　「東京アラート」発令の検討水準、懸念抱えてステップ2へ／一〜三月の国内企業の経常利益、前年から三二％減、コロナ影響／都立校、六月一日再開、分散登校で週一回から／コロナ関連倒産、二〇〇社超える／持続化給付金、事務委託先の協議会を野党が国会で追及へ

2日　三カ月ぶりに裁判員裁判、東京地裁／唾液使ったＰＣＲ検査が可能に、検査体制拡充に期待／初の東京アラート発動、新たに三四人感染／「国民に影響せず」と非公表、検察官定年延長の解釈変更

3日　コロナで解雇や雇止め一万六〇〇〇人余り、最多は宿泊業／東京アラート、小池知事「思いのあらわれだ」／触れ合わずには暮らせない、「盲ろう」の人たちのコロナ苦境／北九州で検査広げたら陽性次々、一一三人の半数が無症状／持続化給付金事業を受託した法人、経済産業省が設立に関与か／「コロナ会議録の不在、歴史の検証に堪えられぬ」毎日新聞の社説

4日　カンヌ映画祭、パルムドールの選出見送り、五月革命以来／五輪の簡素化検討、観客削減や式典縮小も＝政府・組織委／休業支援金は学生バイトやパートも対象に／予備費一〇兆円はコロナ緊急経費、給付金委託はていねいに説明＝安倍首相／「予備費一〇兆円は尋常でない」、専門家が指摘／麻生財務相「国民の民度のレベル違う」〝死者数少ない背景〟として

5日　コロナ流行中に原発事故が起きたら？　避難の方針まとめる＝内閣府／〝Ｇｏ Ｔｏキャンペーン〟「消費喚起に向け効果ある」江藤農相／雇用調整助成金オンライン申請、また停止

6日　／菅官房長官、「連絡会議」の発言録は不要の見解／ロヒンギャ難民キャンプ、初の感染死者、一〇〇万人密集／コロナワクチン、二〇二一年前半の接種開始目標／「再調査必要なし」答弁書を閣議決定、黒川前検事長処分

7日　ひとり親家庭、コロナで深刻な影響も、NGOが支援へ／Go Toキャンペーン、公募はいったん中止、委託費「高すぎる」と批判／米ホワイトハウス前の通り、「黒人の命も大切」と命名／「コロナで耐えきれない」研究も仕事も窮地の大学院生／電通グループへ一五四億円、給付金事業さらに一部外注

8日　コロナによる世界の感染者数六七五万七四三九人／米失業、黒人高止まり、経済格差が抗議デモ助長／一〇万円支給、関東二・七％、家計支援遅れ鮮明

9日　世界のコロナ死者、四〇万人突破／四月の経常黒字八四・二％減、コロナで輸出・旅行が大幅悪化／コロナの影響による倒産、全国で二二七社に／「持続化給付金」再委託に批判、支出に問題ないか検査へ／「持続化給付金」事務委託、文書示すも黒塗りへの批判相次ぐ

10日　赤羽国交相、Go Toキャンペーン「予算の効率的執行図る」、菅官房長官は「〃新しい生活様式〃と矛盾しない」／厚労省の助成金オンライン申請トラブル／萩生田文科相「休校明けの自殺予防を」／「コロナ収束の定義困難」閣議決定、首相はコロナは「ほぼ収束」／「民度」発言の麻生財務相、「国民、クオリティー高い」

11日　コロナ解雇拡大、二週で九〇〇〇人増／給付金の受託法人、前日に報道公開していた事務所が無人に／解雇や雇止め、非正規雇用で働く人が六割占める／二次補正予算案が衆院通過、政府・与党は一二日成立めざす／中企庁長官の懇親会に電通関係者、経産省が報道認める

持続化給付金「再々々委託」、政府も全容把握できず／大企業の景況感は大幅悪化、四月～六月／「東京アラート」解除し「ステップ3」へ／感染公表したばかりに。介護施設が受

けた〝コロナ差別〟／一〇万円届かない可能性、コロナ失業の路上生活者に住民票なく

12日 介護事業所の半数で利用者の身体機能など低下、コロナ影響／入国制限緩和へ、四カ国で一日最大二五〇人／議事概要に首相らの発言記載なし、官邸のコロナ連絡会議／「ＧｏＴｏ」観光支援、赤羽国交相が八月までに開始の意向「大事な夏休みに」／保育の現場、感染リスクがストレスに／コロナ対応の二次補正予算成立、過去最大の三一・九兆円／第二次補正予算「世界最大の対策で日本経済守り抜く」と安倍首相／一律一〇万円、給付率三五・九％

13日 ブラジルの死者四万一〇〇〇人超える、米に次いで二番目に／コロナ感染拡大、紛争地で人道的危機深まる／北京で二カ月ぶりに感染者、計五三人、全員が市場関係者／経産省幹部「給付金配れと言われても」、頼れるのは電通

14日 感染防止策と経済活動の両立を＝西村経再相／豊洲仲卸「お手上げ」、アラート解除されても戻らぬ客足／「時期尚早だったのでは」、アラート解除後も広がる感染／京大総長、学生給付金を批判、「留学生差別、おかしい」／医療現場へ拍手、感謝の強制？　さいたま市の全市立校参加、市民らから疑問の声／ワクチン確保に向け米英企業と交渉、安倍首相「年末ごろには接種できるかも」ニコニコ動画で語る

15日 働く女性対象の電話相談、コロナ影響で休業補償など相談多く／東京都、二日連続で四〇人超え、西村経再相「積極的な検査の結果」／ＥＵ加盟各国、約三カ月ぶり域内の入国制限緩和／出稼ぎ外国人頼みの西欧農業、コロナで「入国は運次第」／学校、各地で全面再開、二カ月遅れの入学式／コロナ対策「全てが国の落ち度でない」、持続化給付遅れで安倍首相

16日 持続化給付金二兆円超支給、二次補正予算枠をまもなく使い切る／ＰＣＲ検査目安〝四日待たずに相談〟削除、「意図的でない」加藤厚労相／現金一〇万円一律給付、総世帯数の四四％完了／コロナ影響で倒産の企業二五〇社／在宅医療、全国施設一六％余でスタッフがコロナ

感染や濃厚接触に／北朝鮮、南北連絡事務所を爆破、脱北者の批判ビラに対抗措置

17日 映画興行収入、過去最低更新／ホンジュラス大統領が感染／五月訪日客が前年同月比九九・九％減／通常国会閉幕、もっと働いてもらいたいとの声が／女川原発避難、密集を回避、感染症対策加え計画改定

18日 中小六七％がテレワーク実施、三月の二六％から急拡大／カザフスタン前大統領がコロナ陽性／全国知事会、感染拡大「第二波」備えた医療体制を要望／移動自粛を全面解除、安倍首相が表明、「経済を回す」／「憲政史の汚点」「前代未聞」、河井夫妻逮捕に与野党が唖然

19日 コロナで難民増える可能性＝国連難民高等弁務官／日本のコロナ接触確認アプリ、公開から約八時間で約八五万件ダウンロード／一〇万円、五四・五％に給付／長期休校、補習に取り組む学校の支援を文科相へ要望＝全国知事会／プロ野球で異例の開幕戦、コロナで無観客試合

20日 「家賃支援給付金」受け付け開始、七月にずれ込む見通しに／「雇用の調整弁」で三〇年、日系人がコロナでまた苦境／世界の難民が八〇〇〇万人に、過去最多更新、全人口の一％。「各国の保健対策の対象にすべきだ」とＵＮＨＣＲ／ＷＨＯ事務局長「世界は危険な新局面にある」

21日 ブラジルのコロナ死者、五万人超す／診療所の外来、小児科の保険収入が約四割減、コロナ影響／Ｇｏ Ｔｏキャンペーン、八月から実施へと赤羽国交相、コロナ対策／空港検疫でコロナ確認、初の死者

22日 コロナ影響で患者激減の医療機関、経営面の影響深刻に／国連、医療関係者被害で攻撃停止呼びかけ＝アフガニスタン／コロナ特措法、三四府県知事「改正必要」朝日新聞調査／外出禁止や休業を強制できる法改正必要六二％＝ＮＨＫ世論調査／コロナ、子どもたちへの影響調査、四分の三がストレス感じる

23日　コロナ、世界の感染者九〇〇万人超に、米国の死者一二万人超／コロナ拡大防止へ紛争の即時停戦求め共同声明、米ロなど不参加／一〇万円給付、業務に忙殺の日々、暴れた市民の逮捕も／コロナで親子イライラ、幼いほど強く、暴力や自傷行為も

24日　制限緩和の欧州、感染者数増加で各国の警戒強まる／コロナ感染防止「AIで世界をリードする対策を」、西村経再相／専門家会議座長、政府が提言内容を判断し政策に実行を／コロナ対策専門家会議廃止、メンバー拡充など新組織へ／東京都、コロナ新規感染五五人を確認、小池知事「職場で集団感染が発生」／中南米のコロナ死者が一〇万人突破、メキシコとブラジルが深刻

25日　コロナでバイト収入減、来春入社の大学生に奨学金支給の企業も／持続化給付金、分割発注へ、民間委託の透明性確保で／企業の融資申し込み、リーマンショック上回る／河井夫妻からの現金受領、一転認める市長や県議相次ぐ／迫る医療崩壊、怒るアフリカの医師ら、感染者三〇万人超

26日　「持続化給付金」、二九日から対象拡大、今年創業の事業者なども／最低賃金の引き上げ議論開始、コロナで政財界から慎重論／企業の九割近くがコロナで事業の体制見直し

27日　一日の新規感染者四万人超、アメリカで感染再拡大／DV相談、外出自粛要請が拡大した四〜五月は例年より増加／ワクチン、一二〜一八カ月で実用化目指す＝WHO／コロナ感染、SNSで差別広がる

28日　東京都内で六〇人感染、緊急事態宣言解除後で最多／世界のコロナ感染者、累計一〇〇〇万人超える、最多は米国

29日　イベント中止で損失三兆円、コロナ影響／「直ちに再び緊急事態宣言出す状況にない」官房長官／東京都で五八人感染、週平均感染者数が休業再要請の基準超える／コロナ、世界の死

者五〇万人、ブラジルなど新興国増加、米国が全体の四分の一／コロナ禍で遠い夏の海、各地で相次ぐ海水浴場の開設中止

30日 五月の宿泊者数八四・八％減、三カ月連続で過去最大の減少幅を更新／シルクドゥソレイユ再生手続きへ、コロナで世界各地の公演中止／東京で新たに五四人が感染、五日連続で五〇人超え

7月

1日 Ｇｏ Ｔｏキャンペーン、委託先の公募開始＝経産省／生活保護申請、四月に二五％増／東京で六七人感染、宣言解除後の最多／専門家会議廃止「相談なし」に怒る公明、西村経再相が陳謝

2日 米国の一日当たりコロナ感染者が五万五〇〇〇人超、世界最多／ドイツコロナ対策で〝消費税〟引き下げ始まる／コロナ感染者「現時点で急増傾向ではない」と菅官房長官／コロナで解雇・雇止め、全国で三万人超、五月以降急増／東京都の新規感染は一〇七人

3日 首相、厚労相ら「再び緊急事態宣言出す状況ではない」／国連事務総長「コロナで紛争地和平に悪影響」／東京の医療体制「逼迫していない」と厚労相／東京一二四人感染、若者八割

4日 自動車メーカー各社、海外工場のほとんどで生産再開／米、コロナ感染拡大防止措置、再び強化、独立記念日含む三連休で／世界の感染者一一〇七万八七六〇人、死者五二万五一二一人／サッカーＪ１が四カ月ぶり再開、無観客で

5日 戻った日常、戻らない笑顔、コロナ後の中国に残った差別／東京で新たに一一一人感染、四日連続で三桁

6日 小池知事が大差で再選「次の四年は死活的に重要、しっかりコロナ対策を」／インド、コロナ感染者六九万人超、世界で三番目に多く／コロナ分科会初会合、「感染対策と経済」両輪、

7日　「四月とは違う」、イベント制限緩和／東京都で新たに一〇二人感染、五日連続三桁

8日　景気動向指数、四カ月連続で低下、コロナで雇用悪化など影響／豪メルボルン、再び外出制限導入へ／東京都、新たに一〇六人感染

ブラジルのボルソナロ大統領、コロナ感染／WHO「空気感染の可能性除外できない」／六月、企業や個人向け融資の残高、増加率が最高に／六月のコロナ影響の倒産、全国で一一三社に／東京都で七五人感染

9日　新宿区、コロナ感染者に一〇万円の見舞金／「あす予定どおりイベント開催制限緩和」菅官房長官／安倍首相「医療提供体制はひっ迫した状況ではない」／東京都、感染者二二四人確認、過去最多

10日　「新しい生活様式」導入しながら学習を、文部科学白書／コロナ影響、休業支援金を今日から受け付け開始／接触確認アプリ、感染者からの登録三人も「一定の効果」加藤厚労相／「アビガン」明確な有効性確認できず／Ｇｏ Ｔｏキャンペーン大幅前倒し、二二日から／プロ野球、今日から観客を最大五〇〇〇人まで入れて試合開催／都内で二四三人の感染

11日　世界の感染者一二三四万二〇四三人、死者五五万六三八三人／東京都、二〇六人感染、若年層の比率低下／東京都の感染者数増加「検査の攻めの姿勢の結果」と菅官房長官／「東京は警戒すべき水準」感染防止策の徹底を、西村経再相／サッカーＪ１、観客を入れて試合開催

12日　トランプ米大統領、公の場で初めてマスク着用／立民の枝野代表、「東京都に緊急事態宣言を」／東京都、二〇六人の感染

13日　南ア大統領「嵐がやって来た」、コロナ感染拡大に危機感／Ｇｏ Ｔｏ延期「全く考えず」、菅官房長官「感染防止と経済活動の両立が大事」／「国の補償を前提に地域と業種限定し休業要請を」共産の小池氏／新宿の舞台公演、出演者や客約八五〇人が濃厚接触者／東京都、

一一九人感染

14日　止まらない沖縄米軍のコロナ感染、新たに普天間三二人、嘉手納一人、今月九六人に／家賃支援給付金の申請開始、必要書類多く迅速支給が課題／Ｇｏ Ｔｏキャンペーン、予定どおり実施を、経済同友会代表幹事／「五輪開催の条件示せない」ＪＯＣ山下会長が苦しい胸の内明かす／東京都で一四三人感染

15日　「地方への移動、ただちに止める必要ない」アドバイザリーボードの脇田座長／フランスやイギリスでマスク着用強化する動き広がる／コロナで差別や中傷、弁護士会の電話相談始まる　群馬／「現時点では遠慮して」Ｇｏ Ｔｏキャンペーンに地方から懸念の声、岡山県知事・佐賀県知事・大崎市長・青森市長・弘前市長など／東京都、一六五人の感染

16日　コロナ後遺症訴えにようやくメス、厚労省が二〇〇〇人調査へ／東京五輪「無観客は望んでいない」ＩＯＣバッハ会長／オンライン学習用の端末、一人一台用意は都内二三区のうち六区／菅官房長官「直ちに緊急事態宣言を出す状況でない」／自民の麻生派、コロナで延期していたパーティーを開催／東京都、新規感染二八六人で過去最多を更新、Ｇｏ Ｔｏトラベルは東京除外で実施へ

17日　唾液使ったＰＣＲ検査、無症状の人も対象に／二〇〇〇万人が感染のブラジル、一〇〇万人のインドで再び外出制限も／東京都の感染者、最多の二九三人／テレワークでかえって労働時間延長／生命保険料の支払い猶予申し込み二〇万件超に

18日　米で一日の感染者数はじめて七万人超、死者も増加／ブラジル・サンパウロの貧困地区、三割超が陽性／反対しない人を選ぶ？　Ｇｏ Ｔｏ「追認」分科会に疑問の声／東京都、新規感染二九〇人、感染経路不明者が一五八人で過去最多に

19日　学校の夏休み、最短は四日間、全国九五％の教育委が短縮の見通し／Ｇｏ Ｔｏの開始、七

20日 四％が「反対」、東京五輪の開催、「再延期」が三二％＝朝日新聞世論調査
トランプ大統領「全米でマスクの着用義務化、必要ない」／菅官房長官「接待伴う飲食店、警察立ち入り対策徹底」／西村経再相、特措法改正の検討本格化は収束後に／Go Toキャンセル料、利用後に補償へ、批判受け一転
21日 世界の感染者一四七〇万三二九三人、死者六〇万九八八七人／Go Toトラベル、野党が感染拡大を懸念／Go To説明会〝年齢や人数、線引き分からない〟質問相次ぐ／赤羽国交相がGo Toキャンセル料の補償を表明、わずか四日で方針撤回／在日米軍、全国で軍人・関係者一四〇人感染／東京の感染者、二三七人確認
22日 Go Toトラベル、今日から開始／トランプ大統領、マスク着用を呼びかけ、姿勢変える／福岡市長「第二波が来たと言わざるをえない状況」／〝ワクチン〟、五輪まで世界に供給は不透明／東京都、一三八人の感染
23日 マスクや手袋などの〝コロナごみ〟、世界各地の海や川で増加／ガイドライン守らない飲食店、法律に基づく措置検討＝西村経再相／小池知事「感染三六六人、四連休は外出できるだけ控えて」
24日 国連〝発展途上国でベーシックインカムを〟コロナ感染拡大で／米、感染者四〇〇万人超／安倍首相「緊急事態再宣言は不要」検査能力強化で万全期す／接待伴う飲食店に警視庁が立ち入り、都が消毒徹底など呼びかけ
25日 英首相、コロナ初期対応「理解しておらず、別のやり方あった」／韓国、新たな感染者一一三人、約四カ月ぶり一〇〇人超える／東京都、二九五人感染
26日 飲食店の来客数、宣言解除で回復も去年の半数程度／東京都、二三九人の感染
27日 菅官房長官、「ワーケーション」普及で観光促進を／Go Toトラベル、割り引き後価格で

の販売始まる、観光需要喚起へ／「出社三割以下」も、テレワーク再強化の動き／西村経再相「危機感持ち注視、医療体制万全期す」

28日　WHO「六週間で感染者約二倍、パンデミックが加速し続けている」／介護施設への布マスク配布「有意義だと考えている」菅官房長官／アメリカで開発中のコロナのワクチン、最終段階に／東京都、二六六人感染

29日　政府、地域や業種に対象絞り対策強化する考え／菅官房長官、消費税率引き下げに否定的な考え／中国、三カ月半ぶりに一日一〇〇人超の感染／野党「国会で審議すべき課題が山積、臨時国会の召集を」

30日　介護施設などに布マスク約八〇〇〇万枚、配布延期を検討、厚労省／米、コロナによる死者一五万人超える／コロナ影響の解雇・雇止め、全国で四万人超える／全国の感染者一日一〇〇〇人超、医療現場の負担感強まり状況注視＝菅官房長官／コロナ踏まえ新たな新社会像を議論、年末に中間報告＝安倍首相／東京都の会議「全世代に感染拡大、感染経路も多岐」／米、四－六月GDP、年率マイナス三二・九％、統計開始以来最悪の水準／東京都、三六七人感染

31日　コロナ感染拡大「原因の一部は若者の気の緩み」WHO／東京五輪・パラ、六割超のボランティアが「コロナが不安」／「感染増加憂慮も宣言出す状況にない」菅官房長官／八〇〇〇万枚の布マスク、希望施設のみ配布に変更、加藤厚労相／外国人留学生再入国へ「大学はコロナ対策徹底を」萩生田文科相／財政健全化「二〇二五年度の黒字化も不可能ではない」西村経再相／東京都、感染者四六三人

8月

1日　EU、仏製薬大手から三億回分ワクチン確保で合意／四－六月GDP、コロナで記録的落ち

込みか／仲間うちの飲み会でも、会食での感染相次ぐ／東京都、四七二人感染

2日 IR整備、開業時期含め先行き不透明、コロナの影響受け／菅官房長官、Ｇｏ Ｔｏトラベル「予防策徹底し引き続き取り組む」／一〇万人当たりの感染者数で沖縄がトップ、次いで東京、福岡／東京都、酒提供の飲食店など今日から営業時間短縮を要請／東京都、二九二人の感染

3日 安倍首相、政府配布とは別の布製マスクで官邸に、感染予防呼びかけ／米、〝最も古い歴史〟持つデパートのロード・アンド・テイラーが経営破綻／安倍首相「一進一退の状況、感染拡大防止に万全期す」／真夏の授業、コロナ休校で遅れ取り戻そうと全国各地で／自粛要請、独自対応とる自治体相次ぐ／コロナ長期化、中小企業七％余「廃業検討の可能性」／東京都、二五八人感染

4日 上半期の農林水産物、食品の輸出額が大幅減少、コロナの影響／菅官房長官、帰省を「控えるべきとの考えない」／〝病床数ひっ迫せずも医療現場の負担増〟「感染増加急激なら、再び緊急事態宣言の可能性」加藤厚労相／世界の感染者一八二八万人、死者六九万人／自民、臨時国会の早期召集に応じぬ考えを野党に伝える／検査した人の陽性率、全国で上昇、約一カ月で四・六倍に／立民の枝野代表、コロナ対応「無政府状態」と首相の早期退陣求める／東京都、三〇九人感染

5日 ブラジル、閣僚の三分の一がコロナに感染／コロナ「強制的措置含めた特措法改正議論を」自民・岸田氏／お盆の帰省「対策できない場合、慎重に判断を」分科会の尾身会長／大阪府知事、うがい薬では〝予防できない〟、四日の記者会見を受けて／台湾、隔離期間の短縮措置対象から日本を除外、感染拡大で

6日 Ｇｏ Ｔｏトラベルについて菅官房長官「比較的堅調、引き続き利用を」／東京都、感染は

四段階で最も深刻＝モニタリング会議／全国の病院、六割以上赤字に／児童や生徒の感染、二カ月で二四二人、感染経路「家庭内」六割近く／大阪府、過去最多の二二五人感染／東京都、三六〇人感染

7日　コロナワクチン、国内で一月から三月の供給に向け体制整備へ／自宅療養を認める基準を公表＝厚労省／インド、コロナ感染者累計二〇〇万人超、米とブラジルに次ぐ／東京都、コロナ患者専用の二病院開設へ／安倍首相「感染防止策と社会経済活動の段階的回復の両立必要」／小池知事「ことしは特別な夏」、お盆の旅行や帰省など自粛改めて呼びかけ／国の納税猶予の特例、九万五〇〇〇件超、コロナで収入二〇％以上減／国内感染者数一六〇六人感染／東京都、四六二人感染

8日　全国知事会、お盆の帰省に対し慎重な判断を呼びかけへ／東京都、四二九人の感染

9日　健保組合の財政悪化が加速のおそれ、コロナで保険料収入減／ブラジル、感染者三〇〇万人超、大統領は経済再開加速／世界の感染者一九六三万人、死者七二万人／〝再〟宣言回避へ高齢者などの感染予防策徹底と安倍首相／アフリカ、感染者一〇〇万人超に、経済活動再開で感染拡大／東京都、三三一人感染

10日　コロナ影響で大卒求人倍率大幅低下／米、感染者五〇〇万人超、死者一六万人超、世界最多／東京都、一九七人感染

11日　世界の感染者二〇〇〇万人を超える。世界的に増加のペース速まる／融資残高が過去最高に、コロナの影響を受け急増／七月のコロナ影響の倒産など一〇六社、二カ月連続で一〇〇社超える／ロシアがワクチンを正式承認、安全性疑問視の見方も／東京都、一八八人感染

12日　若者の六五％が学習機会減少、コロナ感染拡大で＝ILO／コロナで家庭の収入「減った」が二四％＝NHK世論調査／沖縄、感染の警戒レベル「感染まん延期」に引き上げ協議へ／

13日 東京都、二二二人感染

14日 世界の四三%の学校で手洗いできず、感染予防に不可欠、ユニセフとWHOが発表／世界の感染者二〇六二万人、死者七四万人／医療機関の負担増加、コロナに加え熱中症の搬送相次ぐ／改正金融機能強化法が今日施行、コロナ影響受ける企業を支援へ／東京都、二〇六人の感染

15日 若い世代の「入院後の重症化は大人と同程度」米CDC／夏休みに〝自宅で過ごす〟人は約七割、コロナ感染リスクを考慮／重症者や死者の数が増加、宣言解除の頃と同程度に／東京都、三八九人感染

16日 お盆休み終盤、帰省のUターンラッシュ見られず／東京都、三八五人感染

17日 韓国で二七九人感染、首都圏で急増／東京都、二六〇人感染

18日 沖縄、感染拡大で看護師など不足、国が早急派遣を検討／全国で最短、九日間の夏休み終え授業再開、岐阜の小中学校／世界の感染者二一六七万人、死者七七万人／四－六月期GDP年率マイナス二七・八%、リーマン後では最大の落ち込みに／保育士二人「運営にコロナ対策求め、不当な異動に」撤回訴える／東京都、一六一人の感染

19日 コロナで高齢者の孤立相次ぐ、一時保護を都に要望／多くの子ども「感染秘密にしたい」コロナ意識調査／全国の重症者二四三人、専門家「医療現場のひっ迫招きかねない」／首相の公務再開、「コロナ禍の現状で、どうしても本人が出てきて陣頭指揮に当たりたいという思いが強い」と菅官房長官／東京都、二〇七人感染、三人が死亡

20日 ブラジル・サンパウロ、児童や生徒の一六%超がコロナ感染／世界の感染者二二一四万人、死者七八万人／「今、日本は第二波のまっただ中」日本感染症学会

米アップル、時価総額が初の二兆ドル超え／転売禁止のマスクやアルコール消毒製品、二九

日にも規制解除へ／重症者の数え方について、八都府県で国と異なる基準で集計／日本感染症学会の尾身会長「流行はピークに達したと見られる」／東京都、三三九人感染

21日 政府、在留資格のある外国人の再入国制限緩和へ／お盆休みの成田空港国際線利用者、昨年比九八％減／コロナ分科会「感染拡大ピーク達するも再び増加のおそれ」／訪日外国人、四カ月連続で九九・九％減／「路上生活者に給付金を」と支援団体が申請手続きをサポート／東京都、二五八人感染

22日 コロナで世界の観光産業三四兆円損失、リーマン後の三倍以上／日本とカンボジアの往来、長期滞在者対象で来月上旬にも再開へ／東京都、二五六人感染

23日 東京都、二一二人感染

24日 東京都内一三の区の小中学校で授業再開／〝コロナとインフル〟同時流行の対策も議論を＝加藤厚労相／全国知事会、コロナ検査態勢の拡大を国に要請へ／ワクチン承認に慎重な検証要望＝薬害被害者団体／飛まつの広がりをスパコンで予測、マスク有効も小さな飛まつ防げず／中国、コロナのワクチンはタイやベトナムなどに優先提供表明／東京都、九五人感染

25日 世界の感染者二三五〇万人、死者八〇万人／感染者への差別や中傷で文科省が緊急メッセージ／WHO、コロナワクチンの争奪戦に懸念、公平な枠組み呼びかけ／「Go Toトラベル、延べ四二〇万人が利用」と赤羽国交相／コロナの影響で「家賃が払えない」という相談が急増／外食チェーンの先月の売り上げ、大幅落ち込み続く／新潟県内の学校でコロナに関するいじめの報告が八件／東京都、一八二人感染

26日 コロナで介護サービス利用頻度、三割の人で減少／立民が首相出席での衆院予算委集中審議を要求、自民は拒否／インフルエンザのワクチン「高齢者などから順に接種を」厚労省／東京都、二三六人感染

27日　東京都、飲食店などの営業時間短縮、小池知事「全面的に応じた事業者には一五万円の協力金」／東京都、二五〇人の感染、都内の感染医者は計二万人超

28日　仏政府、パリ全域で屋外でのマスク着用義務づけへ／安倍首相、正式に辞意表明「負託に自信を持って応えられない」／安倍首相、感染症法の運用見直しへ、保健所などの負担軽減図る／総裁選日程は二階幹事長に一任／雇用調整助成金の特例措置、一二月末まで延長／東京都、二二六人感染、二人死亡

29日　感染拡大で悪化の経済立て直し、次期政権の課題に／東京都、二四七人感染

30日　世界の感染者、二五〇〇万人、死者八四万人／東京都、一四八人感染、二人死亡

31日　ホテルなど宿泊者、七月の売上は前年比五六％減、コロナの影響続／東京都、一〇〇人感染、三人死亡

9月

1日　七月の完全失業率二・九％、前月比〇・一ポイント悪化、完全失業者数は一九七万人／コロナ影響で仕事失った人、幅広い業種に広がると厚労省、八月二八日の時点で四万九四六七人／感染者などへの偏見や差別、できるだけ早く対策を＝西村経再相／差別などの労働相談、六月は前年同期比一・五倍＝連合／大坂なおみが全米オープン一回戦で、黒人女性銃撃に抗議のマスク／休業手当、四人に一人は支払われず／東京都、一七〇人感染、一人死亡

2日　コロナ対策「政府の対応に空白なし」西村経再相／新潟の燕市教育長が辞意表明、「コロナ禍、解消方法は戦争」発言で／コロナ専門家会合「感染者、緩やかな減少傾向続くも警戒必要」／コロナ、大学調査で学生の心への影響が浮き彫りに＝秋田大学／コロナワクチン、臨床試験終了前に承認や投与の動き、WHOが懸念／東京都、一四一人感染

3日　コロナワクチン、米CDCが一一月初めに供給前提で準備求める／世界の感染者二六〇三万

人、死者八六万人／教職員対象のアンケート「今後いじめが増える」九割に／クラスター発生の学校に中傷や差別、冷静な対応を＝文科省／政府、東京五輪・パラ選手に入国後二週間の待機求めないなど検討／東京都、二一一人感染

4日　米製薬ファイザー、一〇月中にもコロナワクチン承認申請へ／ブラジル、感染者の合計が四〇〇万人超、貧困層中心に感染拡大／飲食店支援のGo Toイート、今月中にも開始へ

5日　コロナ軽視のブラジル大統領、支持率上昇、失業者に現金／全国で五九一人の感染、東京は一三六人

6日　宮崎の台風一〇号、コロナ対策で避難所、新規受け入れできず／東京都、一一六人感染

7日　プロ野球とJリーグ、コロナでの観客数上限の緩和を要望へ／インドの感染者数が世界二番目に、七日の時点で四二〇万人／高校生の求人倍率、二〇一〇年以来前年を下回る／東京五輪「コロナがあろうとなかろうと、来年七月二三日に開幕する」IOCコーツ調整委員長

8日　政府、ワクチン購入に予備費六七〇〇億余支出を決める／コロナの影響で倒産、五〇〇社に／消防職員、救急活動で九割近くが「感染の不安感じた」／東京都、一七〇人感染、六人死亡

9日　コロナの第一波、緊急事態宣言で人と人との接触八六％減か／「家賃払えない」、給付金申請が九〇倍に／ワクチン開発、製薬会社など九社〝安全最優先〟宣言／子どもの約八割が家庭内で感染＝日本小児科学会／コロナ影響で倒産、関東地方の企業が四割近く占める／コロナで生活困窮の人の自治体相談窓口、相談員の負担深刻に／アストラゼネカ、ワクチンの臨床試験を一時的に中断、「試験の参加者に何らかの症状が出る」

10日　IOCバッハ会長、東京五輪は安全な環境下でのみ開催／トランプ大統領、対策の遅れについて、コロナの危険性を「軽く見せたかった」／東京都、コロナ警戒レベル引き下げ、営業短縮要請も一五日終了／八月の自殺者、大幅増加で一八〇〇人超、八月の前年比で一五・

三％増し／東京都、二七六人感染

11日　東日本大震災から九年半、暮らし再生や原発事故の復興は道半ば／G20労働雇用相会合、女性の雇用を優先政策に位置づけ／Go Toトラベル、一〇月一日から東京発着も対象に／Go Toトラベルに対する分科会の見解「感染者急増している場合、慎重な対応を」／世界の感染者二八一七万人、死者九〇万人／東京都、一八七人感染、半数が感染経路不明

12日　フランス、コロナ新規感染者一日あたりで約一万人に／住宅ローン、返済条件見直す人急増／東京都、二二六人感染、二人死亡

13日　コロナで「偽りの自主退職」に、外国人技能実習生の相談相次ぐ／コロナ対応について一都一三県の職員、過労死ライン超の長時間労働／コロナとの同時流行抑止へ、インフル予防接種の助成広がる／在宅勤務広がり、通勤手当や定期券代の支給を見直す動き／東京都、一四六人の感染

14日　東南アジア、コロナ感染対策の再強化相次ぐ／コロナ、世界の感染者が一日で三〇万人をえる／外国人技能実習生監理団体、全国初の自己破産申請へ／東京都、八〇人感染、二人死亡

15日　コロナ対応で予備費から一兆六〇〇〇億円余り支出と閣議決定／Go Toトラベル、東京発着旅行の販売開始は一八日にも／就職内定取り消しが全国で一七四人、コロナ影響で前年度の五倍／東京二三区内の酒提供の飲食店、営業時間短縮の要請がこの日で終了／東京都、一九一人感染、二人死亡

16日　八月の貿易額は輸出入とも減少、コロナで世界経済低迷の影響続く／世界の観光業、六月までの半年で四八兆円余損失／インド、感染の歯止めかからず、世界最多の一日九万人ペース／トランプ大統領、「ワクチン入手まで三、四週間かも」／東京都、一六三人感染、三人死亡

17日　コロナ影響長期化で、自殺考える人からの相談が窓口に相次ぐ／東京都の感染状況「急速な

増加が強く危惧される」／東京都、一七一人感染
18日　ブラジルのサンパウロ、子どもの一八％超が感染、学校再開延期／世界の感染者、累計で三〇〇〇万人超える／明日から四連休、東京で帰省前に自費でPCR検査受診する人が相次ぐ／イベント開催制限、一九日に緩和
19日　コロナ、欧州で感染拡大傾向／東京都、二一八人の感染
20日　自民、「三〇人学級」実現へ法改正求める方針、コロナによる休校などを踏まえ／国の貸し付け一〇七万件余、リーマン後三年間の五倍以上
21日　東京都、九八人の感染
22日　四連休で人出増加、「油断せず濃厚接触避けて」と専門家／東京都、八八人感染
23日　ニューヨーク〝ロックダウン〟から半年、失業率は全米最悪／国連一般討論演説始まる、トランプ「中国に責任取らせる」／全世界対象の入国制限、来月にも緩和を検討へ／給付金対象外で風俗業者が提訴／東京都、五九人の感染
24日　今年、休業・廃業した企業は前年比二三％増、コロナ影響で最多の可能性／世界の総就労時間、約一七％減、五億人近く失業に相当＝ＩＬＯ／四連休の影響で感染の再増加を懸念、東京都モニタリング会議／東京都、一九五人の感染、三人死亡
25日　コロナ影響による「住居確保給付金」の支給決定件数が急増／外食チェーン八月の売り上げが前年同月比一六％減／政府、中長期の在留資格外国人の新規入国、順次認める方針決定／東京都、一九五人感染、四人死亡
26日　東京都、二七〇人感染、死者の合計が四〇〇人に
27日　東京都、一四四人感染
28日　コロナ感染防止徹底のため学校現場に感染症の専門家派遣へ／コロナ対策万全に中曽根元首

相の合同葬実施へ／コロナで健康診断の受診率低下、前年同期比三〇％余り減／東京都、七八人感染、六人死亡

29日 WHO、一億二〇〇〇万回分の簡易検査キットを途上国などに配布へ／世界全体のコロナ関連死者数が一〇〇万人超える／政府配布の布マスク、「単価の開示は遠慮している」田村厚労相／コロナで失業、製造業で一万人超、飲食業でも一万人近く／オーストラリア、この冬にコロナとインフル同時に流行せず／感染者情報集約する国のシステム、都内で導入は一割にとどまる／東京都、二一二人感染、一人死亡

30日 アメリカ「ワクチン接種しない」が二人に一人／来年度予算案概算要求、一〇〇兆円超の見通し／八月国内宿泊者数、前年比五八％減／住宅着工戸数、一四カ月連続減少／明日から入国制限緩和、関西空港は水際対策強化も閑散状況続く／東京都、一九四人感染、一人死亡

10月

1日 ワクチン接種に自己負担求めない方針／消費税率引き上げから一年、コロナ影響で財政状況一段と厳しく／アバター使ったWEB内定式も／日銀短観、大企業製造業の景気判断は悪化に歯止めも厳しい水準／デパート九月売り上げ、前年比三～四割近く減少／Go Toイート開始／Go Toトラベル、東京発着スタート／都内でのPCR検査処理能力、目標の一日一万件超える／東京都、二三五人感染、一人死亡

2日 三〇代以下の女性の自殺、昨年比七四％増加／八月の有効求人倍率一・〇四倍、八カ月連続で低下／八月の完全失業率三・〇％、前月比〇・一ポイント悪化、全国の完全失業者数は二〇六万人／トランプ大統領夫妻、コロナ陽性を明らかに／大学の後期授業、「対面授業」の実施に地域差／東京都、一九六人感染

3日 インド、コロナでの死者一〇万人超／「いのちの電話」がつながらない、相談員減少にコロ

ナ影響も／東京都、二〇七人の感染
4日　東京都、一〇八人感染
5日　コロナで企業の休廃業が増加、事業続ける意欲失う経営者も、一月〜八月で全国の休廃業・解散の企業は三万五八一六社／世界の感染者三五一五万人、死者一〇三万人／再感染の報告、世界各国の研究グループから相次ぐ／東京都、六六人感染
6日　世界の九割以上の国でコロナが精神医療の分野に影響、WHO調査／テレワーク、八割が満足も職場や人間関係など課題指摘する声も／コロナ影響で失業、六万三〇〇〇人余、飲食業も一万人超に／東京都、一七七人感染
7日　世界貿易量、昨年比九・二％減の見通しとWTO／介護事業者の倒産、過去最多ペースで増加／概算要求が過去最大規模、一般会計で総額一〇五兆四〇七一億円／東京都、一四二人感染、二人死亡
8日　認知症、介護施設の面会制限や外出自粛で「悪化」半数が回答／Go Toイートで〝錬金術〟、「鳥貴族」が対策／東京都、二四八人感染、一人死亡
9日　コロナの影響で子どもの生活リズムに乱れ、国立成育医療研究センターの研究グループ／世界的な医学雑誌「ニューイングランド・ジャーナル・オブ・メディシン」、米トランプ政権のコロナ対応批判の記事掲載／コロナ影響で倒産の企業六〇〇社に、飲食やアパレル関連目立つ／全国の中小企業、七割が〝今後も売り上げの減少続く〟＝日本商工会議所／感染拡大に伴う入国拒否で、新たに日本に入国した外国人約八割減／感染不安で自主的に休んでいる小中学生、少なくとも七〇〇〇人以上／東京都、二〇三人感染
10日　アメリカでコロナ感染再拡大、中西部では野外病院も／ニューヨークのブロードウェイ、来年五月までミュージカル休演／コロナ影響で仕事を失うなど生活困窮者に全国一斉の電話相

談／東京都、二四九人感染

11日　東京都、一四六人感染

12日　保健所で〝サービス残業〟相次ぐ／コロナウイルス「紙幣の表面で二八日感染力保ち存在」とオーストラリア連邦科学産業研究機構／Ｇｏ Ｔｏトラベル、予約サイトなど割り引き上限額の引き下げ相次ぐ／東京都、七八人感染

13日　ヨーロッパでコロナ感染再拡大、規制導入広がる／パソコン世界出荷台数、前年比一四％超増加、コロナ影響で需要拡大／ジョンソン・エンド・ジョンソン、ワクチン臨床試験を一時中断、試験の参加者に原因不明の症状／持続化給付金不正で三四人逮捕、自首や相談相次ぐ／「コロナウイルス、武漢菌をまき散らす支那人、今すぐ出ていけ」、コロナ関連で中国出身者差別の言動、都がヘイトスピーチと認定／「集団免疫は科学的にも倫理的にも問題」ＷＨＯ事務局長／Ｇｏ Ｔｏトラベル、追加の予算を配分、割引率は元どおり三五％に／東京都、一六六人感染

14日　感染者に占める医療従事者の割合、四月は二五％、八月は五％とＷＨＯ推計／ロシアのコロナ感染、春を上回る勢いで再拡大／コロナ理由で「登校せぬ子どももいる学校」一五％の学校で＝日教組／母親の「産後うつ」、コロナ影響で倍増のおそれ／家族のコロナ感染で孤立化する高齢者相次ぐ、東京都が受け入れ体制整備へ／東京都、一七七人感染、二人死亡

15日　巨額の経済対策による借金、世界全体で過去最悪の水準に＝ＩＭＦ／フランス、コロナで非常事態宣言、パリなどで夜間外出禁止へ／インド、感染拡大続くもほぼすべての経済活動の制限緩和／「増加要因と減少要因がきっ抗」と政府の分科会／東京都、二八四人感染、二人死亡

16日　東京都、〝高水準で推移〟と分析、一週間平均も増加／「疲れ果てた」、仏で医療従事者ら抗議活動、待遇改善など求める／フランス、イタリア、ドイツで一日の感染者数が最多に／

17日 〝陰性証明〟を会社が要求、厚労省は「慎重にすべき」と／GoToトラベル、地域ごとの予算枠適用を当面見送り／「人殺し」「地域から出ていけ」、コロナ差別への対応に地域差も／東京都、一八四人感染
18日 フランス、パリなどで四週間の夜間外出禁止へ、コロナ感染急拡大で／東京都、二三五人感染、三人死亡
19日 アメリカ大統領選挙、期日前投票が異例のペースで増加／コロナで就職活動影響、田村厚労相「卒業後三年は新卒者扱いで」／東京都、一三二人感染、二人死亡
20日 世界の感染者四〇〇六万人、死者一一一万人／皮膚付着のコロナウイルス、感染力九時間続くと京都府立医大／日本‐ベトナム首脳会談、菅首相は中国を念頭に緊密連携を確認／コロナで医学生の臨床実習に影響、「患者の問診できず」が七割超／東京都、七八人感染
21日 GoToトラベルを来年春の大型連休まで継続、公明が申し入れへ／コロナにより各国の移民が特に大きな影響、「移民の人たちはパンデミックに弱く支援が必要」とOECDが報告書／インドネシア、感染者・死者ともに東南アジア最多、歯止めかからず／首都圏、新築マンション発売戸数、過去最低水準に／東京都、一三九人感染、一人死亡
22日 「妊娠届」、五月以降は大幅に減少、コロナ影響か／ANAホールディングス、今年度 過去最大の五〇〇〇億円規模赤字見通し／香港キャセイパシフィック航空、コロナ影響で八五〇〇人削減へ／九月の外国人旅行者、六カ月ぶり一万人超も去年比九九％超の大幅減／女性の自殺、七月以降増加／西村経再相「年末年始の休暇延長を」と経済団体に要請／東京都、一五〇人感染、二人死亡
「産後うつ」割合、出産後一年近くにわたり同水準、コロナ影響か／ヨーロッパ各国、今春上回る水準でコロナが〝再拡大〟／イタリア北部ミラノなどで二二日から夜間外出禁止へ／

23日 五輪ボランティアに都が調査／回答の八割「コロナ感染状況心配」／滞在七二時間以内のビジネス関係者、入国認める方向で検討と政府／コロナの感染状況「入院患者増加に転じている」専門家会合／広がるコロナの自費検査、行政に報告されないケース相次ぐ／東京都、一八五五人感染、三人死亡

24日 コロナ後遺症、脱毛症や四カ月たっても嗅覚の異常も＝国立国際医療研究センター／厚生労働白書、コロナ感染拡大で社会保障や働き方に大きな影響／「レムデシビル」、コロナ治療薬にアメリカが正式承認／支援策でも線引き、苦境が続く〝夜の街〟／「ウイルス感染の怖さ感じる」、強化指定選手の半数以上＝JOC調査／東京都、一八六人感染、三人死亡

25日 「レムデシビルの効果に疑問」、WHOが改めて見解／都民の都内旅行補助事業、今日から開始、バスツアーにぎわう／東京都、二〇三人感染

26日 ブラジル、コロナ後に凶悪犯罪増加、一〇分間に一人が殺される状況／コロナへの偏見や差別対策、来月上旬にも中間報告と西村経再相／東京都、一二四人感染、二人死亡

27日 財務省が〝緊急時の対応〟だったと「持続化給付金」など終了を提言／東京都、一〇二人感染、三人が死亡

28日 ヨーロッパ株式市場が値下がり、コロナの経済影響に懸念／WHO、「感染拡大に歯止め、難しい」、ヨーロッパの現状に懸念／コロナワクチン接種、費用全額国負担に、改正法案を閣議決定／「小中学校など冬休みの延長や分散求めず」萩生田文科相／東京都、一五八人感染
NY市場、ダウ平均三日続けて値下がり／自民の下村政調会長、年末年始の休暇分散取得発言で西村経再相に苦言／北海道「警戒ステージ」引き上げ、コロナ感染者増加で対策要請／専門家会合、全国の感染「微増傾向が続いている」／心臓や肺などの手術件数大幅減、コロナ感染恐れ受診控え影響か＝日本胸部外科学会／病床ひっ迫、一都三県が「ステージ3」の

指標超える／救急搬送の子どもが四割近く減少、医師〝緊急時はためらわずに〟／東京都、一七一人の感染

29日 フランス、感染再拡大で全国一律の外出制限、今月三〇日から／学術会議の任命拒否は「法に沿って行ったもの」と菅首相／東京都、感染再拡大に警戒必要、予防策改めて徹底を／東京都、二二一人感染、二人死亡

30日 日本航空、二四〇〇億以上の赤字へ／「持続化給付金」返還の申し出六〇〇〇件余、数十億円規模か／求人が一年で約七〇万人減／コロナ影響などで退職募集の企業が去年一年間の二倍に／宅配大手二社、業績見通し上方修正、コロナでネット通販の荷物増／関東の私鉄三社、中間決算が過去最大の最終赤字に／雇用調整助成金、政府は期限延長で検討、縮小を求める意見も／東京都、二〇四人感染、二人死亡

31日 企業の「内部留保」、八年連続過去最高更新／北海道でコロナ感染者が急増、過去最多に、担当者「危険な状況」／東京都、二一五人感染

11月

1日 子ども食堂「再開めど立たず」半数近く、感染防止の対応難しく／入国後の一四日間待機について短期出張や日本居住外国人が条件付きで免除／〝一日で一〇万人〟アメリカの新規感染者が過去最多に／東京都、一一六人感染

2日 通所介護サービスで八割の事業所がコロナによる「利用控え」／「来季から一〇〇％の観客は可能」、プロ野球・Jリーグ会議で専門家／世界の感染者四六五〇万人、死者一二〇万人／東京都、八七人感染、四人死亡

3日 中国、日本からの渡航者にPCR検査と抗体検査での陰性義務づけへ／東京都、二〇九人感染

4日 タクシー乗車の際にマスク着用拒否は断る、事業者の申請を国認可／東京都、一二二人感染

5日　イギリス、外出制限など厳しい措置開始へ／イタリア、コロナ再拡大で全土で夜間外出制限／自民・公明、第三次補正予算案で〃コロナ対策と国土強じん化を〃／北海道、一一九人感染／東京都、二六九人感染、二人死亡、重症者が増加傾向
6日　アメリカ、コロナ感染者が一〇万人超、医療ひっ迫で死者の増加懸念／コロナ感染一〇〇〇人超、「感染状況把握に努める」西村経再相／東京都／二四二人感染
7日　変異したコロナが見つかった家畜ミンクを殺処分へ＝デンマーク／介護報酬の改定、議論難航も、コロナで事業所経営に打撃の中／東京都、二九四人感染
8日　札幌のススキノ、飲食店から不安の声、感染拡大で営業短縮要請／東京都、一八九人感染
9日　世界の感染者数五〇〇〇万人超える／コロナ影響の失業者、七万人超える／行き場失う外国人技能実習生、国に実態調査を要請／〃途上国の実態不明〃と専門家、国際的支援強化訴える／政府分科会「急速な感染拡大の可能性も」緊急提言／東京都、一五七人感染
10日　先月の企業倒産は六四七件、三カ月連続の減少も増加懸念／国立感染症研究所の人員や設備を大幅拡充へ、西村経再相／先月の自殺者、去年より四〇％増加、女性が大幅増／ファイザー「九〇％超の予防効果」、専門家「もっと情報が必要」／東京都、二九三人感染
11日　飲食店の倒産が全国で七三〇件、コロナで最多ペース／日本医師会会長「第三波ではないか」、対策政府に求める考え／「医療ひっ迫のシナリオも」と政府分科会、尾身会長が危機感／東京都、三一七人感染
12日　コロナ感染者への差別、国に対策求める報告書案まとまる／東京都、コロナ感染者は全世代で強い警戒を／「急速な感染拡大の始まり、厳重警戒を」東京都モニタリング会議／北海道、二三六人感染、二人死亡／東京都、三九三人感染
13日　アメリカ、一日の感染者が一四万人超と最多に／菅首相、緊急事態宣言の発出には慎重な姿

勢／コロナワクチン接種、田村厚労相「情報提供のうえ本人の意思で」／韓国、公共の場でマスク未着用の場合、約一万円を徴収／コロナ影響で倒産や法的整理七〇〇社に／東京都、三七四人感染
14日　コロナ情報システム「HER‐SYS」活用時期は見通せずと厚労省／自民、下村政調会長「Go Toトラベル東京五輪・パラまで継続を」／東京都、三五二人感染
15日　東京都、二五五人感染
16日　菅首相「感染者増加傾向顕著、感染対策徹底を」／全国でクラスターなどが九日までの一週間で一三〇件に、前週比二六％増／人口当たりの新規感染者数、北海道が突出して多く／大阪府内の重症病床の使用率、実質六割超える／首相「感染対策とりながら観光需要を回復させる政策プランを」／米モデルナ、コロナワクチン「九四・五％の有効性」暫定結果を発表／Go Toイート、原則四人以下に限るよう呼びかけ＝農林水産省／東京都、一八〇人感染、二人死亡
17日　GDP伸び率、大幅改善も感染拡大で先行き不透明／「北海道のGo Toトラベル、見直す状況にない」赤羽国交相／〝Go To〟イベント・商店街「現時点で見直す考えない」梶山経産相／北海道、感染拡大で自粛要請へ、札幌で不要不急外出／政府、コロナ営業短縮協力金を一店舗六〇万円上限、八〇％国が負担方針／大学生内定率がコロナ影響で六九％、七〇％下回るのは二〇一五年以来／東京都、二九八人感染、重症者は緊急事態宣言解除後で最多
18日　IOCバッハ会長帰国へ、来年の東京大会開催へ成果／橋本五輪相「開催は決定、観客数の上限決める」感染対策加速へ／政府分科会の尾身会長「ふんどし締め直す時期」／東京都、四九三人のコロナ感染、警戒レベルを最高段階に引き上げへ

19日　米ファイザー、ワクチンに「九五％の有効性」緊急使用許可申請へ／米、コロナ「無症状なら医療従事者は働ける」命令に強い反発、ノースダコタ州／菅首相「最大限の警戒状況」で〝静かなマスク会食〟呼びかけ／米、死者二五万人超、NY市は公立学校の再閉鎖へ／菅首相と公明の山口代表、〝Go To〟適切に継続で一致／ワクチン費用「国負担」、予防接種法改正案が衆院通過／東京都、五三四人感染

20日　「ヨーロッパのマスク着用率六〇％以下」、WHOが着用徹底呼びかけ／Go Toトラベル、運用見直す状況にないとの認識＝赤羽国交相／官房長官「最大限の警戒」も緊急事態宣言「発出状況ではない」／Go Toイート、東京都内で使えるプレミアム付き食事券の販売開始／レムデシビル、入院患者への投与勧められないとの指針をWHOが公表／東京都、五二二人感染、一人死亡

21日　Go Toイート、食事券の販売一時停止の検討を要請へ、農水省／働き盛り男性の自殺増加、コロナによる雇用情勢の悪化影響か／東京都、五三九人感染

22日　コロナ感染拡大「病床の使用率」全国七都道府県で三〇％超／世界の感染者五八一四万人、死者一三八万人／東京都の小池知事「Go Toトラベル」見直しは「国判断で進めるべき」／大阪府、四九〇人感染で過去最多／東京都、三九一人感染

23日　G20、首脳宣言を採択、コロナで世界経済はより大きな下方リスク／東京都、三一四人感染、七日間平均の四四一・六人は過去最多

24日　イタリア、死者五万人超、医療関係者の感染も相次ぐ／Go Toトラベル、札幌と大阪市を対象外に、期間は三週間／「通常助けられる命が助けられなくなる」、専門家会合で危機感／東京都、一八六人感染

25日　子どもの自殺大幅増加、コロナによる生活変化が影響か＝厚労省／米厚生長官、コロナワク

チンは来月一〇日以降供給開始の見通し示す／東京都、飲食店に時短要請へ／北海道、コロナ集中対策二週間延長／日本医師会「全国で医療提供体制が崩壊危機に」強い危機感示す／東京都、四〇一人感染、三人死亡

26日 世界の感染者六〇〇〇万人超、死者一四一万人／ドイツのメルケル首相、飲食店の営業禁止を一二月二〇日まで延長／韓国、一日あたりの感染者五〇〇人超、三月以来の水準に／西村経再相「この三週間が勝負だ」とコロナ対策強化／国交相、ＧｏＴｏの「札幌市・大阪市を出発地対象外すこと検討せず」／重症患者増、通常医療との両立に危機感、東京都モニタリング会議／東京都、四八一人感染

27日 「緊急事態宣言が出ても全国一斉休校は要請せず」萩生田文部科学相／九都道府県でプレミアム付き食事券販売の一時停止を決定／分科会の尾身会長「個人努力だけに頼るステージ過ぎた」／中国との往来再開は今月三〇日から、ビジネス関係者など対象／東京都、五七〇人感染、三人死亡

28日 厚労省、年末年始も自治体に失業者らの支援を要請／東京都「ＧｏＴｏトラベル」含め対応を検討する考え／東京都、五六一人感染

29日 東京都、四一八人感染

30日 中国とのビジネス関係者などの往来が再開／コロナで訪問介護職の人手不足が深刻化、有効求人倍率は一五倍超／富山県、自殺者が去年比で三倍増、予防対策を前倒し／参院本会議で首相が「コロナ対策、必要な取り組み躊躇せず」／東京都、三一一人感染

参考資料　…　朝日新聞、毎日新聞、読売新聞、産経新聞、東京新聞、ロイター、ＡＦＰ、ＣＮＮ、ＮＨＫ、ニューズウィーク日本版、週刊文春など

森 達也（もり・たつや）

1956年、広島県呉市生まれ。映画監督、作家、明治大学特任教授。テレビ番組制作会社を経て独立。98年、オウム真理教を描いたドキュメンタリー映画『A』を公開。2001年、続編『A２』が山形国際ドキュメンタリー映画祭で特別賞・市民賞を受賞。佐村河内守のゴーストライター問題を追った16年の映画『ＦＡＫＥ』、東京新聞の記者・望月衣塑子を密着取材した19年の映画『ｉ－新聞記者ドキュメント－』が話題に。10年に発売した『A３』で講談社ノンフィクション賞。著書に、『放送禁止歌』（光文社知恵の森文庫）、『「A」マスコミが報道しなかったオウムの素顔』、『職業欄はエスパー』（角川文庫）、『A２』（現代書館）、『ご臨終メディア』（集英社）、『死刑』（朝日出版社）、『東京スタンピード』（毎日新聞社）、『マジョガリガリ（エフエム東京）、『神さまってなに？』（河出書房新社）、『虐殺のスイッチ』（出版芸術社）、『フェイクニュースがあふれる世界に生きる君たちへ』（ミツイパブリッシング）、『U 相模原に現れた世界の憂鬱な断面』（講談社現代新書）など多数。

論創ノンフィクション 010
定点観測
新型コロナウイルスと私たちの社会 2020年後半

2021年3月20日　初版第1刷発行

編著者　森　達也
発行者　森下紀夫
発行所　論創社
東京都千代田区神田神保町 2-23　北井ビル
電話　03（3264）5254　振替口座　00160-1-155266

カバーデザイン　宗利淳一
組版・本文デザイン　アジュール
印刷・製本　精文堂印刷株式会社
編　集　谷川 茂

ISBN 978-4-8460-2015-6 C0036